KB197061

첫날밤만 세 번째

A.TEMPO MEDIA Inc

이 도서의 국립중앙도서관 출판시도서목록은 서지정보유통지원시스템 홈페이지(http://seoji.nl.go.kr)와 국가자료공동목록시스템(www.nl.go.kr/kolisnet)에서 이용하실 수 있습니다.

첫날밤만 세 번째

갓녀 장편소설

vol. 1

A.TEMPO MEDIA inc

Three First Nights

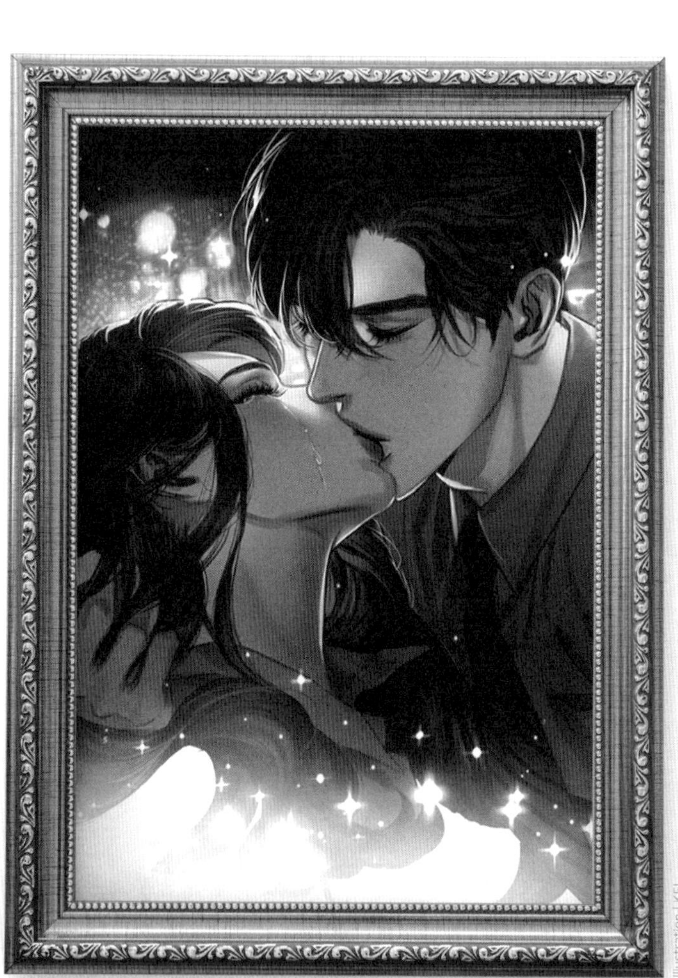

Illustration | KEI

Contents

007 + INSERT

012 1. 아홉수가 불러온 탈선

088 2. 미지의 욕망

170 3. 신이 내린 축복, 또는 저주

228 4. 건전한 키스

304 5. 호텔에서 생긴 일

360 6. 우리 오늘 잘래요?

프롤로그

연주 지시어, 페달을 밟아 음이 계속 울리도록

+

INSERT

내 나이 스물아홉. 처음 본 남자와 호텔에 왔다.

'이게 다 아홉수라서…….'

치열한 궤도를 달려왔던 20대의 마지막을 추모하는 역사적인 탈선의 현장, 라비에트 호텔 스위트룸 2005호. 그나마의 행운은 오늘이 짜릿한 일탈의 상대가 꽤 예술적인 얼굴과 탄탄한 몸매를 겸비한 명품 중의 명품이라는 점이다. 거기다가 프로의 향기가 물씬 느껴지는 현란한 키스 솜씨와 능숙한 손길은 이미 내 이성을 저 너머 은하계로 귀양 보낸 지 오래다.

"연누리 씨."

비록 그의 입에서 흘러나온 세 글자가, 내 이름이 아닌 내 절친한 친구의 이름일지라도.

"난 한번 결정하면 끝을 보는 타입입니다."

어쨌든 지금 이 일탈의 주인공은 우리 두 사람이다.

"관두려면 지금이 마지막 기회라는 뜻이고."

꽤 친절하게 경고하는 입술에 나는 오늘만 사는 여자처럼 무작정 욕망 어린 입술을 부딪쳤다. 이성보다 쾌락의 즐거움이 앞서는 순간, 입술 안쪽에서부터 퍼지는 꿀처럼 달콤한 감각에 금방이라도 끊어질 듯 정신이 아찔해졌다. 점막과 점막이 부드럽게 비벼지며 발생한 열감이 가슴속에서부터 뜨겁게 타오르는 듯했다. 스물아홉 인생의 피날레를 장식할 만한, 실로 환상적인 키스였다.

"샤워부터 할래요?"

흐름을 끊는 시시한 질문에 내키지 않는 표정을 지어 주니 그가 바람 빠지듯 픽 웃었다. 곧 등 뒤로 푹신하게 눌리는 매트리스의 감촉을 느끼며 눈을 지그시 감았다가 떴다. 그의 입술이 살갗에 마찰하는 소리가 달콤하게 번져 나갔다. 나는 오랜만에 찾아온 황홀함에 온전히 집중하며 이 시간을 즐겼다.

"아름다우시네요……."

녹아 버릴 것만 같았기에, 눈을 질끈 감아 버렸다.

"누리 씨."

……아니. 내 이름은 연누리가 아닌, 백도희. 난생처음 본 남자와의 오늘의 일탈은 인생 처음이자 마지막으로 기록될 것이다. 탄탄대로라기보다는 비포장도로였던, 흙먼지만 가득했던 나의 20대. 그래도 젊기에 찬란했던 20대의 마지막을…… 나는 그 누구보다도 화려하게 마무리했다.

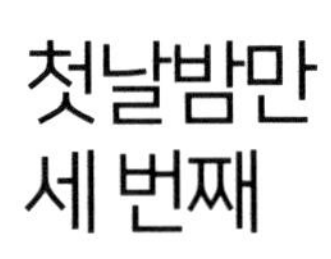

VOL. 1

Three First Nights

CHAPTER 1

아홉수가 불러온 탈선

1

아홉수가 불러온 탈선

그로부터 1년 후.

"월요일 좋아, 최고로 좋아."

오래간만에 찾아온 화창한 하늘에 기분이 좋아진 도희는 콧노래를 부르며 운전석의 창문을 내렸다.

"음, 오늘 날씨 한번 끝내주네."

서울시의 미세먼지 가득한 공기가 폐를 감아 빠져나갔음에도 불구하고 그녀는 정신 나간 사람처럼 웃었다. 지긋지긋한 아침 출근길의 차량 정체도, 매주 죽지도 않고 돌아오는 불멸의 월요일도, 오늘만큼은 도희의 기분을 상하게 할 수는 없었다. 지금 그녀는 곧 용이 되어 승천할 만큼 행복 게이지 만땅이었기 때문이었다.

"자, 도오오착."

회사 주차장에 능숙하게 세단을 주차한 도희는 구름 위를 걷는 듯한 발걸음으로 차에서 내렸다. 당당하게 파워워킹 하며 엘리베이터 앞에 서니 익숙한 얼굴이 도희를 향해 방긋 웃었다.

"과장님! 아니, 팀장님. 안녕하세요!"

도희와 같은 부서인 상품기획팀 양지예 대리가 활기차게 인사했다. 아주 깜찍하고 러블리한 '새 호칭'과 함께.

"응, 그래. 양 대리 안녕."

도희는 아무렇지 않은 척 태연하게 인사하며 씰룩이는 입꼬리를 갈무리했다. 들뜬 걸음걸이로 엘리베이터에 올라타자 뒤늦게 뛰어온 상품개발팀의 박문기 팀장이 호탕하게 웃음을 터뜨리며 반색했다.

"아니, 이게 누구야! 백 과장!"

이 아니고, 팀장이지.

"아! 이제 백 팀장이라고 불러야 하지?"

옳지, 옳지.

"어휴, 박 팀장님도 참. 팀장은 무슨요, 하하하."

"정말 축하해! 그동안 고생 많이 했는데, 이렇게 팀장 소리도 듣게 되고."

"다 덕분이죠. 감사합니다, 박 팀장님."

팀장. 그래, 백도희 팀장! 이 대한민국에서 나이 서른에 팀장 소리 듣는 여자가 몇이나 될까? 물론 진짜 팀장이 아닌, 팀장 대행일 뿐이지만.

"팀장님, 좋은 아침입니다!"

"응, 새봄 씨도 좋은 아침."

사무실에 들어오자마자 상품기획팀 2년 차 사원 김새봄이 웃으며 인사했다.

"새봄 씨. 브랜드 콘셉트 기획안은 마무리했어?"

"네! 팀장님 자리에 올려놨습니다."

기한 안에 깔끔히 일을 끝낸 새봄이 당당하게 말하자 도희의 광대가 씰룩쌜룩 솟아올랐다.

"아, 내 자리에 올려놨다고?"

바로 여기. 팀장 자리!

"그래, 확인할게. 고생했어."

바보처럼 웃음이 새어 나오려는 것을 가까스로 참으며 도희는 새 보금자리에 앉았다.

'와우, 이 돌아 버리는 착석감.'

도희는 기쁨과 감격으로 가슴이 뿌듯해졌다. 이 자리란 어떤 자리인가? 올해로 입사한 지 7년 차, 그 긴 세월을 회사의 충실한 개가 되어 밤낮없이 꼬박 노동한 대가로 주어진 자리였다.

새파란 신입부터 어엿한 팀장 대행까지, 이 자리에 앉기까지의 수년의 고생이 파노라마처럼 흘러가며 괜히 가슴이 뭉클해졌다. 이것은 그야말로 인간 승리! 어려서 부모에게 버림받고 의지할 혈육 하나 없이 성공만을 위해 살아온 30년 외길 인생에 대한 달콤한 보상이었다.

그만큼 도희는 지금껏 인생에서 늘 최선을 다해 살아왔다고 자부할 수 있었다. 대한민국의 1등 명문대학교를 우수한 성적으로 졸업했고, 24살 어린 나이에 국내 최고의 식품 기업인 KSS그룹에 수석으로 입사했으며, 이례가 없을 정도의 초고속 승진을 이루어내 업계 최연소 과장까지 달았다. 그리고 이제는…….

"오늘 백 팀장님, 기분 되게 좋아 보이시네요."

"그럼 안 좋겠어?"

유난히 들떠 보이는 도희를 보며 작게 속닥거리는 새봄에게 하동현 대리는 볼멘소리로 쑥덕거렸다.

"유 팀장님은 본부장으로 올라가셨고, 차장님은 또 진급 누락돼서 퇴사해 버리셨고. 위에 두 사람이 동시에 빠져나가서 뜬금없이 과장이 어부지리로 팀장 대행이 되셨는데."

도희와 입사 동기인 하동현 대리는 그녀보다 나이도 2살이나 많았으나 과장 진급에 꾸준히 미끄러지는 중이었다. 그러는 와중에 얄미운 입사 동기는 팀장 대행까지 맡게 되었으니 배가 아플 수밖에.

"부럽다, 부러워."

"에이, 하 대리님도 참. 다 팀장님이 능력이 있으시니까 대행 업무도 맡으신 거죠."

"누가 뭐래? 그냥 부럽다고. 부럽다는 말도 못 해?"

오늘도 어김없이 열등감 폭발한 동현을 보며 새봄은 질린다는 듯 고개를 내저었다. 그러거나 말거나, 동현은 흡사 개 목걸이처럼 목에 걸려 있는 제 사원증을 움켜쥐며 불평불만을 털어놓았다.

"입사 동기인데 왜 난 아직도 대리인 거야, 대체?"

제 목에 걸려 있는 것이 개 목줄이라면, 도희의 것은 마치 올림픽 금메달처럼 보였다.

"이 회사는 진급 기준이 뭐야? 대체 저 초고속 승진의 비결이 뭐냐고!"

다 들린다, 이 고문관 자식아. 도희는 대놓고 제 앞 담화를 까고 앉은 하동현의 멍청함에 혀를 찼다. 입사할 때부터 한심한 짓만 골라하더니, 아무렴 동기 중 대리 승진도 가장 늦었던 인간이다. 취미는 헛소문 퍼뜨리기이며 특기는 남 욕하기인 덜떨어진 놈.

그런 인간의 질투를 한 몸에 받는 것은 지금 이 인생이 성공을 향해 달리고 있다는 증거이기도 했다. 이렇듯 전쟁처럼 눈 깜짝할 새

맞은 서른. 이 정도면 꽤 잘나가는 인생이라고 그녀는 생각했다.

"백 과장!"

잠시 틈을 내 옥상에 올라온 도희는 오늘도 혼자 은밀한 유희를 즐기고 내려가려다가 딱 걸렸다. 갑작스러운 유현록 본부장의 등장에 서둘러 파우치를 재킷 안 주머니로 밀어 넣었다.

"우리 백 과장 한 대 하려고? 같이 피울까?"

"하하, 농담도 참. 제가 어떻게 본부장님 앞에서 그런 추태를 보이겠습니까."

"아니야. 아니야. 난 여자라고 담배를 피우면 안 된다는 생각 절대 안 한다고."

또 헛소리가 시작되는 듯해 도희가 가볍게 웃음으로 회답했으나 유 본부장은 계속해서 일장 연설을 늘어놓았다.

"근데 말이야. 우리 백 과장도 이제 나이가 꽤 있는데 슬슬 좋은 사람 만나서 시집도 가야 하지 않겠어?"

"아……."

"여자가 담배를 피우면 나중에 아이 가질 때도 그렇고, 여러 가지로 애로 사항이 되지 않을까? 좀 끊어 보면 어때?"

아주 남의 인생사부터 자녀계획까지 친절하게 참견해 주시는 모습에 도희는 빌어먹을 정도로 감동해서 눈물이 날 지경이었다. 자식 낳으면 그때는 그때대로 염병을 떨 거면서 지랄이 나셨다.

"하하. 저 담배 안 피우는 거 아시잖아요, 본부장님."

"음?"

"그리고 저 결혼할 생각 없어요, 아이도 가질 생각 없고요."

멍청한 얼굴로 저를 바라보는 유 본부장을 보며 도희가 하얀 이를 드러내고 웃었다.

"우리 회사가 제 부모이자, 반려이자, 또 자녀 아니겠습니까?"

도희의 초고속 승진 비결은 딱 세 가지다. 첫째, 빠릿빠릿한 업무 처리 능력 및 뛰어난 실적은 기본이니 차치하고, 조동아리를 자유자재로 놀릴 줄 알아야 했다. 진상 상사 비위 맞추기를 복수전공 한 도희는 입술에 침이 마르기도 전에 서둘러 MSG를 쳤다.

"저는 이 들끓는 애사심으로, 평생! 회사에 뼈를 묻을 각오로 일하고 있습니다."

"이야, 하하하! 우리 백 과장 진짜! 하, 내가 이래서 백 과장을 제일 아낀다고. 어?"

아니나 다를까, 약간 오버를 섞어 딸랑거려 주니 유 본부장은 좋다고 웃어댔다. 7년째 이 짓을 하고 있으니 이젠 거의 누르면 나오는 인간 아부 자판기가 되어 버렸다.

"아니, 이제 백 과장이라고 부르면 안 되지. 백 팀장!"

"하하, 팀장이라니요. 대행이죠, 팀장 대행."

"팀장 대행도 팀장이지! 대행하다가 진짜 팀장도 되고 그러는 거지, 뭘 또 빡빡하게 그래! 응?"

"정말 감사합니다, 본부장님. 덕분에 이 과분한 자리까지 앉았어요."

"백 팀장도 알지? 내가 원래 군대 안 갔다 온 사람은 내 라인에 안 넣어 주는 게 철칙인데 우리 백 팀장만 유일하게 넣어 준 거."

사회생활의 비결, 그 두 번째는 바로 여기에 있다.

"아휴, 당연히 알죠. 본부장님. 늘 마음에 새기고 있습니다."

이런 구석기시대 개소리를 상습적으로 지껄이는 금수보다 못한 상사 앞에서 부처님보다도 더한 인내심을 발휘하는 것. 그냥 산은 산이요, 물은 물이요 하며, 연두부 같은 멘탈 위에 강철 시멘트를 발라 버리는 것!

"백 팀장 보면, 참 그 나이 때 젊은 여자들 같지가 않아! 눈치가 척하면 척이야!"

그래. 너는 목 터지도록 짖어라! 나는 성공할 테니!

"사회생활 고수야, 고수! 하는 거 보면 꼭 인생 2회차 같다고! 하하하!"

그리고 마지막으로, 이 세상에서 오로지 그녀만 할 수 있는 비결이 하나 더.

"본부장님 따라가려면 멀었죠. 늘 충성을 다하겠습니다."

도희는 실제로 인생을 2회차…… 아니, 수십 번을 반복하며 살고 있다.

30년 인생, 도희가 그간 얼마나 열심히 살아왔는지를 말하려면 24시간이 모자랄 것이다. 밑바닥보다 더 내려간 지구 내핵에서부터 시작해 오로지 혼자의 힘으로 여기까지 올라왔으니까 말이다.

"네?"

이 고단한 행군의 결말로, 그녀는 이제 자기 눈앞에 탄탄대로만이 펼쳐질 거라고 생각했다. 머지않아 최연소 팀장직을 달게 될 거라고 확신했으니까.

“그게 무슨…….”

그런데 그게 전부 그녀의 착각이었던 모양이다.

“못 들었어? 외부에서 새 팀장이 부임해 올 거라고.”

착각 속에 잠긴 찰나의 기쁨이 부서지는 것은 순식간이었다. 유 본부장의 청천벽력 같은 말에 순간 제 귀를 의심한 도희가 딱딱하게 굳어 버렸다.

“백 과장한텐 미안하게 됐어. 상부에서 영입해 온 인재라 내가 뭐라고 하기도 좀 그렇고…….”

“……본부장님, 어떻게…….”

믿었던 도끼에 발등 찍히는 게 바로 이런 느낌일까. 도희의 말문이 막혔다.

“유감이야. 진짜.”

유 본부장이 목덜미를 아무렇게나 긁으며 한숨을 쉬었다. 망치로 한 대 얻어맞은 듯 서 있는 도희를 보며 그가 무덤덤하게 말을 이었다.

“그래도 새 팀장 오면 얼굴 붉히지 말고 잘 협조해서 일해 봐. 다음에 또 기회 있을 테니까.”

“…….”

“백 과장 아직 젊잖아. 안 그래?”

유 본부장이 팔을 뻗어 도희의 어깨를 툭툭 두드렸다.

“예쁜 얼굴에 주름지게 너무 신경 쓰지 말고, 나중에 술이나 한잔하자고.”

……지금 이게 무슨 소리지? 차마 현실을 받아들일 수 없던 도희는 유 본부장의 말에 아무런 대꾸도 하지 못했다.

유 본부장과 얘기를 마치고 본부장실의 문을 닫고 나온 도희는 넋 나간 사람처럼 그 자리에 가만히 묶여 있었다.

'……협조?'

머릿속이 백지가 된 것처럼 멍했다. 그녀는 말로 형용할 수 없을 만큼 복잡한 기분에 사로잡혔다. 뚜벅뚜벅 걸어 엘리베이터에 올라타자 피의 흐름이 느려지는 듯한 착각이 들 정도였다.

'내 자리 뺏은 굴러들어 온 돌한테…… 협조하라고?'

개뿔, 아주 입으로 방귀를 뿡뿡 뀌고 앉았다. 혼이 나간 사람처럼 멍하니 사무실로 돌아온 도희는 제 자리를 가만히 응시했다. 팀장이 앉는 자리, 이제는 시한부가 되어 버린 자리에 털썩 주저앉자 호기심 어린 팀원들의 시선이 모여 붙었다. 안색이 어두운 도희의 눈치를 보던 지예와 새봄이 쪼르르 다가왔다.

"왜요? 본부장님이 뭐라고 하셨는데요?"

지예가 심각하게 묻자 도희가 무표정하게 입술을 움직였다.

"……외부에서 새 팀장이 온단다."

"네에에?!"

생각지 못한 뉴스에 놀란 지예와 새봄이 입을 떡 벌렸다.

"당연히 난 특진 물 건너갔고."

"아니, 뭐 그런 법이 다 있어요? 업무는 업무대로 다 굴려 먹고. 뒤통수도 적당히 쳐야지……."

제 일처럼 분개한 지예가 주먹을 꽉 쥐고 쫑알거리자 새봄이 열심히 고개를 끄덕였다.

"그 새 팀장은 몇 살이래요? 남자래요, 여자래요?"

"나이는 모르겠고, 남자."

도희가 작게 뇌까리며 머리를 헝클어뜨렸다. 잠시 탄식했던 지예와 새봄은 곧바로 대항 의지를 불태웠다.

"괜찮아요, 팀장님. 우리가 있잖아요!"

"새 팀장 오면 우리가 아주 똘똘 뭉쳐서 본때를 보여 주면 되죠! 어디 굴러들어 온 돌이 잘난 척만 해 봐!"

"맞아요, 맞아! 텃세에는 장사 없어요!"

"그래, 그래. 마음은 고마운데 거기까지. 머리 아프니까 그만."

"아, 팀장니임!"

합창하고 앉은 지예와 새봄을 보며 도희가 한숨을 쉬며 머리를 털었다.

"나 이제 팀장 아니야. 그만 팀장이라고 불러."

도희가 어서 자리로 돌아가라는 듯이 손을 휘휘 내젓자 풀죽은 지예와 새봄이 터덜터덜 원위치로 돌아갔다.

"하아……."

도희는 깊게 한숨을 내쉬며 눈을 지그시 감았다가 떴다.

보름이 지나고 찾아온 월요일. 아침부터 열 제대로 뻗친 도희는 곧 폭발할 것처럼 심기가 매우 불편했다. 탕비실에서 커피를 석 잔째 뽑아 원샷 하며 뿌리 깊은 한숨을 내쉬었다. 그런 도희의 기분을 풀어 주기 위해 지예와 새봄은 출근하자마자 도희에게 다닥다닥 모여 붙어 바쁘게 쫑알거렸다.

“과장님, 과장님. 전 그래도 과장님 편인 거 아시죠?”

“절대 얕보여서는 안 돼요! 우리가 있잖아요, 과장님! 첫인상부터 세게 빡 나가야 한다고요!”

“아, 제가 그래서 어제 과장님한테 아이라인 관자놀이까지 무섭게 그리고 오시라고 했는데!”

아침부터 야단스럽게 난리를 치는 두 여자 때문에, 더 속 시끄러워진 도희의 눈꼬리가 뾰족해졌다.

“무슨 편을 가르고 앉았어. 패싸움도 아니고.”

“아, 과장니임! 물로 보이면 안 된다니까요?! 우리가 똘똘 뭉쳐야 그쪽도 꼬리를 내리고 정중하게 협조를 구할 거 아니에요!”

지예의 말에 도희가 비릿하게 웃더니, 이윽고 커피를 마시고 있던 종이컵을 우득 구기며 비장한 얼굴을 했다. 그래, 어디 그 굴러들어온 돌…… 아니, 새 팀장.

‘누군지 오기만 해 봐.’

뭣도 모르는 외부인 주제에 팀장이랍시고 까불다가는 그날로 눈물 콧물 쏙 빠지게 해 줄 것이다. 아주 제대로 후려잡아 이 백도희를 무시할 수 없다는 것을 똑똑히 알려 줄 테니까.

“자, 자, 다들 주목.”

사무실에 찾아온 유 본부장의 말에 도희를 제외한 모든 팀원이 자리에서 일어났다.

'드디어 올 것이 왔구나.'

도희는 속으로 생각하며 손에 들고 있던 볼펜 꼭지를 눌렀다가 뗐다가를 반복했다.

"이쪽은 이번에 상품기획팀에 새로 부임한 서준원 팀장. 모두 일어나서 인사하지."

끝까지 버티고 앉아 있던 도희는 유 본부장의 말을 듣고 손가락에 끼고 있던 볼펜을 천천히 내려놓았다. 두 무릎에 힘을 꽉 주고 비장하게 의자를 뒤로 밀었다.

"어어, 저기 지금 일어나는 친구가 우리 상품기획팀 에이스. 백도희 과장."

그래, 어떤 개 같은 인간인지 낯짝 좀 보자. 굳게 마음을 먹은 도희가 반원을 그리며 돌아 손을 내밀었다.

"안녕하세요. 저는 상품기획팀 과장 백도희이이이익……!"

활짝 웃던 도희가 남자의 얼굴을 보자마자 아연실색하며 까무러쳤다. 너무 놀란 나머지 악수하려고 뻗은 손 그대로 새 팀장에게 삿대질하고 말았다.

'이, 이, 이 남자는……!!!'

경악한 도희의 안색이 귀신을 만난 것처럼 창백해졌다.

"네, 반갑습니다."

하얗게 질린 도희에 비해, 표정 변화 하나 없는 남자는 덤덤하게 인사를 건넸다.

"서준원입니다."

그는 도희가 삿대질하고 있는 오른손을 흘끔 보더니, 그녀와 똑같이 제 검지를 들어 그녀의 검지의 끝을 콕 찔렀다. E.T.처럼 검지를 맞댄 두 사람을 사무실 모두가 황당한 눈으로 바라보았으나, 준원은 얼굴색 하나 변하지 않았다.

"신종 악수 방식인가요?"

준원이 픽 웃으며 손가락을 뗐다.

"유쾌하신 분이네요."

쿵쿵쿵쿵. 도희의 심장이 고장 난 것처럼 박동하기 시작했다.

'이 얼굴……!'

유독 긴 눈매 사이로 자리 잡은 까만 눈동자와 조각이라도 해 놓은 듯 우뚝한 코, 그 아래 굳게 다물어진 입술과 날렵한 턱선까지. 도희는 이 차가운 인상을 가진 잘생긴 남자를 너무도 잘 알고 있었다.

"잘 부탁드립니다. 백도희 과장님."

나직한 저음의 목소리가 도희의 고막을 뚫었다. 여전히 사람을 홀리는 매력을 가진 그의 그윽한 음성은 아직도 도희의 뇌리에 똑똑히 남아 있었다. 저를 아래로 내리깔아 보며 섹시하게 속삭이던 그 한 마디가.

'샤워부터 할래요?'

그는 1년 전, 평생 잊지 못할 그 뜨거운 하룻밤의 상대였다.

20대의 끝자락이었던 아홉수. 태어나서 처음이자 마지막으로 내질렀던 단 한 번의 일탈이…… 업보가 되어 돌아왔다!

'미쳤어……!'

대한민국의 약 2500만 명의 남자 중, 새로 부임한 팀장이 1년 전 원나잇 했던 남자라니. 이런 빌어먹을 우연이 벌어질 확률은 로또보다도 더 희박한 게 아닌가!

'미쳤다, 미쳤어, 미쳤다고오오!'

소리 없는 아우성이 뒤를 이었다. 도희는 이 재앙 같은 현실을 그저 부정하고만 싶었다.

"괜찮으세요?"

그러나 야속하게도 서준원의 목소리는 너무도 또렷하게 도희의 귓가에 박힐 뿐이었고.

"안색이 별로 안 좋으신데."

이건 꿈이 아닌 잔인한 현실이었다.

"……."

도희는 고개를 들어 준원을 제대로 올려다보았다가 흠칫 놀랐다. 그 탈선의 하룻밤을 함께 보냈던 남자라는 것을 인식하자마자, 슈트를 입은 준원의 몸 아래로 조각상 같던 그의 모습이 겹쳐지는 탓이었다. 일순 투시 능력이라도 가진 것처럼 도희의 눈앞에는 그 자기주장 강하던 탄탄한 근육들이 꿈틀거리는 듯했다. 떡 벌어진 어깨와 명품 중의 명품이었던 섹시한 흉근, 그리고 쩍쩍 갈라진 복근…….

꿀꺽. 머릿속이 온통 19금으로 도배된 도희가 저도 모르게 침을 삼켰다. 미세하게 붉은빛으로 달아오른 도희의 얼굴을, 준원은 유심히 바라보았다. 애써 시선을 피하며 쭈뼛거리던 도희가 그 부담스러운 눈빛을 견디지 못하고 고개를 슬그머니 떨구었다.

흠칫. 그러나 그것이 패착이었나 보다. 고개를 숙이자마자 그의 가랑이에 시선이 꽂혀 화들짝 놀란 도희가 고개를 돌렸다.

'오 마이 갓……!'

이윽고 그녀의 머릿속에서 재생되는 것은 한 덩어리처럼 엉켜 별의별 음탕한 짓을 다 했던 그와 자신의 그날 밤 장면이었다. 그때의 그 감각이 되살아나자 돌아 버릴 것만 같아 저도 모르게 눈을 질끈 감아버렸다.

"백도희 과장님? 눈은 왜 감으세요?"

준원은 굳이 허리까지 숙여 도희의 얼굴을 집요하게 보며 물었다.

"아, 그…… 갑자기 눈이 좀 따가워서."

당황한 도희가 서둘러 눈을 뜨고 고개를 치켜들었다. 그러자 옆에 있던 유 본부장이 호탕하게 너털웃음을 터뜨렸다.

"하하, 뭐야. 백 과장? 설마 서 팀장이 잘생겼다고 부끄러워하는 건 아니겠지?"

뜬금없는 개소리에 도희가 눈을 동그랗게 뜨고 유 본부장을 바라보았다.

"그러고 보니 둘이 나이대도 비슷하고, 아주 선남선녀구만, 그래! 하지만 사내연애는 절대 금물, 모두 알지?"

혼자 북 치고 장구 치던 유 본부장은 허허, 웃으며 도희와 준원의 어깨를 툭툭, 두들겼다.

"어쨌든 우리 상품기획팀과 서준원 팀장! 모두 잘 협조해서 함께 열심히, 더 열심히 역동적으로 일해 봅시다! 한층 더 성장한 모습 보여 줄 수 있도록! 모두 환영해 줍시다!"

짝짝짝짝. 유 본부장의 박수를 선두로 팀원들의 애매한 박수 소리가 들쑥날쑥 이어졌다. 그리고 그 요란한 박수갈채 속에서, 여러 의미로 절대 환영해 줄 수 없는 도희는 홀로 미쳐 갈 뿐이었다.

'하느님…….'

이곳은 혹시, 생지옥인가요……?

하루가 어떻게 지나간 것인지도 모르게 얼없이 흘렀다. 엉망진창 녹초가 되어 퇴근한 도희는 15년 지기 친구 연누리와 함께 술자리를 가졌다. 적당한 안주 두 개를 시켜 놓고 내내 소주만 들이켜던 도희는 참을 수 없다는 듯 아예 병째로 들고 마시기 시작했다.

"야야, 병나발은 쪽팔린 줄 알아야지! 우리 나이가 몇 개인데!"

누리는 황급히 도희를 제지하며 매서운 등짝 스매싱을 날렸다.

"아, 왜 때려!"

"작작 마시라고, 작작! 나 내일 땜빵 촬영도 있어."

"무슨 촬영? 맛집?"

"농업을 살려라 특집."

프리랜서 리포터인 누리는 부친상을 당한 동료를 대신하여 '농업을 살려라'라는 특집의 땜빵을 맡게 되었다.

"농업을 살려라……."

술기운에 잔뜩 꼬인 발음으로 중얼거리던 도희가 픽 웃음을 터뜨렸다.

"농업 살리기 전에, 이 백도희 좀 살려 줘라……."

그렇게 중얼거리며 도희는 탁자에 쿵 머리를 박았다. 기겁한 누리가 그녀의 등을 다급하게 두드렸으나 방전된 도희는 그 자세 그대로 폭 폭 한숨만 내쉴 뿐이었다. 그러던 그때, 검은 마스크를 쓰고 모자를 푹 눌러쓴 장신의 남자가 성큼성큼 도희와 누리에게 다가왔다. 187센티의 훤칠한 피지컬을 가진 그는 옆의 의자를 빼서 거만하게 다리를 꼬고 앉았다. 길쭉한 검지가 마스크를 내리자 수려한 얼굴이 드러났다.

"나 왔다."

그는 뒤늦게 합류한 두 사람의 친구 강이언이었다. 이언과 누리, 도희는 아주 어렸을 때부터 곧잘 어울려 다녔던 사이로 어느덧 15년에 달하는 질긴 우정을 자랑하는 삼총사였다.

"강이언, 1시간 지각."

"오늘 훈련이 좀 늦게 끝나서……. 피곤해 죽겠다, 진짜."

이언은 누리가 건네주는 술잔을 받으며 땅이 꺼질 듯이 한숨을 내쉬었다. PGA 투어 우승을 차지한 이언은 대한민국에서 모르는 사람이 없을 만큼 유명한 스타 골프 선수였다. 인지도로는 준 연예인이었기에 늘 마스크와 모자를 착용하고 다닐 수밖에 없었다.

"근데 얘 왜 이래?"

이언은 만취한 채 테이블에 머리를 박고 있는 도희를 턱 끝으로 가리키며 누리에게 물었다.

"대체 얼마나 마셨으면 이 모양이야?"

"왜 이러시겠니. 다 된 팀장 자리, 엉뚱한 놈한테 뺏긴 게 억울해서 그러지."

누리가 턱을 괴고 건성으로 말을 이었다.

"들어 보니까 그 새 팀장이 오늘 왔다나 봐. 아니, 무너지게 가슴아픈 건 알겠는데, 정확히 무슨 사연인지는 말도 안 해주고 계속 이 모양 이 꼴로 술만 퍼먹고 있어, 이 기집애."

새 팀장이란 작자가 도희와 원나잇 한 사람이라는 것은 꿈에도 모르는 누리는 대수롭지 않게 떠들어 댔다. 작게 헛숨을 터뜨린 이언은 커다란 손바닥으로 도희의 등을 흔들었다.

"야. 야. 백또. 일어나."

종잇장처럼 힘없이 나달거리던 도희가 멍하니 고개를 들어 올렸다. 그녀의 잿빛 눈동자는 초점 없이 흐릿하니 텅 비어 있었다.

"너 괜찮……."

이언이 흠칫 놀라 뒷말을 흐렸다. 맥이 풀려 있던 도희가 돌연 그의 어깨를 두 팔로 콱 잡아당겼기 때문이었다. 갑자기 조그마한 얼굴이 코앞으로 다가오자 살짝 당황한 이언의 눈동자가 커졌다.

"뭐…… 뭔데."

갈색 눈동자가 미세하게 흔들렸다. 술에 취해 빨갛게 달아오른 두 뺨은 그녀가 얼마나 취했는지를 여실히 보여 주었다. 도희는 이언을 가만히 올려다보다가 빨간 입술을 느릿하게 움직였다.

"강이언, 그거 알아?"

"뭐?"

"난……."

도희가 말꼬리를 질질 끌자 이언이 조금 긴장한 채 그녀의 입술을 뚫어져라 응시했다.

"미친년이야."

"그래."

비장하게 털어놓는 고백에 이언은 그럴 줄 알았다는 듯 고개를 끄덕여 주었다. 그제야 이언을 잡고 있던 손에 힘을 푼 도희는 5초도 안 돼서 도로 그의 팔을 다급하게 붙잡았다.

"강이언!"

"왜?"

"그거 알아?"

"어, 알아."

"뭘 아는데?"

"넌 미친년."

"그래, 맞아……."

도희가 깊게 한숨 쉬며 그의 어깨를 잡고 있던 손을 풀었다. 드디어 해방인가 했으나 이번엔 아예 멱살을 움켜쥐고 공격적으로 올려붙였다.

"뭐야. 진짜 미쳤냐?"

"……이언아."

"왜, 또 뭐."

"나 좀…… 불쌍하지 않니?"

"뭐?"

"아니, 대체……."

이언의 멱살을 움켜쥔 가느다란 손에 더욱더 악력이 들어가며 단정하던 셔츠 깃이 파스스 구겨졌다.

"대체 어떻게 어떻게 나한테 이런 일이……."

인생에서 딱 한 번 원나잇 했는데, 하필 그 남자가 새 팀장으로 부임해 오다니……. 자그마한 도희의 얼굴이 온통 일그러지기 시작했다. 불길한 예감을 느낀 이언의 동공에 지진이 일어났다.

"일어나냐고오오오오오옥읍……!!!"

이언은 제 멱살을 잡고 흔들며 꽥꽥대는 도희의 입을 황급히 틀어막았다.

“이게 약을 먹었나! 왜 공공장소에서 소리는 지르고 난리야!”

커다란 손바닥으로 쫑알거리는 입을 막고 제지하자 도희가 난동 아닌 난동을 부렸다. 잠깐의 저항 끝에 잠잠해지는가 싶더니 이내 그녀의 고양이 같은 눈이 가늘어졌다.

할짝. 무언가 물컹한 것이 자신의 손바닥에 닿자 이언이 기겁을 하며 손을 떼어 냈다. 도희가 제 입을 막고 있는 이언의 손바닥을 혀끝으로 흘끔 핥은 것이었다.

“아오, 이 또라이 진짜……!”

질색하며 손바닥을 제 티셔츠에 마구 문질러 닦는 이언을 보며 도희가 두 눈을 부릅떴다.

“누나 심기 사나우니까 더러운 손으로 만지지 마라.”

“야, 내 손이 뭐가 더러워!”

“그럼 네 손이랑, 내 요 깜찍한 혀랑. 뭐가 더 깨끗하겠니?”

도희가 이언의 손을 잡고 흔들더니 얄밉게 메롱을 했다.

“이 소주잔도 말이지. 손으로 닦으면 덕지덕지 지문만 남지만, 혀로 닦으면 반질반질 깨끗해진다고. 볼래?”

뜬금없이 소주잔을 덥석 움켜쥔 도희가 아무 말을 지껄였다. 이언은 소름 끼친다는 듯 고개를 절레절레하며 그녀의 손에서 소주잔을 뺏어 저 멀리 치웠다.

“됐다, 됐어. 내가 너랑 무슨 얘기를 하겠냐. 말을 말자.”

이언의 꾸중 아닌 꾸중에 도희는 픽 바람 빠지는 듯이 웃었다. 작게 한숨 쉰 그녀는 이언이 치운 소주잔을 도로 가져와서 독한 알코올을 한가득 따랐다. 단번에 입 안에 털어 넣은 도희가 크으, 아저씨 같은 소리를 내뱉었다. 이내 눈을 지그시 감았다가 뜬 후, 드르륵, 의자를 밀고 일어났다.

"나 잠깐 화장실 좀 갔다 올게."

"응? 같이 가 줄까?"

"아니야, 됐어."

누리의 호의에 대충 몇 번 손을 휘저어준 도희는 비틀비틀 위태로운 스텝을 밟았다. 그런 도희를 걱정스러운 눈으로 보던 이언은 그녀의 뒷모습이 시야에서 사라질 때까지 눈을 떼지 못했다.

화장실에 들어온 도희는 차가운 물에 연거푸 세수했다.

"하……."

참았던 숨을 단번에 토해 내며 거칠게 세면대 옆을 짚었다. 물기가 뚝뚝 떨어지는 얼굴로 거울에 비친 제 모습을 똑바로 노려보았다. 한참을 승자 없는 눈싸움을 하다가 두 손바닥을 들어 제 뺨을 툭툭 내려친 후 고개를 휘휘 털었다.

"정신 차리자, 백도희."

그래, 괜찮아. 새 팀장이 일 년 전 원나잇 한 그놈이라고 해도……. 우리가 그날 짐승처럼 번식행위를 한 사이라고 해도……. 심지어 홍콩도 아니고 안드로메다까지 찍고 돌아왔다고 해도 괜찮다고! 어차피 그 인간은…… 나를 전혀 기억하지도 못할 텐데, 뭐.

"그래. 그냥 나 하나만 모른 척하면 없던 일 되는 거야."

그 인간에게 나는, 오늘 처음 본 여자였을 뿐이라고. 그놈은 작년 그날 밤을 전혀 기억하지 못할 테니까 말이야.

"하……."

물론 이 머리는 전부 생생히 기억하고 있어서 문제지만…….

"미치겠다."

도희는 작게 한숨을 내쉬며 제 처지가 어쩌다 이 지경이 된 건지를 되짚기 시작했다. 그래, 이 모든 건 1년 전 그날 일로부터 시작된 것이다. 서준원과 처음 만나 하룻밤까지 보냈던, 그 일생일대의 탈선의 날. 질끈 눈을 감은 도희는 이 모든 일의 시발점이었던 작년 그날을 떠올렸다.

지금으로부터 약 1년 전, 2019년 9월 21일 토요일. 그날은 햇살이 아주 따사롭게 내리쬐는 화창한 초가을이었다. 평일 내내 야근했던 도희는 주말이 되자마자 모든 긴장이 풀려 아침까지 늦잠을 잤었다. 해는 중천에 뜨고 침대와 물아일체의 경지에 이르려는 찰나, 도희는 갑자기 울린 전화벨 소리에 잠에서 깼었다.

-도희야. 도희야!

"어, 누리. 아침부터 왜……."

시름시름 앓고 있는 와중 누리로부터 다급하게 전화가 왔었다.

-너 혹시 오늘 시간 돼?

"시간……? 왜?"

-아니, 나 사실 엄마가 오늘 저녁에 선 자리 잡아 놨거든.

"또? 이번엔 뭐 하는 놈인데?"

–그 강남역에 꽤 큰 정형외과 있지? DR정형외과인가 뭔가. 거기 원장 외아들이래.

"너 어차피 결혼할 생각도 없으면서 그걸 왜 나간다고 한 거야?"

–아, 우리 엄마는 내 말을 절대 안 들으니까! 이번에도 안 나가면 카드 끊겠다는데 어쩌겠어?

꽤 잘 사는 집안에서 부족함 없이 자란 외동딸인 누리는 자유연애를 지향하는 성향과 대비되는 꽉 막힌 가풍 때문에 늘 갈등했다. 집안의 성화에 25살 때부터 지금까지 선만 스무 번 가까이 봤다.

–그래서 그냥 예의상 2시간 정도만 자리 지키다 오려고 했는데, 갑자기 내 썸남이 다리를 다쳤다는 거야!

"근데?"

–진짜 미안한데…… 혹시 나인 척하고 대신 나가 줄 수 없을까? 사진 교환 안 해서 괜찮거든.

"뭐?! 미쳤냐, 너?"

–아아, 오늘 소개팅 안 나가면 엄마가 카드 끊는다고 하잖아! 제발 도희야, 응? 나 한 번만 살려 주라, 응?

"아, 나 간만에 통조림으로 주말 보내나 했더니……."

–제바알. 내가 밥 살게. 열 번 살게!

누리가 징징대며 보채자 도희가 작게 한숨을 내쉬었다. 하여간 이 웬수 진짜…….

"야, 난 비싼 것만 먹는다. 꽃등심 알지?"

–응응! 당연하지!

반색한 누리가 헤헤 웃으며 신나게 종알거렸다.

–너무 빨리 쫑내면 엄마가 뭐라 그럴 테니까, 그냥 가서 딱! 2시간

만 자리 지키다가 와 주면 돼. 알겠지?
"알았어. 걱정하지 마."
-응응, 그리고 당연히 알겠지만, 절대 무슨 일이 있어도 네가 나 아니라는 거 들키면 안 돼?! 넌 지금부터 연누리인 거야!
"그래. 알겠으니까 장소랑 시간이나 문자로 찍어."
도희는 이때까지만 해도 대수롭지 않게 여겼었다. 그냥 친구의 선 자리에 대역으로 가서 연누리인 척 2시간만 웃어 주다가 오면 되는 것.
물론 황금 같은 토요일을 희생하긴 싫었으니, 정확히 2시간만 채우면 바로 칼같이 일어날 심산이었다. 그렇게 얼마쯤 시간이 흐른 뒤, 택시를 타고 약속 장소인 라비에트 호텔 레스토랑에 도착한 도희는 흘끔 손목시계를 확인했다.
"좀 일찍 도착했네."
약속 시각인 7시까지 남은 시간은 약 10분 정도였다. 당연히 상대방이 먼저 와 있을 거로 생각했으나 그는 도착 전이었다.
직원의 안내에 따라 창가 자리에 다리를 꼬고 앉은 도희는 하릴없이 메뉴판을 뒤적거렸다. 하나같이 고급스러운 메뉴들이 줄지어 있었으나, 이내 관심이 사라져 메뉴판을 툭 덮었다. 아무리 맛 좋은 음식이라고 한들, 같이 먹는 사람이 생판 모르는 남자라면 의미가 없었기 때문이었다. 더는 할 일이 없어져 지루하게 핸드폰을 만지작거리고 있자 어느덧 6시 59분이 되었다.
"왜 안 와?"
짜증스레 중얼거리며 핸드폰 상단의 숫자를 문지르자, 굳게 닫혀 있던 레스토랑 문이 열렸다. 정확히 7시 00분이었다.
"……."

일순 놀란 도희는 반사적으로 핸드폰을 내려놓았다. 안으로 들어온 남자는 그녀가 상상한 것과는 전혀 다른 외모를 가지고 있었다. 고개가 한참 꺾일 정도로 훤칠하게 큰 키에, 조물주가 성심성의껏 조각해 놓은 듯한 준수한 얼굴을 가진 남자였다.

곧바로 도희의 시선을 느낀 그가 까만 눈동자를 굴려 그녀를 바라보았다. 뚫어져라 바라보는 시선과 마주치자 도희는 그대로 굳어 버렸다. 뚜벅, 뚜벅, 뚜벅. 한 치의 오차도 없이 일정한 걸음걸이로 다가오는 그를 본 도희의 눈이 살짝 커졌다.

"연누리 씨?"

그의 음성은 듣기 좋은 저음이었으나, 왠지 모르게 얼음장처럼 차가웠다. 마치 감정이 하나도 실리지 않은 기계 같은 느낌이었다.

"아, 네. 안녕하세요."

거만한 자세로 삐딱하게 앉아 있던 도희는 저도 모르게 홀린 듯 고개를 끄덕여 인사했다. 절로 꼬았던 다리가 풀어지고 허리가 팽팽히 당겨졌다. 그는 아무 말도 하지 않았지만, 눈빛과 분위기만으로도 상대방을 긴장시킬 정도의 위압감을 가진 남자였다.

"주문하셨습니까?"

그는 앉자마자 그렇게 질문해 왔다.

"아니요. 이제 해야죠."

짧게 답하자 서늘한 눈매가 가늘어지고 단정한 입이 굳게 닫혔다. 놀랍게도 그는 어떤 한마디 말도 없이 조용히 메뉴판을 읽어 내려갔다. 보통 사람이라면 무엇을 먹고 싶은지, 혹시 못 먹는 요리가 있는지 물어보는 게 정상일 텐데, 그는 묻지도 않고 맘대로 메뉴를 고르기 시작했다. 딱히 먹고 싶은 요리가 있는 것도 아니고, 가장 무난한 저녁 식사코스를 시켰으니 상관은 없지만…… 어쩐지 싸한 기분이 들었다.

탁, 직원에게 주문을 마치고 깔끔한 동작으로 메뉴판을 덮은 그는 느릿하게 고개를 들어 도희를 바라보았다. 일순 맞물린 어둑한 눈동자가 도희의 가슴을 기묘하게 두드리기 시작했다.

"일단 만나 뵙게 되어 반갑습니다, 연누리 씨."

드디어 내내 닫혀 있던 그의 입술이 열렸다.

"아, 네. 반갑……."

"서준원이라고 합니다. 나이는 서른둘, 키는 187센티, 여의도 아파트에서 자가로 거주하고 있고 병력 사항은 따로 없습니다. 현재 식품 회사인 효진F&B에서 CMO로 일하고 있습니다. 지금은 멀티 브랜드 비즈니스를 위한 포트폴리오를 구축하는 일을 하고 있고요. 취미는 없고 특기도 없습니다."

"……."

도희의 동공이 거칠게 흔들렸다.

"질문 있습니까?"

……서준원에 대한 첫인상은 딱 한 줄이었다.

이 새끼, 완전 상또라이다.

그는 조금의 동요도 없이 태연하게 물어왔다. 때아닌 폭격에 일순 당황했던 도희는 곧 침착하게 머리를 굴렸다. 지금껏 나름 오랜 세월 사회생활 하면서 수많은 또라이를 만났고, 덕분에 대처하는 방법에는 꽤 능했다.

“음…….”

그래, 네가 또라이라면 난 이 구역의 미친년이다.

“특기는 앞으로 랩이라고 하셔도 되겠어요. 속사포로 잘하시겠는데.”

도희의 똑 부러진 응수에 준원이 숨소리 같은 웃음을 흘렸다.

“뭐, 랩까지는 아니고 그냥 자기소개입니다. 한국식.”

한국식이라고……?

“아, 빨리빨리? 엘리베이터 닫힘 버튼 미친 듯이 누르고, 뭐 그런 거요?”

“잘 아시네요.”

준원이 픽 웃음을 터뜨렸다.

“어차피 뻔히 오고 갈 이야기인데 빠르게 나누면 좋지 않나요?”

“글쎄요. 선보러 나와서까지 빨리 빨리라니, 유전자가 뼛속까지 신토불이 토종이신가 싶기도 하고.”

“뭐, 국내산이긴 하죠. 적어도 외래종은 아니니까.”

한마디도 지지 않는 준원 때문에 도희는 실소하며 물잔을 들었다. 조금 이상한 남자였지만, 어차피 누리의 대역으로 나온 자리이니 아무래도 좋다고 생각했다.

“뭐, 좋아요. 그쪽 스타일에 맞춰 드리죠. 저는 백…… 연누리이고요. 나이는 29세, 키는 168센티고 보다시피 신체 건강합니다. 현재 프리랜서 리포터로 일하고 있고요. 취미는 노동이고 특기도 노동입니다.”

준원이 했던 것과 똑같이 속사포로 읊어 주니 그의 한쪽 눈썹이 올라갔다.

"워커홀릭이신가 봐요?"

"그런 셈이죠."

"재미없게 사시네요."

"그쪽도 만만치 않아 보이고요."

절대 밀리지 않는 도희의 대답에 준원이 잠시 멍하니 있다가 헛웃음 쳤다.

"리포터신데 워커홀릭……. 방송 쪽에서 인기가 좋으신가 봅니다. TV에서 뵌 적은 없는 것 같은데."

"아직 그 정도로 유명하진 않아서요."

도희는 속으로 아차, 했지만 동요하지 않고 자연스레 말을 이었다.

"제가 뭐 하는 사람인지, 별로 중요하진 않잖아요?"

눈을 가늘게 뜬 도희가 준원을 비스듬히 응시했다.

"저도 서준원 씨도 집안끼리 얘기해서 나온 건데. 이 자리에서는 사람보다 배경이죠."

자리와 어울리지 않는 직설적인 말에 준원이 픽 실소했다.

"골 때리는 타입이시네……."

그가 낮게 읊조리자 도희가 고개를 끄덕이며 동의했다.

"비즈니스 외의 관계에서는 꽤 솔직한 편이라서요."

확실히 일반적인 남녀의 선 자리에서 오갈 만한 대화는 아니었다. 상대방을 고려하지 않고 직설적으로 자기 하고 싶은 말만 하는 의식의 흐름 같은 대화 방식이었기 때문이다. 하지만 도희는 한편으론 가식적으로 웃으며 위선 가득한 말들만 늘어놓는 자리보다야 차라리 이쪽이 나을지도 모르겠다고 생각했다.

기묘한 분위기에서 시간은 흘렀고 디너 코스 요리가 차례로 서빙되었다. 식전 빵, 애피타이저, 수프에 이어 메인디쉬인 송로버섯 소스를 곁들인 꽃등심 스테이크가 식탁에 올랐을 때 도희의 기분은 최악으로 내려앉았다. 눈앞의 이 제대로 미친놈이, 메인디쉬의 절반을 먹을 때까지 단 한마디도 하지 않은 탓이었다.

아까는 그렇게 아무렇게나 퍼부어 대던 남자가 이제는 갑자기 꿀 먹은 벙어리가 된 듯 말이 없었다. 더욱이 이 레스토랑에는 준원과 도희가 유일한 손님이었기에, 지금 이 장소에서 나는 소음이라고는 스테이크를 써는 소리와 지루한 클래식 음악이 전부였다.

“말이 되게 없으시네요.”

짜증스레 나이프로 고깃덩이를 썰던 도희는 결국 참지 못하고 먼저 입을 열었다.

“처음 보자마자 쫓기듯이 자기 PR 하시더니, 지금은 방전되셨나봐요?”

깨작대던 포크를 내려놓고 준원을 똑바로 응시했다.

“아니면 과묵한 거로 콘셉트를 바꾸셨나.”

뾰족한 한마디에 준원은 군더더기 없는 동작으로 제 입가를 닦고는 낮게 중얼거렸다.

“이제 할 말이 없어서요.”

……뭐라고? 그 한마디가 신호탄이 되어 잠자던 도희의 심기를 건드렸다. 면전에서 이런 대접을 받아 본 건 처음이라 기분이 팍 상해 버렸다.

“혹시 조곤조곤 사람 열 받게 한다는 말 들어 본 적 있어요?”

“네. 방금 연누리 씨한테 들었네요.”

"……하."

한 대 맞은 듯 멍하니 있던 도희가 이내 큰소리로 웃었다.

"왜 웃으시죠?"

"너무 어이가 없어서요. 내가 별별 인간 다 겪어봤지만, 그쪽 같은 캐릭터는 또 난생처음이라."

"칭찬 감사합니다."

……진짜 뭐야, 이 자식? 짜증이 스멀스멀 밀고 들어온 도희가 입술을 짓씹었다. 미간을 한껏 구기고 불편해진 심기를 표출하며 그를 흉흉하게 노려보았다. 그러든지 말든지, 준원은 다시 태연하게 나이프와 포크를 들고 여유 있는 동작으로 스테이크를 썰어 입에 넣었다. 그는 낯선 여자와의 말 한마디 없는 식사 자리가 전혀 불편하지 않은 듯했다.

"뭐예요, 진짜?"

하지만 도희는 달랐다.

"뭐가요?"

나오고 싶어서 나온 자리도 아니고 친구의 대역이니 사실 상관은 없었지만, 그래도 이런 태도는 인간적으로 자존심이 상했다.

"제가 그쪽한테 이런 대접 받을 정도로 형편없는 외모는 아니라고 보는데."

도희의 앙칼진 말에도 준원은 표정 변화 하나 없었다. 그는 식기를 움직이던 손을 잠시 멈추고는 고개만 살짝 들어 도희를 보았다.

"네, 예뻐요."

아주 잠깐이었다. 바로 관심이 사라진 듯 그의 시선은 다시 아래로 떨어졌다.

"지금껏 만났던 여성분 중에 가장 아름다우시네요."

도희는 갑작스러운 칭찬에 일순 당황했지만 찰나였다. 마치 말과 행동이 다른 것처럼 그는 여전히 도희를 쳐다보지도 않고 묵묵히 제 할 일을 했기 때문이다. 마치 이 음식을 빨리 해치우고 자리를 끝내고 싶다는 듯이.

"……그게 끝?"

"네, 끝입니다."

1초의 고민도 없는 대답이었다. 원래 도희의 성질대로라면 이 자리에 가만히 앉아 있을 리가 만무했다. 이미 한참 전에 깽판 치고 뛰쳐나왔겠지만, 오늘 이 자리는 백도희가 아닌 연누리의 대역으로 나온 자리였다. 졸지에 인내심 테스트를 받게 된 도희는 크게 숨을 들이쉬었다가 내쉬었다.

"……저에 대해 뭔가 궁금하신 게 없으신가 봐요?"

"네. 뭔가 궁금한 거 없습니다."

"그럼 저한테 관심도 일절 없으신 거 같고요."

"네, 관심도 일절 없습니다."

……그래. 이 자식은 제대로 미친놈이다. 정신 나간 놈과 말이 통할 리가 없다…… 라고 애써 생각해봐도 도무지 이 상황이 납득이 가지 않는 도희였다.

"그럼 왜 앉아 있어요, 우리? 피차 바쁜 사람들끼리 이만하고 일어나죠."

2시간이고 나발이고 더 참다가는 화병이라도 날 판이었다. 도희는 무릎에 힘을 꽉 주고는 벌떡 자리에서 일어났다.

"잠시."

그 순간, 준원이 도희를 불러세웠다.

"일어나기 전에, 여쭤볼 게 하나 있는데요."

일어나려던 자세 그대로 멈칫한 도희가 미간을 고요히 좁혔다. 준원의 까만 눈동자가 고요히 굴러 도희에게로 꽂혔다. 계속 무관심하던 그가 돌연 저를 뚫어지게 바라보자 도희는 묘한 긴장감을 느꼈다. 감정 한 조각 실리지 않은 서늘한 시선에 온몸에 찬기가 오르는 듯한 기분이었다.

"결혼하시겠습니까?"

……뭐? 도희는 상상치도 못한 말에 충격받아 다리에 힘이 탁 풀려 버렸다. 그대로 맥없이 미끄러진 도희는 하릴없이 도로 의자에 착석하고 말았다.

결혼? 지금 이 남자가 결혼이라고 했어? 충격에 도무지 말을 이을 수 없었다. 무언가에 머리를 한 대 얻어맞은 사람처럼 도희는 입만 벙긋벙긋했다. 하도 어이가 없어 벌어진 입이 다물어지지 않았다.

"지금…… 청혼하시는 건가요?"

한참 동안 멍하니 그를 바라보던 도희가 물었다.

"그렇게도 볼 수 있죠."

"혹시 저한테 첫눈에 반하셨어요? 영화에서나 나오는 그런 스토리?"

"그럴 리가요."

어김없이 찰나의 고민도 없이 대답한다. 이젠 분노보다도 황당함이 앞섰다. 도희의 숨이 가늘게 떨려왔다.

"……그런데 지금 뭐 하는 수작이죠?"

경련하는 입술을 가까스로 움직여 물었다.

"이 자리는 소개팅이 아니라 선이죠."

그에 반해 그의 표정은 너무도 담담했고, 뱉어지는 음성은 눈 서리보다도 차가웠다.

"그쪽도 저도 결혼 상대가 필요해서 이 금쪽같은 시간 내서 앉아 있는 거고."

"……."

"배우자 구하러 왔잖아요?"

준원의 말에 도희가 황당하다는 듯 헛웃음 쳤다.

"무슨 시장에 오징어라도 사러 온 것처럼 말씀하시네요."

"오징어는 아니고 배우자를 사러 온 거죠, 저는 연누리 씨를. 연누리 씨는 저를."

"……."

"자세한 이유는 말씀드리기 어렵지만, 전 지금 신부가 꼭 필요한 상황이거든요. 안타깝게도 결혼을 저 혼자서 할 수는 없어서."

그가 생각하는 결혼은 도대체 무엇일까. 적어도 일반적인 사람들의 사고방식 속의 결혼과는 차이가 있음이 분명했다. 도희는 떨리는 오른손을 들어 지끈거리기 시작한 머리를 짚었다.

"대외용 아내…… 뭐, 쇼윈도 부부 그런 걸 원하시나 봐요."

이 남자, 확실히 정상은 아니었다. 하지만 남들처럼 평범하게 살고는 싶은지, 혼인할 신부를 구하는 해괴한 모순을 보이고 있었다.

"네. 말하자면 그런 겁니다."

이 남자와 이야기를 하면 할수록 머리가 이상해지는 기분이었다. 목이 바싹 타들어 가는 듯한 착각에 휩싸인 도희는 유리잔에 담긴 물을 단번에 목 안으로 털어 넣었다.

"그래, 뭐. 좋아요. 조건은 뭘 보시나요? 얼굴? 직업? 배경?"

“셋 다 안 봅니다.”

“아하, 알겠다. 성격 보시는구나? 착하고, 순하고, 맘대로 주무르기 딱 좋은 만만한 스타일?”

“그런 취향이었으면 지금 연누리 씨한테 결혼하자고 하지도 않았겠죠.”

“나 순하고 착한데요?”

“농담도 잘하시네요.”

준원이 설핏 웃음을 터뜨렸다.

“그럼 아무 조건도 안 보는 건가요?”

“아니요. 딱 하나 봅니다.”

그의 날카로운 눈동자에 도희의 얼굴이 들어찼다.

“나한테 원하는 게 아무것도 없는 여자.”

“……부부인데 원하는 게 없을 수 있나요?”

“그래서 찾기 힘들더라고요.”

무덤덤하게 대답한 준원은 다시 시선을 내리고 마저 식사하기 시작했다. 그런 그를 보며 도희는 입술을 깨물었다. 아무런 감정이 담기지 않은 서늘한 표정, 거짓 없이 있는 그대로의 사실만 전하는 직설적인 말투. 적당히 재치 있게 받아치는 성격인 것 같으면서도, 한마디 한마디 뱉을 때마다 찬바람이 부는 듯 냉랭했다. 무엇보다도 어떠한 상황에도 동요하지 않는 모습이 꼭…….

“서준원 씨.”

감정이 없는 기계 같았다.

“살면서 단 한 번도 누군가를 사랑해 본 적 없죠?”

던져진 물음에 준원은 고개를 들었다.

"처음엔 그냥 미친 사람인 줄 알았는데, 이제 보니까 되게 불쌍한 남자였네."

그 순간, 찰나였지만 준원의 눈에서 불길이 일었다. 마치 그의 내면 깊은 곳의 어떤 스위치를 건든 것처럼 말이다.

"……무슨 뜻입니까?"

준원이 한쪽 눈썹을 찡그리며 반문했다.

"아무 감정도 못 느끼는 주제에 평범한 척 살아 보려고 아등바등하는 게 눈에 보여서요. 되게 같잖은데……."

그의 근육의 미세한 떨림을 보며 도희는 한쪽 입꼬리를 미세하게 올렸다.

"좀 가여워요."

준원의 미간에 실금이 그어졌다. 내내 무표정이었던 그가 처음으로 다른 표정을 지은 것이다.

"인간에게는 감정이라는 게 있죠. 그 어떤 여자도 당신 같은 마인드로 결혼을 꿈꾸지는 않아요. 그건 나도 마찬가지이고."

준원은 아무 말도 하지 않고 그녀를 가만히 내려다보았다. 넋이라도 놓은 사람처럼 도희를 응시하던 그는 곧 느릿하게 입술을 열었다.

"……그럼 뭐, 연누리 씨는 인연 같은 거 믿으시나 봐요? 운명적인 만남, 2년의 불타는 연애, 눈물 나는 프러포즈, 환호받는 결혼식, 뭐 그런 거."

도희가 숨소리 같은 웃음을 터뜨리더니 고개를 저었다.

"그딴 우스운 건 옆집 개도 안 믿을걸요?"

그에게 도도하게 일침을 놓았으나, 사실 도희 역시 보통 사람들과 비교하면 한참 결여된 인간이었다.

"그리고 전, 저 외에는 아무것도 안 믿어요."

그 사실을 도희 스스로도 알고 있었다. 인정하고 받아들이니 이제는 아무렇지 않았다.

"그러니까 당연히 운명도 안 믿고, 사랑도 안 믿고……."

말꼬리를 길게 늘이던 도희가 속삭이듯 중얼거렸다.

"무엇보다도, 사람은 절대 안 믿어요."

혈육끼리도 배신하는 세상이다. 부모도 자식을 버리고, 자식도 부모를 떠나는 마당에 피 하나 안 섞인 타인을 믿는다는 것은 한심한 일이다. 절친인 누리와 이언도 도희에게는 모든 걸 털어놓을 상대가 되지 못했다. 어차피 인생은 홀로 태어나서 홀로 죽어 가는 것일 뿐이니까.

"……."

준원은 아무 대답이 없었다. 그저 가만히 도희를 응시하고 있을 뿐. 그렇게 한참 동안 끈질긴 침묵이 이어졌다. 그가 무언가 말하기를 기다렸던 도희는 결국 답을 듣기를 포기하고 어깨를 으쓱했다.

"8시 59분……."

도희가 왼쪽 손목을 보며 중얼거린 순간, 분침의 각도는 정확히 직각이 되었다.

"9시, 딱 2시간 지났네요."

은은하게 미소 지은 도희가 길쭉한 검지로 손목시계를 톡톡 두드렸다.

"이 정도면 예의는 차린 거 맞죠? 먼저 일어날게요."

소음 없이 부드럽게 의자를 밀고 일어난 도희는 옆에 놓여 있던 제 클러치백을 들었다. 간단히 고개를 까딱한 후 미련 없이 뒤를 돌았다. 또각, 또각, 구두 굽 소리가 나직하게 대리석 바닥을 울렸다. 차분히 걸어 커다란 문의 손잡이에 손을 댄 순간 도희의 위로 어둑하게 그림자가 졌다. 도희는 그대로 멈칫할 수밖에 없었다.

“연누리 씨는.”

낮은 저음이 귓가를 파고들었기 때문이다.

“저와 결이 비슷한 사람 같네요.”

등 뒤로 뜨거운 시선이 느껴졌다. 도희는 천천히 고개를 돌려 준원을 올려다보았다. 저를 뚫어져라 바라보고 있는 준원의 시선을 직선으로 마주했다. 말없이 그를 올려다보고만 있자, 준원이 키스할 듯이 고개를 가깝게 내렸다. 놀란 도희의 눈이 미세하게 커졌다. 입가에 촉촉한 미소를 띤 준원은 비스듬히 고개를 틀었다.

“아까 제게 궁금한 점 없냐고 물으셨죠?”

준원은 허리를 숙여 도희의 귓가로 가깝게 다가갔다.

“지금 막 그쪽한테 관심이 좀 생겼는데…….”

도희는 일순 그의 까만 눈동자에서 묘한 변화를 감지했다.

“같이 술 한잔하실래요?”

두 남녀의 거리가 가까워졌다. 사선으로 내려오는 뜨거운 숨결이 입술 사이에서 맴돌았다. 도희의 심장이 조금씩 빠르게 뛰기 시작했다.

도희는 결이 비슷한 사람 같다는 준원의 말에 일순 흥미가 생겼

다. 어차피 집에 가 봐야 혼자 텔레비전이나 보며 의미 없는 시간을 보낼 뿐이었으니, 도희는 술 한잔하자는 준원의 제안에 응했다.

두 사람이 자리를 옮긴 곳은 함께 식사했던 라비에트 호텔의 30층에 위치한 라운지 바였다. 서울시의 야경이 한눈에 보이는 창가에 마주 앉아 은은한 향이 예술인 레드 와인을 즐겼다. 조명이 어둑한 탓인지 두 사람의 대화는 레스토랑에서보다도 훨씬 진솔하고 스스럼이 없었다.

"아까 그쪽, 우리가 비슷한 결을 가진 것 같다고 했죠?"

건물의 불빛이 화려하게 반사된 한강을 가만히 내다보며 도희가 중얼거렸다. 그런 그녀를 빤히 응시하던 준원은 느슨하게 두 손을 깍지꼈다.

"내 친구 중에, 사랑에 죽느니 마느니 하는 애가 하나 있어요."

도희는 길쭉한 검지로 와인 잔 끝을 둥글게 굴리며 말을 이었다.

"나도 서준원 씨처럼 누군가를 좋아해 본 적이 한 번도 없어서, 그 친구한테 그게 어떤 감정인지 물어봤었는데……."

"……."

"그 사람을 위해 나를 희생할 수 있는 감정이 사랑이라고 하더라고요."

그 희생의 가능 범위가 넓을수록 많이 사랑하는 것이라고 누리는 말했었다. 사소하게는 자신의 돈과 시간, 에너지 등을 소비하여 그 사람과 함께하고 싶어 하는 감정. 크게는 자신의 목숨까지도 그 사람을 위해서라면 바칠 수 있는 그런 감정.

"난 그 감정이 뭔지…… 전혀 모르겠어요."

부모에게조차 사랑받아 본 적 없는 도희에게 그런 것은 뜬구름 잡는 이야기일 뿐이었다.

"사람은 다 이기적인 동물 아닌가요? 나 하나만 신경 쓰기도 벅찬 세상, 남을 어떻게 신경 써요?"

"맞는 말입니다. 제 한 몸 건사하기도 힘든 세상이니까요."

준원이 담담하게 동의하자 도희가 낮게 웃었다. 역시 이 남자라면 동의할 줄 알았다.

"그래서 한때는 내 이상형이 뉴욕에 사는 남자였어요."

"……뉴욕?"

의외의 말에 준원의 눈이 가늘게 길어졌다.

"외국물 든 남자가 취향이었나요?"

"그런 시시한 취향일 리가 있나."

"그럼 왜 뉴욕이에요?"

준원의 질문에 도희는 조금의 고민도 없이 대답했다.

"안 만나도 되니까."

도희가 붉은 입술 끝을 들어 올리며 말을 이었다.

"일 년에 한두 번만 만나서, 적당히 데이트 흉내 내다가 저녁 먹고 호텔가면 그날 하루 깔끔하잖아요?"

"그게 연애하는 건가?"

"그러니까 이상형인 거죠. 일주일에 최소 한 번 의무적으로 만나서 데이트한다는 게 얼마나 귀찮은 일이에요?"

도희는 타인을 위해 정기적으로 자신의 시간을 소비한다는 것 자체가 귀찮고 싫었다. 시간도, 돈도, 감정도, 에너지도. 그 어떤 것도 남을 위해 일정 이상 소비하여 희생하고 싶지 않았다.

"밥 먹었다, 씻었다, 출근한다, 퇴근한다, 일일이 보고하는 것도 웃겨요. 왜 연락 안 하냐고 찡찡대는 것도 짜증 나고요."

사랑은 단 한 번도 해 본 적이 없었지만, 연애 비스름한 것은 그래도 적지 않게 해본 도희였다. 그러나 그 끝은 항상 좋지 않았다. 아무리 멋지고 매력적인 남자라도 한두 번 만나면 더는 귀찮아서 만나고 싶지 않았던 탓이었다.

"말하는 거 보면 연애 경험은 있는 것 같은데…… 그럴 거면 왜 만난 거예요?"

준원의 물음에 도희가 어깨를 으쓱했다.

"저도 그쪽이랑 똑같아요."

도희가 시선을 아래로 내리깔며 작게 속삭였다.

"평범한 사람이 되고 싶어서."

준원의 검은 눈동자가 고요히 일렁였다.

"그 시절 나한테 평범하지 않다는 건 굴욕이었으니까. 다른 보통 사람들처럼 사랑받고, 또 사랑하고 싶어서, 그래서 흉내 냈는데 생각처럼 잘 안 되더라고요."

스스로에게 결핍이 있다는 것을 그 누구에게도 들키고 싶지 않았다. 그래서 그녀는 필사적으로 평범한 사람인 척 사사로운 일에 목숨 걸었던 적이 있었다.

"그러던 중에 문득 깨달았죠."

도희는 쿡 웃음을 터뜨리더니 준원과 직선으로 시선을 마주했다.

"사람은 사랑하지 않을 자유가 있다는 것을."

그가 굳은 듯 잠시 멈추었다.

"비연애, 비혼주의자로 살려고요. 난 이 세상에서 내 몸뚱이 하나 먹여 살리는 것도 벅찬…… 아주 초라한 인간이니까."

그녀가 평생 누구도 사랑할 수 없고, 누구에게도 사랑받을 수 없는 몸이라는 것을 받아들이는 데까지는 꽤 오랜 시간이 걸렸다.

“포기하면 편하다는 건가요?”

“아니요. 인정하면 편해요. 그냥 난 이런 사람이니까요.”

도희가 웃으며 테이블 끝으로 밀려난 와인잔을 가볍게 들었다. 가느다란 손목이 느슨하게 올라와 준원에게로 향했다.

“서준원 씨도 나도…….”

고운 눈매가 초승달처럼 가늘게 휘어졌다.

“그냥 이런 사람인 거예요.”

도희는 그의 잔에 제 잔을 가볍게 부딪쳤다. 유리가 부딪치는 소리가 맑게 울리고 도희는 붉은 입술 사이로 핏빛 와인을 흘려넘겼다. 가느다란 목이 부드럽게 꺾이는 것을 지그시 바라보던 준원은 길쭉한 검지로 테이블을 두어 번 톡톡 두드렸다.

“우습죠, 제 얘기.”

“아니요. 저도 공감하는 부분이라 마냥 웃기지는 않습니다.”

단호하게 터진 대답에 도희가 미미하게 눈웃음 지었다. 준원은 의자에 등을 기대며 느슨하게 팔짱을 꼈다.

“나도 내가 다른 사람을 책임지거나, 사랑할 수 있는 위인이라고 생각하지 않으니까요.”

“…….”

“타인의 마음을 보려고 하지 않는 건, 비겁해 보일지는 몰라도 아주 속 편한 일입니다.”

그 누구도 사랑하지 않는다는 것은, 그 누구의 사랑을 외면한다는 것은…….

"네. 영리한 거죠. 현명한 거고."

도희가 나직하게 말을 덧붙이자 준원이 고개를 살짝 까딱하며 동의했다. 그런 준원을 말없이 바라보던 도희가 은근슬쩍 입을 열었다.

"그런데 혹시나 해서 묻는 건데, 여자를 좋아하지 않는다거나…… 성욕이 없는 건 아니죠?"

도희의 눈이 의심스럽게 변하더니 흘끔 아래로 내려갔다가 도로 올라왔다.

"혹시 발기부전?"

은밀하게 속닥거리자 준원은 어이가 없어 헛웃음을 터뜨렸다.

"그럴 리가요. 사랑과 성욕은 완전히 별개의 문제인데."

준원의 눈동자는 도희의 눈을 꿰뚫을 듯이 응시하고 있었다.

"오히려 성욕은……."

그가 팔짱을 풀고 커다란 오른손을 느릿하게 뻗었다.

"넘쳐나서 문제고."

길쭉한 검지가 도희의 턱 끝을 살살 매만지더니 느슨하게 들어 올렸다. 순식간에 가까워진 거리가 팽팽한 긴장을 만들었다. 묘한 기분에 빠져든 도희가 숨을 삼켰다. 분위기를 압도하는 그의 기세에 고요히 동요했다.

"하지만 아무에게나 느끼진 않아요. 아주 드문 경우입니다."

준원이 나직하게 속삭이자 도희는 긴장 속에 떨리는 입술을 움직였다.

"……그렇게 드물다면, 그게 바로 사랑 아닐까요?"

준원은 대답이 없었다. 아무 말도 없이 도희를 내려다보고만 있을 뿐이었다. 숨소리 하나 없는 침묵이 두 사람 사이의 공백을 한가득 메웠다. 그 사이를 집요하게 파고드는 것은 준원의 뜨거운 시선이었다. 목이 아릴 정도로 마르는 감각에 도희가 건조한 숨을 깨물었다. 더는 견딜 수가 없었던 그녀는 그대로 자리에서 일어나 옆에 두었던 클러치백을 들었다.

"슬슬 가봐야 할 시간이네요."

눈인사하기 위해 구른 눈동자가 준원의 와인 잔에 꽂혔다.

"……먼저 술 마시자고 해 놓고, 정작 서준원 씨는 한 모금도 안 마셨네."

처음 그의 잔에 따라 주었던 만큼 그대로 담긴 짙은 적색의 와인처럼 속을 알 수 없는 남자였다.

"어쨌든 오늘 어울려 주셔서 감사했습니다."

도희는 정중하게 허리 숙여 인사한 후 뒤를 돌았다. 등 뒤에서는 준원의 시선이 끈질기게 느껴졌다. 꿋꿋이 다리를 움직였으나 결국 몇 걸음 걷지 못하고 멈추었다.

"불행한 일이네요."

준원이 낮게 읊조린 탓이었다. 도희는 멈춰선 자세 그대로 고개만 돌려 준원을 바라보았다.

"연누리 씨나 저나, 서른 정도 나이 먹을 때까지 모든 걸 내려놓고 의지할 사람 하나 없다는 게……."

그리 가깝지 않은 거리였지만, 그의 목소리는 여느 때보다도 또렷하게 들려왔다.

"사랑할 줄도 사랑받을 줄도, 아무것도 못 하는 감정 불구로. 혼자 독불장군처럼."

"……."

"이렇게 재미없게 살려고 태어난 건 아닐 텐데 말이에요."

그의 언어가 화살이 되어 도희의 가슴 정중앙을 관통했다. 그녀의 고운 미간 위로 주름이 졌다.

"그런 때가 있습니다. 이제 와 돌아보니 이미 너무 멀리 와 버렸고…… 주변에는 아무도 없다고 느낄 때."

도희가 죽어도 숨기고 싶었던 치부가 타인에 의해 드러나려는 순간이었다.

"난 가끔 겁이 나더라고요."

내면 깊은 곳의 무언가가 무너져내리는 기분이었다. 그걸 들키고 싶지 않아 도희는 바로 그곳을 빠져나왔다. 무작정 거리로 나와 목적지 없이 다리를 움직였다. 여름이 끝나가고 가을이 찾아오는 날씨, 찬 바람이 폐부 깊숙이 파고들었다가 빠져나갔다.

꽃이 아주 화려하게 핀 길목이 눈앞에 펼쳐졌다. 이상하게 오늘따라 거리의 모두가 행복해 보였다. 가족, 친구, 연인…… 몸과 마음을 의지할 수 있는 누군가와. 그 따스한 장면 속에서 도희는 쓸쓸히 침몰해 가는 기분이었다. 모두가 사랑에 빠진 날 속, 도희 혼자만 겨울이었다.

"……하."

무표정하게 걷던 도희의 눈꺼풀이 미세하게 떨렸다.

"기분 거지 같다……."

그녀에게는 그 무엇도 당연하지 않았다. 따뜻한 집, 화목한 가정, 나를 사랑해 주는 사람, 내가 사랑하는 사람……. 지극히 평범하게 느껴지는 것들이 모두 사치이자 허영이었다. 부모에게 버려지고 어린 나이에 모든 걸 내려놓았던 순간, 그녀는 완전히 포기해 버렸다.

사랑받는 것도, 사랑하는 것도. 그렇게 불구가 되기를 자처한 것이었다.

"……짜증 난다……."

도희의 가슴 안에서 여러 감정이 엉망진창으로 뒤틀리기 시작했다. 괜스레 눈물이 날 것 같아서 입술을 짓씹었다. 스물아홉, 찬란했던 청춘을 뒤 한번 돌아보지 않고 독하게 달려왔다. 그렇게 그녀는 곧 서른이 된다.

"……윽."

분명히 성공을 향해 달리고 있는데…… 왜 눈물이 나는 걸까. 그녀의 가슴이 옥죄어 오는 듯이 답답해졌다. 평생 독기를 품고 성공만을 향해 정신없이 살아왔는데, 사사로운 감정은 전부 바보 같은 것이라고, 그렇게 생각하며 앞만 보고 달려왔는데.

'불행한 일이네요.'

준원의 목소리가 귓가에서 다시금 재생되는 듯했다.

'연누리 씨나 저나, 서른 정도 나이 먹을 때까지 모든 걸 내려놓고 의지할 사람 하나 없다는 게…….'

안다. 잘 알고 있다.

'사랑할 줄도 사랑받을 줄도, 아무것도 못 하는 감정 불구로. 혼자 독불장군처럼.'

다 알고 있지만…….

'이렇게 재미없게 살려고 태어난 건 아닐 텐데 말이에요.'

도희는 여태 제 맘속에 굳은살이 배겼다고 생각했다. 그래서 이제는 아프지도 않은 거라고. 그런데 지금 그것이 착각이었다는 걸 깨달았다. 굳은살이 배겨 아프지 않은 게 아니라, 그저 힘겹게 고통을 외면하고 있었을 뿐이었다고.

"아……."

대체 어디를 향해 가고 있는 걸까.

"미쳤나 봐……."

갑자기 눈가가 촉촉해지며 투명한 눈물이 볼을 타고 굴러떨어졌다. 당황한 도희가 길 한가운데에서 우뚝 멈춰 버렸다.

'그런 때가 있습니다. 이제 와 돌아보니 이미 너무 멀리 와 버렸고…… 주변에는 아무도 없다고 느낄 때.'

올해로 스물아홉, 도희는 이미 너무 멀리 달려와 버렸고, 여전히 혼자였다.

'난 가끔 겁이 나더라고요.'

외로웠고, 두려웠다. 너무나 어린 나이에 성숙해졌고, 그래서 제대로 된 어른이 되지 못했다. 그녀의 감정은 부모에게 버려졌던 일곱 살, 그때 그 시절에서 멈추고 말았다.

"흐읍……."

그래서 사랑을 주는 법도 모르고, 사랑을 받는 것도 미숙한 사람이 되었다. 심지어는 서른 가까이 먹어서 스스로의 감정도 잘 알지 못하는 그런 한심한 어른으로.

"하, 나 갑자기 왜 우는……."

울고 싶지 않은데, 바보처럼 눈물이 멈추지를 않았다. 결국 도희는 그대로 길 한가운데에 멈춘 채 아이처럼 울어 버렸다.

"흑……. 흐읍……."

서럽게 흐르는 눈물을 도무지 그칠 수가 없었다.

그래. 지금 난 외로운 거였어.

꿋꿋하게 가시밭길 위를 달려온 세월이 너무도 아프게 다가왔다. 도희는 그동안 억눌린 감정이 폭발하는 기분을 느꼈다. 약점을 감추기 위해 더 당당하고 멋지게 어깨를 폈지만, 이런 노력에도 불구하고 비루한 속을 단번에 꿰뚫어 본 남자가 나타나고 만 것이었다. 아무도 보려 하지 않았던 자신의 마음을 처음으로 들켜 버린, 도희와 비슷한 결을 가진 사람…….

"울고 있을 줄은 몰랐는데."

놀란 도희가 숨을 삼켰다. 제 옆으로 부드럽게 멈춘 검은 세단의 창문이 내려갔기 때문이었다.

"꼭 내가 울린 것 같아서, 마음이 안 좋네요."

그리고 그 창문 사이로 보이는 얼굴은 여전히 무표정한 준원이었다. 하지만 처음 그녀와 마주했던 눈빛에 비하면 지금 그의 눈은 묘한 열기를 담고 있었다. 어둑한 밤하늘 아래, 준원은 도희를 뚫어지게 응시했다.

"……그쪽 탓 아니니까……."

그냥 모르는 척하고 갈 길 가 주면 좋겠는데요. 그 한마디가 목에 걸려 채 나오지 않았다. 결국 도희는 말을 채 잇지 못하고 그 한마디를 아픈 울음과 함께 삼켰다.

"타요."

강렬한 시선이 도희를 주시했다.

"울린 거 책임질 테니까."

준원의 말에 도희의 동공이 흔들렸다. 그렇게 말하는 표정과 어조, 모든 것이 얼음장처럼 싸늘한데, 정작 입으로 뱉어내는 것은 꽤 구원 같은 말이었다. 일순 서준원이라는 남자가 진짜 동아줄처럼 느껴졌던 도희는 홀린 듯 그의 말대로 조수석에 올라탔다. 차 내부는 서늘한 기운으로 가득했다. 그는 곧바로 액셀을 밟아 인적이 드문 골목에 차를 주차했다.

"……시간 뺏어서 미안해요."

도희는 억지로 울음소리를 삼키며 고개를 떨구었다.

"잠깐이면…… 돼요."

눈물이 멈출 때까지만 그의 차에 머무를 생각이었다. 그런데 이상하게 울음은 멈추지를 않고 점점 더 커져만 갔다. 천하의 백도희가 다른 사람 앞에서 눈물을 흘린다니, 이보다 치욕스러울 수가 없었다. 쳐다보지 않으면 좋겠는데, 그는 오히려 우는 도희를 뚫어져라 응시하고 있었다.

"……!"

그 순간이었다. 거대한 체구가 단번에 밀려와 도희의 입술에 입을 맞추었다. 촉, 찰나의 짧은 감각에 도희는 너무 놀라 숨을 채 쉴 수 없었다. 휘둥그레 커진 눈으로 준원을 바라보았으나 그는 아무 말이 없었다. 그저 무언가를 갈구하는 듯한 눈빛으로 도희를 바라볼 뿐이었다.

쏟아지는 뜨거운 시선에 도희의 심장은 터질 것처럼 빠르게 뛰었다. 그의 입술이 다시 다가오자 도희는 저도 모르게 떨리는 눈꺼풀을 닫았다. 따뜻한 숨결과 함께 용암처럼 뜨거운 입술이 포개어져 왔다.

"음……."

도희의 목덜미를 지탱하던 준원의 커다란 손이 부드럽게 위로 올라가 그녀의 뒷머리를 파고들어 강하게 끌어당겼다. 윤기 흐르는 붉은 머리카락이 손가락 사이사이로 뒤엉켰다. 좁고 어두운 차 안에서 두 남녀는 아찔하게 밀착했다.

부드럽게 아랫입술을 머금고 흡입하는 감각에 도희는 몸을 움찔거렸다. 그는 단번에 도희의 안으로 밀려와 촉촉한 입 안을 부드럽게 헤집었다. 서늘한 외모와 달리 도희의 입 안을 휘젓는 혀의 열기는 무더웠다. 그 온기에 젖은 도희의 가슴은 폭풍우를 맞은 듯이 요동쳤다. 잠시 입술이 떨어지자 도희가 떨리는 숨을 삼켰다.

"……다른 사람을 좋아한다는 건."

진하게 풍겨 오는 와인의 향기와 함께 델 듯 뜨거운 준원의 입술이 도희의 귓가로 올라섰다.

"대체 뭘까요."

간질간질하고 촉촉한 느낌에 도희는 신체의 말단이 조이는 듯한 착각을 느꼈다.

"사랑한다는 감정이 도대체 어떤 건지……."

준원이 도희의 귓가에 대고 묵직한 음성을 내었다.

"……난, 지금 태어나서 처음으로 당신이란 여자가 마음에 걸리는데……."

잔뜩 쉰 목소리가 성대를 긁는 듯이 뱉어졌다. 왜 이렇게 애틋한 음성으로 속삭이는 건지 알 길이 없다.

"연누리 씨와 함께 있고 싶다고 생각합니다."

도희의 심장이 짓눌리듯 내려앉았다.

"그렇다면 이건 사랑인 걸까요?"

준원은 여전히 감정 하나 안 담겨 있는 목소리로 사랑이라는 단어

를 내뱉었다. 칠흑의 우주처럼 새까만 눈동자가 무언가에 젖어 화염처럼 타오르는 듯했다. 단 한 번의 키스와 눈빛만으로도 도희는 순식간에 머리부터 발끝까지 점령당하는 기분을 느꼈다. 아리도록 두근거리는 심장을 숨기고 파르르 전율하는 입술을 움직였다.

"글쎄요……. 그걸 왜 나한테 묻는 건지 싶지만……."

도희가 짧게 실소했다.

"나도 잘 모르겠네요."

이 모든 건 상황이 맞물린 탓이라고, 도희는 속으로 몇 번이고 되뇌었다. 하필이면 20대의 마지막인 아홉수였고, 하필이면 괜스레 쓸쓸하게 느껴지는 초가을이었고, 하필이면 오늘 누리의 선 자리에 대역으로 나왔었고, 그래서 이 엄청난 우연으로…… 이 남자, 서준원을 만났다. 갑자기 어떤 바람이 불었는지, 어떤 충동 때문이었는지 말로 설명하기는 어려웠다.

"그러면…… 우리 한번 테스트해 볼래요?"

그냥 그날은 그렇게…… 자갈길이었던 백도희 29년 인생에서 처음으로 일탈이란 걸 해 보고 싶었다. 어떤 목표를 달성하는 것이 아닌, 오로지 자신의 기분과 감정에 집중한 시간을 갖고 싶었다.

"무슨 테스트요?"

"서준원 씨가 말한 거요."

도희가 그의 목덜미를 끌어당겨 가볍게 입을 맞추었다가 떼었다. 놀란 준원의 눈이 미세하게 커졌다.

"이런 건 사랑이 아니다 싶으면, 서로 미련 없다 싶으면……."

"……."

"오늘 하룻밤으로 깔끔하게 끝내고 헤어지는 거로."

도희는 지금껏 사랑에 미쳐서 휘청거리는 꼴들을 보면 늘 한심하다고 혀를 찼었다. 하지만 내심 속으로는 부러웠을지도 몰랐다. 이 나이 먹도록 그 누구도 사랑해 본 적이 없었으니까.

"어때요?"

어떤 변덕이었는지 모르겠지만, 도희는 태어나서 처음으로 사람에게 기대를 걸었다.

"좋습니다."

그것도 오늘 처음 만난, 이상한 남자에게.

"……연누리 씨만 괜찮다면."

준원이 나직이 웃음을 흘렸다.

"나쁠 거 없죠."

수많은 우연이 겹치고 겹쳐 찾아온 순간. 그날 밤, 그들은 지독하게 얽혀 버리고 말았다. 함께 들어선 일탈의 공간 라비에트 호텔 2005호에서 더욱더 지독하게…….

"음……."

호텔 룸 안으로 들어서자마자 준원은 단단한 팔로 도희의 허리를 끌어안고 말캉한 입술을 부드럽게 베어 물었다. 두 입술이 비벼지는 감촉은 나비의 날갯짓처럼 여리고도 여렸다. 세상에서 가장 귀한 과실을 탐하는 사람처럼, 그의 입맞춤은 나긋나긋하고 부드러웠다.

"연누리 씨."

비록 그의 입에서 흘러나온 세 글자가, 도희의 이름이 아닌 그녀의 절친한 친구의 이름일지라도.

"난 한번 결정하면 끝을 보는 타입입니다."

어쨌든 지금 이 일탈의 주인공은 이 두 사람이었다.

"관두려면 지금이 마지막 기회라는 뜻이고."

준원의 정중한 경고에 도희는 가느다란 팔을 뻗어 그의 목덜미를 감아 끌어당겼다.

"글쎄요……. 여기까지 와서 관둘 거면 애초에 시작도 하지 않았겠죠."

설핏 웃음을 터뜨린 준원은 손을 뻗어 도희의 머리카락을 천천히 쓸어 주었다. 귀한 보배를 쓰다듬듯 커다란 손이 도희의 뺨을 어루만졌다. 비스듬히 고개를 틀어 천천히 아랫입술을 입에 문 그는 곧 부드럽게 윗입술을 빨아들였다.

뜨겁게 맞물려 오는 감각에 도희가 손가락을 쫙 벌렸다가 오므렸다. 겹쳐진 입술 틈새를 가르며 들어온 혀가 좁은 입 안을 배회하자 그녀의 눈꺼풀이 가늘게 떨렸다. 느리게 입술을 뗀 그는 말없이 도희의 입술을 엄지로 문지르며 어둑한 시선으로 그녀를 응시했다. 도희는 저를 향하는 그 타들어 갈 듯 까만 동공에서 어떤 일렁거림을 느꼈다.

"샤워부터 할래요?"

도희가 내키지 않는 표정을 지어 주니 그는 픽 웃으며 넥타이를 한 손으로 끌러 내렸다. 준원은 그녀의 가느다란 목덜미를 젖히고는 부드럽게 입술을 묻었다. 도희는 끊어질 것만 같은 정신을 몇 번이고 다잡았다. 툭. 블라우스 단추가 하나 풀린 것을 느끼며 그의 셔츠 자락을 꼭 움켜쥐었다. 그 작은 악력을 느낀 준원의 입꼬리가 비틀리듯 올라갔다.

"귀여운 면이 있었네……."

귓가를 축축하게 적시는 웃음에 배꼽 근처에 후끈 열기가 모여들었다.

"……쓸데없는 소리 하지 말아요."

창피해진 도희가 얼굴을 붉히며 퉁명스럽게 쏘아붙이자 그가 되려 더 크게 웃었다.

"나도 연누리 씨처럼, 비즈니스 외의 관계에서는 꽤 솔직한 편이라서요."

선 자리에서 도희가 했던 말을 도로 돌려주는 것이었다.

"내 눈에 귀여우니까 하는 말이에요."

……허. 난생 귀엽다는 말은 들어 본 적도 없던 도희는 못 견디게 부끄러워 눈을 꾹 감았다. 준원은 그런 도희의 뺨에 입을 맞추며 블라우스 단추를 하나 더 툭, 풀었다. 툭, 툭, 조급하지 않은 느릿한 손길이 도희의 가슴을 더욱 아릿하게 만들었다.

"……서준원 씨."

긴장된 음성으로 그를 부르자 까만 눈동자가 고요히 굴러 도희에게 닿았다.

"아까…… 타인의 마음을 보지 않는 건 비겁해 보일지는 몰라도 속 편한 일이라고 했죠?"

떨리는 숨이 입 안을 맴돌았다.

"혹시 내 마음은 보여요?"

준원이 숨소리 같은 웃음을 흘렸다.

"글쎄……."

훤히 드러난 앞섶으로 와닿는 뜨거운 숨결을 느끼며 도희가 어깨를 움츠렸다.

"좀 더 알아보고 싶다는 생각은 들어요."

그 말을 끝으로 도희는 등 뒤로 눌리는 푹신한 매트리스의 감촉을 느꼈다. 제 위를 장악하고 올라온 거구 아래 도희의 심장은 고장 난 듯이 뛰기 시작했다. 쪽. 쪽. 쪽. 그의 입술이 살갗에 마찰하는 소리가 고요히 번져 나갔다. 길쭉한 손가락들은 마치 깨지기 쉬운 유리를 다루는 듯 섬세했다.

"아름다우시네요……."

눈을 질끈 감아 버렸다.

"누리 씨."

이 오감에만 의존한 칠흑 같은 어둠 속에서 비이성에 지배당해 버릴 것만 같다. 착각하게 되어 버릴 것만 같다. 지금 이 남자와…… 사랑이라는 감정의 교류를 하는 것이라고. 도희는 그렇게 착각해 버릴 것만 같았다.

도희가 입술을 깨문 순간, 준원은 도희의 손을 부드럽게 움켜쥐었다. 끈끈하게 엉킨 손가락처럼 두 남녀 사이로 열띤 교류가 오갔다. 화염과 같은 감각은 머리부터 발끝까지를 모조리 휩쓸며 폐허로 만들었다. 도희는 다 타들어 재가 될까 두려워서 그의 어깨를 꽉 움켜쥐었다.

"……!"

그 순간 도희의 심장이 덜컹했다. 숨이 턱 막히며 돌연 눈앞이 핑글 돌았다. 무언가 끊기는 듯한 충격에 사지가 흔들렸다. 일순 의식을 잃고 눈앞이 까맣게 암전되었다.

"윽……."

찰나의 깜깜한 암전 후 도희는 다시 혼미한 정신을 되찾았다. 힘겹게 눈꺼풀을 들어 올리자 어슴푸레하게 시야에 들어차는 것은 눈처럼 새하얀 천장이었다.

"……어?"

준원은 온데간데없이 사라지고 도희는 혼자 침대에 누워 있었다. 온몸을 휩싸던 쾌락의 감각마저도 흔적조차 없이 증발한 상태였다.

"뭐……."

벌떡 상체를 일으킨 도희가 황급히 주변을 둘러보았다. 이곳은 호텔이 아닌 도희의 집이었다.

"……뭐야……."

서늘하게 식은 도희가 떨리는 손으로 빠르게 옆에 놓인 핸드폰을 낚아챘다. 2019년 9월 21일, 토요일 오전 11시 42분. 흔들리는 동공으로 각인되는 것은 지금의 날짜와 현재 시각이었다.

"……."

서준원과 함께 호텔에 들어갔을 때의 시간은 토요일 오후 11시쯤이었다.

"뭐야……."

그런데 지금 시간은 토요일 오전 11시. 심장이 철렁한 도희는 들고 있던 휴대전화를 떨어뜨렸다.

"미친……."

시간은 준원과 선을 본 날 아침으로 되돌아가 있었다. 그를 만나기 8시간 전의 과거로 돌아온 것이다.

"……하."

허탈해진 도희는 힘없이 제 머리를 짚었다.

"왜 하필 지금……."

놀랍게도, 도희는 이런 말도 안 되는 일이 처음이 아니었다. 오히려 지긋지긋하게 겪어 와 신물이 날 지경이었다.

지금으로부터 약 23년 전. 일곱 살 도희의 가정환경은 말할 수 없이 비참했었다. 가정폭력을 일삼았던 새아빠와 도희를 무참히 학대하던 엄마, 그런 끔찍한 환경에서 도희는 하루하루 겁에 질린 채 살았었다. 그러던 어느 날. 그녀에게 찾아왔던 일곱 번째 생일. 1997년 12월 24일.

"잘 잤니, 우리 딸?"

생일날 아침. 늘 화를 내고 손찌검했던 엄마는 처음으로 상냥하게 웃으며 도희를 깨웠었다.

"일곱 번째 생일 축하해. 오늘 엄마랑 아빠랑 셋이 놀이공원 놀러 갈까?"

도희는 산타할아버지가 선물로 엄마를 상냥하게 만들어 주었다고 생각했다. 태어나서 처음으로 엄마 아빠 손을 꼭 잡고 놀이공원에 놀러 갔고, 믿기지 않을 만큼 아주 행복한 생일을 보냈었다. 적어도 그날 저녁 전까진 말이다.

해가 저물 즈음, 그녀는 홀로 남겨졌다. 그리고 하루가 다 지나갈 무렵, '그 일'이 시작되었다. 갑자기 목소리가 나오지 않는가 싶더니 일순 의식을 잃다시피 잠들었었다. 그리고 다시 정신을 차렸을 땐 아침이었다. 놀랍게도 날짜는 다음 날인 12월 25일이 아닌 12월 24일, 생일 아침으로 되돌아가 있었다.

"잘 잤니, 우리 딸?"

엄마는 전날과 똑같은 말을 하며 도희를 깨웠다.

"일곱 번째 생일 축하해. 오늘 엄마랑 아빠랑 셋이 놀이공원 놀러 갈까?"

똑같은 행동과 똑같은 표정, 똑같은 말. 겨우 일곱 살이었던 도희는 이게 무슨 상황인지 인지조차 하지 못했다. 엄마를 포함한 모든 사람은 몰래카메라라도 찍는 것처럼 전날과 같은 행동, 같은 말을 똑같이 반복했고, 이미 겪은 일들이 도희의 눈앞에서 똑같이 펼쳐졌었다. 그렇게 거의 똑같은 하루가 흘렀고, 도희는 그저 무서운 악몽이었다고 생각하며 다시 눈을 감았으나, 애석하게도 내일은 오지 않았다. 돌연 또다시 아침이 됐고, 날짜는 또 12월 24일을 가리키고 있었다.

"잘 잤니, 우리 딸?"

도희의 온몸에 소름이 끼쳤다.

"일곱 번째 생일 축하해. 오늘 엄마랑 아빠랑 셋이 놀이공원 놀러 갈까?"

또 사람들은 똑같이 행동하고 말했다. 그들은 하루가 계속해서 반복되고 있다는 것을 전혀 모르는 것 같았다. 시간을 거슬러 올라가면서 기억이 지워지는지, 그저 매일 똑같은 행동을 반복할 뿐이었다. 오로지 도희 혼자만이 이 모든 것을 기억하고 있었다. 그렇게 하룻밤이 지나고, 이틀 밤이 지나고, 사흘 밤이 지나도 내일은 절대 오지 않았고, 계속해서 하루가 반복되기만 했다.

"잘 잤니, 우리 딸?"

그야말로 12월 24일에 갇혀 버린 것이었다.

"일곱 번째 생일 축하해. 오늘 엄마랑 아빠랑 셋이 놀이공원 놀러 갈까?"

지옥 그 자체였다. 내일이 오지 않는 상황 속에 도희는 온 우주에서 홀로 고립된 듯한 두려움과 외로움에 빠져들었다. 그렇게 12월 24일만 열 번을 꼬박 반복한 후 열한 번째 반복이 올 차례에, 불현듯 12월 25일, 내일은 왔다. 그리고 도희는 자신이 겪었던 일이 일종의 타임 루프(time loop, 똑같은 하루가 계속해서 반복되는 현상)라는 것을 알게 되었다.

왜 나에게 이런 일이 생겼는가? 그녀는 수도 없이 생각했지만 끝내 그 이유는 전혀 알 수 없었다. 다만 그 이후로도 도희는 한 달에 두세 번꼴로 이따금 타임 루프 현상을 겪었다. 서른이 된 지금까지도. 그렇게 23년간 남에게 말 못 할 비밀을 안고 살아왔다.

"하……."

도희는 서둘러 상황 파악을 했다. 그러니까 지금 이것은……. 서준원의 품에 안겨 절정에 다다랐던 순간, 타임 루프 현상이 일어나 과거로 되돌아와 버린 거였다. 서준원을 만나기 8시간 전, 주말을 맞아 침대에 누워 늦잠을 즐겼던 그 순간으로.

"미친……."

이 뭔 말도 안 되는 타이밍이란 말인가. 뜨거운 용광로에서 들끓다가 강제로 얼음물에 적셔진다면 바로 이런 기분일까. 포근했던 어둠도, 서준원의 품도, 몸을 휩쓸던 쾌락도, 솟구쳤던 감정도. 전부 사라지고 없었다.

"……."

상황 파악을 마친 도희는 멍하니 자신의 침대에 앉아 창밖을 바라보았다. 온몸의 피가 달아나는 듯한 기분이었다. 그렇다. 서준원은 이제 내가 누군지도 기억하지 못할 것이다. 시간이 과거로 되돌아가면 다른 사람들은 이전에 있던 일을 전부 잊어버리기 때문이었다. 그와 있었던 모든 일이…… 애초에 없던 것으로 소각되어 버렸다는 뜻이다.

"하아……."

23년이나 겪었으니 이제는 이 뜬금없는 과거 회귀 현상에 완전히 익숙해졌다고 생각했지만, 그건 그녀의 착각이었다. 도희가 혼란스러움에 깊은 한숨을 내쉰 순간, 누리에게서 전화가 걸려 왔다. 도희는 정신이 나간 사람처럼 멍하니 핸드폰을 바라보다가 홀린 듯 전화를 받았다.

-도희야. 도희야! 너 혹시 오늘 시간 돼?

"……."

이제 누리가 서준원과의 선 자리에 대신 나가 달라고 부탁할 것이다.

-아니, 나 사실 엄마가 오늘 저녁에 선 자리 잡아 놨거든.

도희는 이상하게 목이 따끔거리며 눈가가 욱신거리는 기분을 느꼈다.

-그래서 그냥 예의상 2시간 정도만 자리 지키다 오려고 했는데, 갑자기 내 썸남이 다리를 다쳤다는 거야!

"……."

-도희야? 듣고 있니?

눈물이 날 것 같았다.

……왜?

"응……. 계속 말해."

도대체 왜? 대체 왜 마음이 이런 걸까. 명치에 무언가가 꽉 막힌 듯 속이 답답했다.

–뭐야……. 도희, 너 목소리가 왜 그래?

이게 무슨 감정인지 알 수가 없었다.

–너, 설마…… 울어?

"야, 넌 내가 우는 거 봤냐? 그냥 감기 기운이 좀 있어서."

–그렇지? 하긴 네가 울 리가 없지.

누리의 목소리를 들으며 도희는 울컥한 제 맘을 억지로 가라앉혔다.

–내가 널 15년 동안 알면서 우는 걸 한 번도 못 봤는데.

그렇다. 도희는 절대 울지 않았다. 적어도 다른 사람들의 눈에는 그렇다. 전날 그녀가 서준원의 앞에서 아이처럼 엉엉 울었던 것도, 시간이 과거로 되돌아가 버렸으니 없었던 일이 되었다. 그 누구도 그녀의 눈물을 기억하지 못하니, 그녀는 울지 않은 것이 맞았다.

–어쨌든 진짜 미안한데…… 혹시 나인 척하고 선 자리 대신 나가 줄 수 없을까? 사진 교환 안 해서 괜찮거든.

23년간 이 괴이한 현상을 수도 없이 겪으면서, 도희는 이 무한한 시간의 반복에 빠졌을 때 벗어나는 방법을 터득하게 되었다. 그 방법은 다른 사람들처럼 아무것도 기억 못 하는 척, 이전과 완전히 똑같이 행동하는 것이었다.

그렇게 모른 척 시치미를 떼고 처음과 똑같이 하루를 보내고 나면 정상적으로 시간은 흐르고 내일은 왔다. 하지만 만약 미래를 바꾸겠다고 처음 행동과 다른 행동을 하게 된다면, 마치 운명을 어긴 것에 대한 형벌처럼 수도 없이 하루가 반복되고는 했다.

그리고 지금, 인생 최초의 일탈 도중에 일어난 타임 루프로 인해…… 도희에게는 두 가지의 선택권이 주어졌다. 첫째, 서준원을 다시 만나 어제와 똑같이 행동해 시간을 정상적으로 흐르게 하거나. 둘째, 서준원을 만나러 가지 않고 인생에서 그를 완전히 삭제하거나.

그리고 그녀의 선택은…….

"누리야."

이건 고민할 가치도 없는 문제였다.

"나 오늘 일 있어. 그냥 네가 나가."

도희는 그를 만나러 가지 않기로 했다. 원래의 운명을 어긴 대가로 오늘, 9월 21일을 수도 없이 반복할지라도 말이다.

-아아, 제바알. 내 썸남이 나만 기다리고 있는데…….

"야. 네 썸남보다 오늘 네 소개남이 백배는 더 잘생기고 스펙도 짱짱할 테니까 그냥 나가라고."

-아, 무슨 소리야? 네가 점쟁이도 아니고 그걸 어떻게 알아?

"그냥 감. 느낌이 그래."

그래, 이게 맞는 거야.

"나 원래 이런 거 촉 좋잖아."

도희는 욱신거리는 입꼬리를 비틀이며 들어 올렸다.

"……후우."

누리와의 전화를 끊은 도희는 깊게 한숨을 내쉬었다. 그렇다. 그녀는 간밤의 일을 후회하고 있었다. 그 짓거리가 얼마나 미친 짓이었는지를 한순간 현실로 돌아오니 깨달았다. 하룻밤의 꿈 같았던 그 순간의 감정은 정말 손에 잡히지 않는 꿈이 되어 사라졌다.

이제 간밤에 서준원과 있었던 일은, 이 세상에서 오직 백도희 혼자만 알고 있는 비밀로 묵혀 둘 것이다.

"잊자, 잊어."

그와의 일은 그저 오로지 그녀만 아는 그런 기억으로…… 추억으로만 간직될 것이다.

1년 전 기억을 회상한 도희가 두 주먹을 아프게 움켜쥐었다. 그날로부터 1년이라는 긴 시간이 흘렀지만, 도희는 사실 아직도 그날의 기억이 생생했다.

"하……."

어차피 없었던 일이 되었기에 기억 속에서도 지우려고 부단히도 애를 썼다. 하룻밤의 꿈처럼 사라진 그날을 잊기 위해, 더욱더 독하게 성공만을 바라보고 질주했다.

"그런데 어떻게 이런 일이……."

하지만 도희의 노력은 결국 일에게조차 배신당하고 말았다. 외부에서 온 남자에게 뜬금없이 새 팀장 자리를 뺏기고 말았으니까. 그것도 그 '서준원'에게……. 세상에 이보다 더 미친 상황이 있을까.

"아니야, 백도희. 정신 차려……. 괜찮아."

도희는 고개를 좌우로 내저었다. 확실히 최악의 상황이긴 했지만,

도희만 내색하지 않는다면 문제 될 것은 없었다. 준원은 1년 전 그날 일을 전혀 기억하지 못할 것이고, 그날 일은 이 세상에서 오로지 도희 혼자만이 알고 있었다.

"그냥 나만 티 안 내면 되는 거야……."

도희는 입술을 아프게 깨물며 말끝을 흐렸다. 단단히 다짐한 후 결연하게 고개를 끄덕였다.

다음 날, 천근만근인 몸을 이끌고 회사에 출근한 도희는 차를 주차하고 엘리베이터에 올라탔다. 사무실이 위치한 14층 버튼을 누르고 짧게 숨을 골랐다.

그 순간, 저 멀리서 발걸음 소리가 들려왔다. 흘끔 눈을 돌리니 엘리베이터로 뚜벅뚜벅 걸어오고 있는 서준원이 보였다. 순간 심장이 철렁 내려앉은 도희는 저도 모르게 닫힘 버튼을 미친 듯이 난타했다. 게임기라도 두드리듯 필사적으로 닫힘 버튼을 눌렀으나 준원이 조금 더 빨랐다. 덜컹. 팔을 훅 뻗어 닫히는 엘리베이터 문을 도로 연 준원은 결국 엘리베이터에 올라타고 말았다.

'망할……'

도희가 속으로 육두문자를 내뱉으며 가식적으로 활짝 웃었다.

"안녕하세요, 팀장님."

세상 위선적인 미소에 준원이 픽 실소했다.

"네, 안녕하세요."

그렇게 말하며 이미 도희의 손이 올라가 있는 닫힘 버튼을 꾸욱 눌렀다.

'……망할…….'

닫힘 버튼을 연타하고 있던 걸 들킨 도희는 속으로 절규하며 입술을 꾹 다물었다. 좁은 엘리베이터 안에는 도희와 준원 둘만이 남겨졌다. 아무도 입을 열지 않는 정적 속에 엘리베이터는 1층에 도착했다. 다행히 같은 상품기획팀의 인턴 남아현이 올라탄 덕에 숨 막히는 상황은 얼마 가지 않아 종료되었다.

"어? 안녕하세요!"

밝게 인사하는 아현에게 도희와 준원이 고개를 까닥하며 인사했다. 팔짱을 끼고 엘리베이터의 숫자가 올라가는 것을 주시하던 도희는 문득 전날 아현에게 지시했던 업무를 떠올렸다.

"아, 맞다. 아현 씨."

"네?"

"어제 내가 퇴근 전에 시켰던 거 발주했어?"

도희의 물음에 아현이 해맑게 웃으며 고개를 끄덕였다.

"네! 신청서대로 주문했습니다, 팀장님!"

흠칫. 아현은 자신이 말해 놓고도 놀라 손끝으로 제 입을 틀어막았다.

"아, 아니…… 과, 과장님……."

아현은 얼른 정정하며 서준원 팀장과 도희의 눈치를 살폈다. 현 팀장과 전 팀장 대행. 두 상사 아래에서 똥 마려운 강아지처럼 어쩔 줄 모르고 우왕좌왕하는 아현을 보며 도희는 짜증스레 한숨을 내쉬었다.

이윽고 엘리베이터는 14층에 도착하고, 도희는 준원에게 고개를 까딱인 후 불편한 공간을 빠르게 빠져나왔다. 피로가 쌓여 커피를 마시기 위해 곧바로 탕비실로 향했다.

"근데 서준원 팀장, 몇 살이래요?"

"글쎄, 많아 봐야 30대 초반 아닐까?"

"아니, 인간적으로 너무 잘생겼잖아요……. 진짜 피지컬도 예술이고, 안구 정화 제대로!"

희미하게 들려오는 양지예 대리와 김새봄의 대화 소리에 도희가 헛숨을 터뜨렸다. 물로 보이면 안 된다느니, 텃세에는 장사 없다느니, 자기는 과장님 편이라며 침 튀기게 떠들던 팀원들이 아주 눈에 하트를 뿅뿅 달고 앉았다. 더는 못 들어 주겠어서 도희는 바로 대화를 끊고 한마디 쏘아붙였다.

"다들 한가한가 봐?"

갑작스러운 도희의 등장에 놀란 지예와 새봄이 화들짝 놀랐다.

"안 그래도 팀 내 분위기 어수선한데, 지금 자기들이 되게 일조하고 있는 거 알지?"

"죄, 죄송해요. 과장님……."

"잡담하다가 하루 다 보내고 야근할 생각하지 말고 제때 끝내. 알았어?"

"네에……."

도희에게 한 소리 듣자 지예와 새봄은 울상이 되어 대답했다. 속이 답답해진 도희는 더 사족을 붙이지 않고 자리를 떴다.

참자. 내색하지 말자. 도희는 서준원의 앞에서 사사로이 불편한

감정을 내비치지 않으려고 이 악물고 노력했다. 하지만 한쪽이 먼저 굽히지 않는 이상, 두 사람의 갈등은 필연적이었다.

"백 과장. 그동안 프로젝트 자료 관리를 이렇게 해 왔습니까?"

준원은 비즈니스적으로 절대 녹록지 않은 성격이었다.

"어떤 부분 말씀입니까?"

도희가 반문하자 준원은 특유의 감정 하나 실리지 않은 음성으로 답했다.

"일관성은 없고 뒤죽박죽인 데다가, 한눈에 들어오지도 않고 효율도 떨어집니다."

도희의 잠자던 심기가 꿈틀거렸다. 굳이 팀원들 다 보는 앞에서 이렇게 대놓고 훈계하는 것은 기강을 잡겠다는 심리임이 분명했다.

"프로젝트 히스토리 모르는 사람이 이 요약 자료들을 보고 과연 업무 파악이나 제대로 할 수 있을지가 의문이네요."

도희가 고요히 헛숨을 터뜨렸다.

"글쎄요. 서 팀장님께서 오시기 전까지는 내부에서 계속 이런 방식으로 업무자료 정리를 해 왔었습니다. 그동안 큰 문제 없었기 때문에 이 방식을 계속 고수해 온 거고요."

여기서 밀리면 한도 끝도 없이 밀리게 된다는 것을 잘 알고 있었다. 그렇기에 쉽게 물러날 수는 없었다.

"업무자료 정리는 기존에 하던 방식으로 진행해야 쓸데없이 낭비되는 시간이 없을 거라고 생각합니다."

"문제 될 게 없다?"

"네. 별로 큰 문제가 될 것 같지는 않습니다."

도희는 전혀 주눅 들지 않고 대답했다. 서준원 팀장은 잠시 대꾸하지 않고 서늘한 눈으로 도희를 말없이 바라보았다.
"백 과장, 내가 오기 전까지 팀장 대행으로 일했다고 했죠?"
"……네, 그렇습니다."
"왜 회사에서 백 과장이나 내부 인물을 차출하지 않고, 외부에서 나를 영입해 이 팀장 자리에 앉혔는지 생각해 본 적 있어요?"
정곡을 찌르는 질문에 도희의 마음은 싸늘하게 얼었다.
"백날 머리 맞대고 끙끙대 봐야 고인 물은 썩기만 할 뿐 발전이 없죠."
냉기 어린 음성은 딱딱하게 이어졌다.
"회사에서 내게 기대하는 건 지금껏 해 왔던 기존 방식을 그대로 고수하는 게 아닙니다. 혁신, 개혁, 진부한 단어지만 상부에서 기대하는 건 그런 겁니다."
준원의 말에 도희가 입술을 꾹 다물었다.
"그리고 변화는 큰물에서부터 시작하는 게 아니죠. 작은 웅덩이에서, 이 아무것도 아닌 프로젝트 자료 정리 스타일부터 뜯어고치는 데에서 시작하는 겁니다."
판단 오류였다. 이렇게 대놓고 찍어눌러 견제하려 들지는 미처 몰랐다.
"한마디로 요약하면 괜히 고집부리지 말고 협조하라는 뜻이에요. 서로 피곤해지니까."
도희는 그녀답지 않게 울컥하고 말았다. 1년 전 그날 서준원과 지금 눈앞의 남자를 같은 사람이라고 생각하면 안 된다는 것을 알면서도 말이다.
"……조언인지 경고인지, 헷갈리네요."

"둘 다 아니고, 부탁입니다."

팀장 대행이었던 도희만 굽히면 나머지는 알아서 기어들어 올 거란 판단을 했을 터였다. 지금 서준원의 눈에 자신은 그저 찍어눌러야 할 눈엣가시일 뿐이었다.

"업무자료, 처음부터 끝까지 프로젝트별로 전부 다시 정리하세요."

그는 아무것도 기억하지 못하니까.

1년 전, 준원을 만나러 가지 않았던 두 번째 9월 21일 토요일. 온종일 멍하니 시체처럼 소파에 누워 텔레비전만 보던 도희는 누리로부터 문자를 받았었다.

[도희야, 도희야. 오늘 소개남 네 말처럼 엄청나게 잘생겼어!]

누리는 서준원과 선을 보는 도중에 문자를 보낸 것 같았다.

[그래, 잘됐네.]

그 남자, 내게 했던 것처럼 누리에게도 똑같이 결혼하자고 했을까? 문득 준원이 누리에게도 똑같이 행동했을지가 궁금해졌다.

[근데 좀 이상해. 자꾸 나한테 연누리가 맞냐고 묻는데?]

누리의 문자에 잠시 고개를 갸웃했던 도희는 이내 대수롭지 않게 생각했었다. 어차피 서준원은 이제 전혀 얽힐 일 없는 남이기 때문이었다.

그리고 그날 밤, 역시나 시간은 정상적으로 흐르지 않고 다시 토요일 아침으로 되돌아갔었다. 그렇게 도희는 원래의 운명을 어긴 대가로 9월 21일 토요일만 4번이나 반복했었다. 그동안 도희는 온종일 아무것도 하지 않고 잠을 자거나 멍하니 앉아 시간을 보냈다.

그리고 찾아온 5번째 9월 21일에, 자정이 가까워지자 도희는 멍하니 벽에 걸린 시계를 바라보았었다. 그렇게 아무것도 하지 않고 넋을 놓은 사람처럼 시계만 바라보다 보니 어느덧 시간은 자정에 가까워졌다. 오후 11시 59분. 뚫어져라 분침을 바라보는 도희의 동공이 뒤흔들렸다. 12시 00분.

9월 22일 일요일. 다음 날은 왔다. 또 21일 아침으로 되돌아가지 않고, 시간이 흘렀었다. 이제 서준원과의 일은 전부 끝이었다. 그때는 그렇게 생각했다.

"하아……."

극한의 스트레스를 받은 도희는 옥상으로 올라와 흘끔 주위를 살폈다. 아무도 없는 것을 확인하고는 재킷 안에서 몰래 챙겨 왔던 파우치를 꺼내 열었다.

"진짜 미쳐 버리겠다, 오늘."

그 안에는 각양각색의 초콜릿이 무더기로 한가득 들어 있었다. 도희는 그대로 한 주먹 퍼서 와구와구 초콜릿을 씹어먹으며 내면의 울분을 풀었다. 어느샌가 회사에서 스트레스를 받으면 이렇게 몰래 옥상에 올라와 초콜릿을 몇 봉지고 끊임없이 까먹는 게 습관이 되었다. 이미지 관리한답시고 회사에서는 단 걸 싫어한다고 떠들어 댔었고, 그렇기에 이것은 남들에게 들키기 싫은 도희의 은밀한 탈출구였다.

"아, 열 받아……."

왜 이렇게 화가 나고 속이 답답한 걸까. 도희는 깊게 한숨을 내쉬며 지그시 눈을 감았다.

"타임 루프……."

시간 반복, 즉 타임 루프 현상은 사실 이제껏 도희에게 저주가 아닌 축복이었다. 처음 행동과 다른 행동을 하면 계속 이전으로 시간이 되돌아갔고, 하루가 총 반복되는 횟수는 무작위였다. 그리고 도희는 이것을 오히려 기회로 삼았었다.

운 좋게 수능 날 타임 루프가 일어났고, 도희는 21번이나 수능을 본 후 결국 수석으로 명문대에 입학했다. 입사 면접 때도 타임 루프가 일어나 17번이나 면접을 보았고, 역시나 가장 우수한 성적으로 당당하게 사원증을 목에 맸다. 그런 그녀에게 타임 루프는 개천, 아니 구정물에서 용이 태어날 수 있게끔 해 준 하늘이 내린 축복이었다. 잘못된 결정을 번복하고 운명을 바꿀 수 있는 게, 어떻게 저주일 수 있겠는가?

도희는 1년 전 그날, 서준원을 다시 만나러 가지 않았던 것을 잘한 일이라고 생각했다. 사소한 것에 흔들릴 만큼 여유 있는 사람이 아니었으니까.

"그래. 정신 차리자……."

그저 잠시 착각했던 것뿐이다. 1년 전 서준원의 품에 안겼던 순간, 자신도 남들과 같은 평범한 사람이라고, 남들처럼 보통의 감정이 생겼다고 잠시 착각했을 뿐이다. 그러니까 상처받을 필요가 전혀 없는 것이다.

"힘내자, 백도희."

한 봉지, 두 봉지, 세 봉지, 도희는 달고도 단 초콜릿을 멈추지 않고 게걸스럽게 숨 쉬듯 우걱우걱 흡입했다.

"여기서 뭐 해요?"

"으악, 깜짝이야!"

그런데 갑자기 뒤에서 소리 소문 없이 등장한 준원 때문에 도희가 화들짝 놀랐다.

뭐, 뭐야……?!

기겁한 도희가 다급히 뒤를 돌아보자 준원이 설핏 웃음을 터뜨렸다.

"온갖 똑 부러지는 척은 혼자 다 하더니……."

준원은 도희의 도톰한 입술 근처에 덕지덕지 묻은 초콜릿을 보며 웃었다.

"이런 취미가 있으셨네."

움찔한 도희의 얼굴이 화악 붉어졌다. 그녀가 황급히 혀끝을 내밀어 핥으려고 하자 준원이 도희의 뺨을 한 손으로 붙잡고 부드럽게 들어 올렸다. 길쭉한 손가락이 말캉한 입술 위를 문지르기 시작하자 당황한 도희가 그의 손을 탁 치웠다.

"지금 뭐 하시는 거예요?"

황당함에 눈을 흘기며 고개를 난간 쪽으로 돌렸다. 주머니에서 손수건을 꺼낸 도희는 깔끔하게 입가를 닦았다.

"울고 있을 줄 알았는데."

준원이 낮게 중얼거리자 도희의 심장이 일순 내려앉았다. 어디선가 들어 본 말이었기 때문이었다.

'울고 있을 줄은 몰랐는데.'

준원이 1년 전 제게 했던 말과 아주 비슷한 말이었다.

……우연인가?

그래, 당연히 우연이겠지……. 뜻밖의 데자뷔에 순간 놀랐던 도희는 곧바로 마음을 가다듬고 표정을 굳혔다. 동요하지 말자, 백도희. 어차피 이 남자는 아무것도 기억하지 못한다고!

"별것도 아닌 일로 왜 울겠어요. 사춘기도 아니고."

도희는 아무렇지 않게 목소리를 내었다.

"저, 이래 봬도 산전수전 다 겪은 몸이에요. 제가 여기까지 올라오려고 이 회사에서, 어떤 일을 했고, 또 어떤 일을 겪었는지……."

남들과는 출발선 자체가 차원이 달랐다.

"팀장님께서는 상상도 못 하실 거예요."

잃을 게 없는 위치에서 시작했기에 그만큼 무서울 것도 없었다. 비록 이번에는 운 나쁘게 도약에 미끄러졌지만, 다음번 기회는 절대 놓칠 생각이 없었다. 도희는 말없이 자신을 바라보고 있는 준원에게 묵례한 후, 그의 어깨를 지나쳐 걸음을 옮겼다.

"전 백도희 과장이, 대단하다고 생각합니다."

그 순간 뒤에서 준원의 음성이 들려왔다. 우뚝 멈춰선 도희는 고개를 돌려 준원과 시선을 마주했다.

"본부장님께서 제게 말씀하셨습니다. 웬만한 남자보다 더 일 잘하는 여자라고."

"……."

"그런 성차별적 발언을 아무렇지 않게 하는 상사에게 실력으로 인정받는다는 게 얼마나 힘들었을지. 혈연, 지연, 연고주의 판치는 회사에서 20대에 실적으로만 최연소 과장 타이틀도 얻으셨고."

잔물결 같은 준원의 음성이 도희의 휑한 동공을 울렸다.

"진심으로 대단하다고 생각합니다. 같이 동료로서 일하게 되어 영광이라고 생각할 정도로요."

"……."

우습게도, 도희는 조금 기뻤다. 누군가에게 노력을 인정받았을 때, 그것만큼 행복한 순간은 없었다. 유치하게 뻗대 보려고 했던 스스로가 한심하게 느껴질 정도로 말이다. 도희는 소리 없이 웃음을 흘렸다. 짜증 나는 인간이지만…… 확실히 이 남자에겐 꽤 쓸모 있는 통찰력이 있다는 생각이 들었다.

"리더 체질이신가 봐요. 밀당에 재능도 있으시고."

속 뻔히 보이는 당근과 채찍에 모른 척 넘어가 주기로 했다. 도희가 살포시 웃으며 준원에게 다가가 손을 내밀었다.

"감사해요, 서 팀장님."

준원은 제 앞으로 뻗어진 하얀 손을 물끄러미 바라보았다.

"처음에 못 했던 악수요. 앞으로 잘 부탁드리겠습니다."

뻗어진 손의 의미를 알아챈 준원은 미미하게 웃으며 그 손을 맞잡았다.

"네. 저야말로 잘 부탁드립니다."

커다란 손이 작은 손과 하나로 겹쳐졌다. 꽤 훈훈한 화해의 장면이 연출되고 도희가 손을 놓으려던 찰나였다. 순간 무자비한 힘에 확 끌려간 그녀가 준원의 단단한 가슴에 이마를 콩 부딪쳤다.

"아……!"

돌연 그의 품에 안긴 자세가 되자 도희의 숨이 우뚝 멈추었다. 놀란 도희가 뒷걸음질 치려 한 순간, 잘록한 허리 위로 준원의 굵은 팔이 감겼다. 마치 작년 그날 밤을 연상시키는 감각에 도희의 심장이 벌렁거렸다.

"그런데 왜 자꾸 모른 척해요?"

준원은 그녀의 귓가에 끈적한 음성으로 속삭였다.

"무슨……."

휘둥그레 뜬 도희의 눈꺼풀이 파르르 떨렸다.

"우리 잤잖아요."

도희의 심장이 아래로 떨어졌다.

"라비에트 호텔 2005호."

준원의 뜨거운 입술이 도희의 귓불에 아찔하게 스쳤다. 자지러지듯 떨리던 붉은 입술이 딱딱하게 경직되었다.

"설마 모른다고 발뺌하진 않겠지."

그는 유리한 패를 쥔 남자처럼 여유롭게 웃었다.

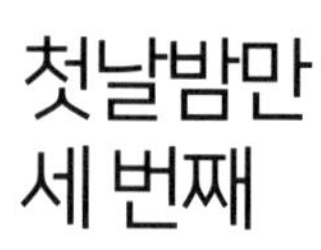

VOL. 1

Three First Nights

CHAPTER 2

미지의 욕망

2

미지의 욕망

귓불로 와닿는 그의 속삭임에 도희의 심장이 아래로 추락했다. 고막을 타고 흐른 준원의 숨결이 파동하며 가슴을 저릿하게 만들었다. 예상치 못한 상황에 머리가 까맣게 암전된 도희의 동공이 거칠게 흔들렸다.

"……그걸 어떻게……."

대체 어떻게 기억하고 있는 거지?

굳은 성대에 돌덩이라도 걸린 듯 말이 나오지 않았다. 귀신이라도 만난 사람처럼 창백해진 도희를 보며 준원은 여유롭게 웃었다.

"그동안 잘 지냈어요? 1년 만에 보는데."

……대체 뭐지?

하얗게 백지장이 된 도희의 머리로는 지금 이 상황을 이해하기에 역부족이었다.

"진짜 이름은 백도희……."

도희가 꼴깍 마른침을 삼켰다. 준원은 커다란 손을 천천히 뻗어 말없이 굳어 있는 도희의 뺨을 부드럽게 감쌌다.

“어쩐지 연누리라는 이름은 너무 안 어울리더라고.”

볼을 어루만지는 손길은 그날 밤의 기억을 불러일으키기 충분했다. 놀란 도희가 퍼뜩 정신을 차리고서는 두 손으로 준원의 가슴을 팍 밀었다.

“무……슨 말씀이신지.”

황급히 그의 품에서 벗어난 도희가 불안한 눈동자를 굴렸다.

“낮술이라도 하셨어요?”

당황한 도희는 아무렇게나 말하며 시치미를 뚝 뗐다.

“이건 좀 많이 경우 없으시네요.”

머릿속에서는 한바탕 전쟁이 벌어졌지만, 도희는 내색하지 않으려고 노력하며 꿋꿋이 입술을 움직였다.

“잤다니…… 무슨 착각을 하신 건지 모르겠지만, 그런 부적절한 언행은 명백히 성희롱입니다.”

포커페이스를 유지하려고 애를 썼으나 꽉 쥔 주먹에는 땀이 비죽 흘러나오고 있었다.

“……일단, 피차 불편해지니까 못 들은 거로 해 둘게요.”

어색한 말투로 발뺌하는 도희를 보며 준원은 실소를 터뜨렸다. 그 짧은 웃음소리에 반사적으로 고개를 들어 마주한 준원의 얼굴은 아무런 감정도 내비치지 않은 채 무표정했다. 모른 척 새침을 떼도, 성희롱이라고 경고를 해도, 조금의 표정 변화조차 없는 준원의 앞에서 점점 불리해지는 쪽은 도희였다.

“그……러니까, 특별히 딱 한 번만 없었던 일로 해 드리겠다고요.”

점점 무슨 말을 하고 있는지 도희 스스로도 알 수가 없었다. 그녀의 머릿속에는 그저 얼른 이곳을 벗어나야겠다는 생각뿐이었다.

"그럼, 전 이만……."

준원의 한쪽 눈썹이 삐딱하게 올라갔다. 그런 그를 뒤로하고 도희는 삐걱거리는 로봇처럼 팔다리를 부자연스럽게 움직여 황급히 그 자리를 빠져나왔다.

왜?

왜지? 어떻게? 왜 때문에?!

"어떻게 알고 있는 거야……!"

줄행랑을 치듯 계단을 내려가던 도희의 안색이 하얗게 질렸다. 쿵쾅쿵쾅 빠르게 박동하는 심장은 금방이라도 터질 것만 같았다.

"대체 어떻게 기억하고 있는 거냐고!"

정신없이 내달리다 우뚝 멈춰선 도희가 양팔로 머리를 부여잡았다. 어떻게 서준원이 그날 밤 일을 기억하고 있는 건지 도무지 알 수가 없었다. 원래라면 시간이 되돌아가면서 기억이 지워지는 게 정상인데 말이다.

"설마……."

한 가지 가정이 도희의 머릿속을 스쳐 지나갔다. 혹시 저 남자도 타임 루프 현상을 느끼고 있는 건가? 만에 하나 그렇다면, 그가 그날 밤 일을 기억하고 있는 것도 말이 된다.

"……미친."

"말도 안 돼!"

온종일 멍하니 있다가 퇴근한 도희는 15년 지기 친구 이언과 집 근처에서 단둘이 술자리를 가졌다.

"야, 말도 안 되는 건 너잖아! 뭐 하는 거야, 대체?"

잔을 내려놓은 이언은 짜증을 내며 축축하게 젖은 제 손을 털었다. 도희가 잔이 넘치도록 술을 가득히 따라 버린 탓이었다. 졸지에 맥주를 뒤집어쓴 이언의 오른손은 온종일 땡볕 아래 골프 장갑을 끼고 있던 왼손과 달리 구릿빛으로 그을려 있었다.

"아, 쏘리, 쏘리. 괜찮아?"

"이게 쏘리 같은 소리 하네, 진짜!"

"왜 미안하다고 해도 지랄이야! 하여간 까탈스러운 새끼. 내놔!"

도희의 하얀 손이 맥주에 젖은 커다란 손을 덥석 잡아끌자 흠칫한 이언이 움찔했다. 짜증스레 티슈를 여러 장 뽑은 도희는 그의 손을 닦아 주며 후우, 하고 깊은 한숨을 내쉬었다.

"땅 꺼지겠다. 왜 또 넋이 나가 있는 거야?"

"네가 어떻게 알겠냐. 이 누나의 고충을."

"누나 같은 소리 하네, 쥐똥만 한 주제에."

"어허. 키만 멀대같이 큰 주제에 버릇이 없다."

장난스럽게 대답하며 피식 웃었으나 잠깐이었다. 도희는 곧 또다시 땅이 꺼질 듯이 한숨을 뱉었다. 곧바로 잔을 덥석 집어 들어 맥주를 꿀꺽꿀꺽 들이켜는 모습을 보며 이언이 입을 떡 벌렸다.

"와, 진짜 내 평생 이 많은 맥주를 원샷 하는 여자는 백도희 네가 처음이다.”

한순간에 깔끔히 빈 잔이 된 맥주잔을 보고 이언이 혀를 내둘렀다. 그러거나 말거나, 도희는 죽상을 한 채로 심각한 음성을 내었다.

“강이언. 나 회사 때려치울까?”

“또 맘에도 없는 소리 하네. 네가 그 회사에서 몇 년을 어떻게 굴렀는데 거길 관두냐.”

“……그렇지. 맞아.”

궂은 수모를 겪으면서도 아득바득 버텨 올라온 자리였다. 갑자기 날아 들어온 서준원 팀장이라는 재해 때문에 이제 와서 전부 포기하고 그만둘 수는 없었다.

“뭔진 모르겠지만, 피할 수 없으면 즐기라는 말도 있잖아.”

이언이 넌지시 던진 말에 도희의 미간에는 슬며시 주름이 졌다.

“……어떻게?”

“뭐?”

“어떻게, 대체 이걸 어떻게 즐기란 말이야…….”

1년 전 원나잇 한 남자가 팀장으로 부임해 온 것만으로도 기가 막힐 일이었다. 그런데 그날 일을 기억하지 못해야 정상인 서준원이, 그 모든 것들을 다 기억하고 있다니.

“이건 진짜 말도 안 된다고……!”

30년 인생 중 최고로 혼란스러운 상황이었다. 도희가 잇속으로 울화를 삼키며 고개를 떨구었다.

“그럼 그냥 피하든가.”

……뭐?

나직한 이언의 말에 도희가 고개를 들었다.

"지금 널 힘들게 하는 게 뭔진 잘 모르겠지만, 즐길 수 없으면 피해야지, 뭐. 별수 있나?"

"……피하라고?"

이언이 고개를 끄덕였다.

"응, 피해."

"……."

"요즘 같은 시대에 억지로 맞붙으려고 하는 건 미련한 거니까."

이언의 말에 도희는 잠시 생각에 잠겼다. 멍하니 술잔을 내려다보고 있는 도희를 응시하며 이언이 넌지시 입을 열었다.

"그런데 뭐야?"

"뭐가?"

"네가 그렇게 피하고 싶은 게 뭐냐고."

이언의 질문에 도희가 잔을 쥔 손에 힘을 꽉 주었다.

"……남자."

아주 작은 목소리였으나 이언은 단번에 알아듣고 말았다. 순간 심장이 철렁 내려앉은 이언의 눈이 휘둥그레졌다.

"뭐? 나, 남자?"

"응. 남자."

"……남자라고?"

당황한 이언이 제 귀를 의심하며 되물었으나 도희는 세상 덤덤하게 답했다.

"……있어. 피하고 싶은 남자."

세상에서 제일 어려운 남자.

다음 날. 도희는 출근하는 내내 전날 밤 이언이 했던 충고를 되뇌며 생각에 잠겼다. 그리고 그 복잡한 사념은 사무실에 도착해서까지 꼬리를 물고 끊임없이 이어졌다.

'즐길 수 없으면 피하라니…….'

같은 회사, 심지어 같은 사무실의 같은 팀에서 일하는데 그런 게 가능할 리가 없었다.

"하아……."

어제는 시치미 뚝 떼고 얼렁뚱땅 얼버무려 상황을 회피했지만, 오늘도 그 방법이 통할 리는 없었다. 걱정이 태산처럼 쌓인 도희는 초조한 시선으로 바로 오른쪽 대각선의 팀장 자리에 앉아 있는 준원을 뚫어져라 응시하며 머리를 굴렸다.

'생각하자, 생각. 어떻게 해야…….'

그 순간 도희의 가슴이 철렁했다. 준원이 갑자기 도희 쪽으로 고개를 돌리는 바람에 두 사람의 눈이 우뚝 마주친 탓이었다. 흠칫한 도희는 저도 모르게 홱 고개를 돌려 대놓고 시선을 피해 버렸다.

'미친……. 미친, 미친……!'

당황한 도희는 쳐다본 적 없다는 듯, 바쁘게 타자를 두드리는 척을 했다. 이미 지진이 난 동공과 놀란 표정이 준원의 시야에 한가득 담긴 후였지만 말이다. 누가 봐도 부자연스러운 모습에 준원은 픽 웃음을 터뜨렸다. 여유롭게 서류를 챙긴 준원은 천천히 일어나 도희의 자리로 향했다.

"백 과장, 이 매출 분석표 말인데……."

자료를 보며 말을 잇다가 문득 고개를 들어 올린 준원이 멈칫했다. 불과 1초 전만 해도 있던 도희가 순식간에 휑하니 사라지고 없던 탓이었다.

"과장님 방금 급하게 나가시던데……."

도희의 옆자리에 앉은 양지예 대리가 준원의 눈치를 보더니 슬쩍 말을 건넸다.

"……."

그 말에 들고 있던 서류를 도희의 책상에 내려놓은 준원이 한쪽 눈썹을 삐딱하게 들어 올렸다.

한 번이면 우연인가 싶었겠지만, 곧 준원은 기분 탓이 아니라는 걸 알게 되었다. 그 이후로도 도희가 의식적으로 준원을 피해 다녔기 때문이다. 걷다가도 준원이 오면 피하고, 밥 먹다가도 준원이 오면 사라지고, 그와 업무상으로 필요한 최소한의 교류 외에는 정면으로 마주할 일을 만들지 않으려고 했다.

"……아."

오후에도 도희는 어김없이 흠칫했다. 서류를 들고 사무실 복도를 걷다가 저 멀리서 걸어오는 준원을 본 탓이었다. 도희는 자기도 모르게 반사적으로 뒤를 돌아 화장실 안으로 몸을 숨겼다.

"하아……."

무슨 죄지은 것도 아니고, 온종일 피해 다니자니 지치고 자존심이 상했다. 하지만 이렇다 할 대책을 세우기 전에는 회피가 최선이었다. 뚜벅, 뚜벅, 뚜벅, 발걸음 소리가 귓가를 스치자 긴장한 도희가 입술을 깨물었다.

"……갔나?"

벽에 기대 숨을 죽이고 있던 도희가 작게 중얼거렸다. 슬쩍 고개를 내밀어 밖을 살피는데, 그 순간 등 뒤에서 저음의 목소리가 들려왔다.

"누구 찾아요?"

"으악, 깜짝이야!"

갑자기 뒤에서 소리소문없이 말을 거는 준원 때문에 도희가 까무러치게 놀랐다.

"뭐, 뭐예요? 여기 여자 화장실이거든요?"

당황해서 말까지 더듬으며 쏘아붙이자 준원이 턱 끝으로 슬쩍 뒤를 가리켰다.

"요즘 여자 화장실에는 소변기도 있습니까?"

그가 가리키는 방향을 따라간 도희의 시선 끝에는 새하얀 남성용 소변기가 줄줄이 빼빼로처럼 서 있었다. 일순 얼음처럼 굳어 있는 도희를 보며 준원이 무표정하게 말을 이었다.

"같이 나란히 볼일 보실 거 아니면 이만 나가 주시죠."

"……."

이런 망할……. 속으로 육두문자를 내뱉은 도희가 입술을 꾹 깨물었다가 놓았다.

"……제가 착각을 했네요. 그럼."

도희는 억지로 눈웃음지으며 고개를 까딱했다. 구겨진 재킷 칼라의 끝을 탁, 당겨 깔끔하게 주름을 편 도희는 아무렇지도 않은 척 도도한 걸음걸이로 화장실을 빠져나갔다. 그러나 곧 뒤에서 들려오는 비릿한 웃음소리에 얼굴이 화끈 달아오르고 말았다.

하여간 서준원과 얽히면 쪽팔릴 일만 계속 생긴다니까. 이제 정말 더 철저하게 피해야겠어…… 라고 생각하며, 도희는 발소리를 드높였다.

그렇게 온종일 피해만 다니다가 하루가 꼬박 흘렀다. 녹초가 된 도희에게 퇴근 시간은 구원처럼 다가왔다. 서준원 팀장이 퇴근하면 겹치지 않도록 조금 시간을 둔 뒤 나가려 했던 도희는 준원이 퇴근하기만을 기다렸으나, 그는 8시가 되도록 꼼짝도 하지 않았다.

결국 먼저 일어나기로 한 그녀는 얼렁뚱땅 그에게 인사를 한 뒤 빠르게 사무실을 빠져나왔다. 아래로 내려가기 위해 엘리베이터를 기다리고 있는데, 머지않아 뒤에서 뚜벅뚜벅 낮은 구두 소리가 들려왔다.

"……."

볼 것도 없이 서준원이었다. 이 정도면 일부러 따라 나온 게 틀림없었다. 죽어도 같이 엘리베이터를 타기 싫었던 도희는 또다시 머리를 굴려 갖가지 변명 거리를 떠올렸다.

'사무실에 핸드폰 놓고 온 척할까? 갑자기 급하게 처리해야 할 업무가 생겼다고 할까?'

생각하자, 생각……!

"백 과장, 안 탑니까?"

귓가를 파고드는 음성에 도희가 흠칫했다. 활짝 열린 엘리베이터 문을 잡은 채 준원이 기다리고 있었다.

“아…… 저는 갑자기 급하게 핸드폰을 처리해야 해서, 먼저 가세요.”

“네? 핸드폰을 급하게 처리하신다고요?”

“…….”

미친. 두 가지 변명거리가 우스꽝스럽게 짬뽕이 되어 입 밖으로 튀어나와 버렸다.

“아, 아니요. 핸드폰을 사무실에 놓고 와서 다시 들어가 봐야 할 것 같습니다. 먼저 내려가세요.”

“지금 손에 들고 있는 건 핸드폰 아닙니까?”

“…….”

움찔한 도희가 제 손에 쥐어져 있는 핸드폰을 물끄러미 내려다보았다.

“하하하. 눈썰미가 아주 훌륭하시네요.”

“칭찬 감사합니다.”

도희가 억지웃음을 지으며 도살장에 끌려가는 기분으로 엘리베이터에 올라탔다. 좁은 엘리베이터 안에 단둘이 남겨지자 분위기가 어김없이 미묘해졌다. 찰나의 침묵을 뚫고 준원은 주머니에 손을 찔러 넣은 채 앞만 보며 입을 열었다.

“그래서.”

낮은 음성이 일순 도희의 목을 조여 오는 듯했다.

“백 과장은, 나를 언제까지 피할 겁니까.”

그가 직설적으로 말문을 텄다.

“계속 이렇게 피하는 모습, 팀원들 보기에도 좋지 않을 것 같은데.”

"……."

"평생 피할 수도 없는 거, 차라리 정면 돌파가 낫지 않겠습니까."

경고처럼 느껴지는 말이었으나, 사실은 회유였다. 내내 입을 꾹 다물고 있던 도희가 비틀듯이 윗입술을 들었다.

"……아까부터 자꾸, 무슨 말씀이신지 모르겠는데요."

마른침을 삼키며 다시금 발을 뺐다.

"신기하지 않습니까?"

"……네?"

"내가 왜 그날 밤 일을, 전부 기억하고 있는 건지."

준원이 굳어 있는 도희를 향해 느리게 시선을 굴리며 말을 이었다.

"기억하지 못해야 정상인데. 그렇죠?"

"……."

정곡을 찔렸다. 온종일 준원을 피하기는 했어도, 그가 도대체 어떻게 그날 일을 기억하고 있는지 계속 궁금했기 때문이었다.

"우리 술 한잔합시다."

내리깔아진 준원의 까만 눈동자가 더욱 어둑하게 타올랐다. 마치 그날 밤을 연상시키는 듯한 눈빛에 도희는 조용히 동요했다.

"같이 한잔해요, 내가 살 테니까."

끈적한 음성이 도희의 고막을 은밀하게 파고들었다. 1년 전에도 저 술 한잔하자는 말이 불씨가 되어 그날 밤의 화염 같은 기억들을 만들어 냈었다. 도희는 맥박이 비정상적으로 치솟는 것을 느끼며 입술을 달싹였다. 그 순간, 띵, 하는 경쾌한 엘리베이터 도착음과 함께 문이 스르르 열렸다.

"……아니요. 됐습니다."

도희는 정면으로 고개를 돌렸다. 준원 쪽은 쳐다도 보지 않고 차갑게 대답한 도희는 열린 문틈 사이로 빠르게 또각또각 걸어 나갔다. 그리고 준원은 그런 그녀의 뒷모습을 가만히 서서 지켜보기만 했다.

"……."

끈질긴 시선이 등 뒤로 꽂히는 걸 노골적으로 느끼며 성큼성큼 걸어가던 도희가 돌연 확 반원을 그리며 돌아섰다. 다시 자신에게로 성큼성큼 다가오는 도희를 보며 준원의 눈동자가 미세하게 커졌다.

"오늘은 와인 말고 파전에 소주요."

고개를 치켜든 도희가 뚫어지게 준원을 응시하며 말했다.

"내 기분이 보다시피 좀 우아하지가 않아서. 괜찮죠?"

지금까지 회피하던 모습과는 사뭇 다른 직설적인 화법이었다.

'비즈니스 외의 관계에서는 꽤 솔직한 편이라서요.'

예전에 도희가 했던 말을 떠올린 준원의 입가로 연한 미소가 그려졌다. 지금부터는 아주 사적인 영역의 시작.

"좋습니다."

준원이 만족스럽게 눈웃음 지었다.

준원이 효진F&B에서 KSS그룹으로 이직한 것에 대단한 이유가 있었던 것은 아니다. 그저 KSS그룹에서 더 좋은 조건으로 스카우트 제의가 들어왔고, 이익에 따라 자연스레 이직한 것뿐이었다. 물론 준원으로서는 상상도 하지 못했다. 그곳에 자신이 1년 동안 찾아 헤

맸었던, 심지어는 꿈에까지 나왔던 '그 여자'가 있을 줄은.

"어어, 저기 지금 일어나는 친구가 우리 상품기획팀 에이스. 백도희 과장."

처음 보자마자 그녀가 1년 전 그 여자라는 것을 바로 알아차렸으나, 본명을 몰랐기에 단정할 수는 없었다. 하지만 곧 저를 보고 당황한 기색이 역력한 얼굴에 확신했다. 1년 전, 나와 하룻밤을 보내 놓고 소리소문없이 사라진 여자.

'진짜 이름은 백도희였나…….'

지긋지긋하고 따분했던 준원의 33년 인생 중, 가장 흥미로운 순간이 시작되었다.

그렇게 새로운 직장에서의 첫날을 보낸 다음 날. 준원은 바로 옆팀인 상품개발팀 소속의 강주엽 과장과 단둘이 술자리를 가졌었다.

"우리 회사에서 기획팀 새 팀장으로 영입했다는 사람이, 설마 너일 줄이야."

강주엽 과장과 준원은 고등학교 동창으로 오랜 친구 사이였다.

"나한테라도 미리 말 좀 해 주면 안 됐냐?"

"어차피 알게 될 거, 굳이 미리 알 필요 없잖아."

"하여간 인간미 없는 자식. 4년 만에 보는데도 여전하다, 여전해."

서른 넘어서 연락이 끊어졌다가 준원이 KSS그룹에 오게 되면서 몇 년 만에 다시 만나게 되었다. 주엽은 섭섭한 마음을 뒤로 미뤄 두고, 궁금했던 것을 물어보았다.

"소문으로는 너 영입하려고 회사에서 엄청난 조건을 걸었다는데, 진짜야?"

"뭐, 그렇다면 그런 거고. 아니라면 아닌 거고. 소문이 원래 그런 거잖아?"

두루뭉술한 대답에 주엽이 피식 웃었다. 어차피 대답을 바라고 한 질문은 아니라는 듯, 주엽은 화제를 바꾸었다.

"일은 좀 어때? 할 만해?"

"뭐, 나쁘지 않아. 아직은."

"팀원들은 말 잘 듣고? 분위기가 만만치 않을 것 같은데."

주엽이 준원의 잔에 술을 따라 주며 말을 이었다.

"특히 너희 팀에 백도희 과장 있지? 너 오기 전까지 팀장 대행이었잖아. 특진은 따 놓은 당상이었을 텐데, 아마 네가 달갑지 않을 거야."

잠시 침묵하던 준원은 잔을 들어 입가를 조금 적셨다.

"우리 팀 백도희 과장, 잘 알아?"

"뭐…… 같은 부서는 아니지만 몇 년을 같은 회사에서 일했는데, 모르진 않지? 별로 친하지는 않지만."

"어떤 스타일이야?"

"백 과장이야 완전 에이스지, 뭐."

주엽은 조금의 고민도 없이 도희를 한 단어로 갈음했다.

"명문대 나왔고, 눈치 빠르고, 프로젝트 맡는 족족 빵빵 터지고, 덕분에 초고속 승진에 미모도 장난 아니잖아? 아래에서는 존경받고, 위에서는 이쁨받고. 전형적인 엘리트지, 엘리트."

준원은 묵묵히 주엽의 말을 경청하며 술잔을 비웠다.

"모르긴 몰라도 백 과장은 집안도 장난 아닐 거야. 딱 도도한 부잣집 외동딸 이미지잖아?"

"그런가."

"그렇지! 늘 자신감과 당당함을 몸에 휘두르고 있고. 사회생활도 고수거든. 썩은 줄, 금줄 구별 잘하고, 어떻게 하면 줄 잘 서는지도 아는 것 같더라고."

주엽은 대단한 여자라며 혀를 내둘렀다.

"근데 갑자기 백 과장은 왜?"

"그냥…… 어떤 사람인가 해서."

준원이 덤덤히 대답하자 주엽이 피식 웃었다.

"설마 반했냐?"

"헛소리는."

"뭐, 반할 만하지. 그 정도로 예쁘고 똑똑한 여자는 드무니까."

웃으며 고개를 끄덕이던 주엽은 짐짓 심각하게 목소리를 내리깔았다.

"근데 딴 사람은 몰라도 백 과장은 건들지 마라. 애초에 넘어올 여자가 아니야. 회사에서 백 과장 꼬셔 보려고 야단법석 떨었다가 쪽 당하고 퇴사한 놈이 한둘이 아니야."

준원의 미간에 미세한 실금이 그려졌다.

"당장 너희 팀에 하동현 대리 있지? 그 자식도 5년 전인가, 6년 전에 술 취해서 백 과장한테 공개 고백했다가 개쪽당했잖아."

주엽이 너털웃음 짓더니 안주를 집어 질겅질겅 씹었다.

"늘 웃고 상냥한 것처럼 하지만, 내가 볼 땐 다 가식이야. 아주 무서운 여자라고."

에이스로 시작해서 무서운 여자로 끝나는 중구난방 스토리텔링을 준원은 아무런 표정 변화도 없이 가만히 듣기만 했다. 원래 표정이 없는 스타일이란 것을 잘 알고 있는 주엽은 대수롭지 않게 생각하며 제 재킷 안주머니를 뒤적거렸다.

“야, 한 대 피우고 오자.”

담배를 꺼낸 주엽이 준원에게 고갯짓하며 자리에서 일어났다. 그 말에 팔짱을 낀 채 가만히 자리를 지키고 있던 준원은 슬쩍 구두 끝으로 주엽의 정강이를 걷어찼다.

“아!!!”

지나가다가 뜬금없이 태클을 당한 주엽이 성질을 냈다.

“뭐야, 왜 때려!”

팔짱을 푼 준원이 천천히 자리에서 일어났다.

“그냥…….”

재킷 안쪽에서 담배를 꺼내며 유유히 밖으로 걸어 나갔다.

“네 발이 좀 재수 없게 생겨서.”

그런 준원을 보며 미간을 구긴 주엽이 제 정강이를 어루만지다가 깽깽이걸음으로 쫓아갔다.

“아오, 씨. 하여간 저 또라이 새끼 진짜……. 야, 같이 가!”

주엽의 말을 듣고 나니, 준원은 조금 기분이 좋아졌다. 에이스, 부잣집 외동딸, 가식, 무서운 여자. 타인의 입에서 몇 가지 우스운 단어로 갈음되었던 ‘백도희’라는 여자의 정체성.

준원은 단번에 깨닫고 말았다. 이 회사의 사람들은 백도희라는 여자에 대해 아무것도 모른다는 것을. 아니 어쩌면, 이 회사뿐만 아니라 세상 모두가 그녀를 제대로 알지 못한다는 것을.

1년 전 그날 밤, 준원은 도희가 흘렸던 눈물을 똑똑히 기억했다. 그녀가 그런 약한 모습을 보인 사람이, 이 세상에서 오로지 자신뿐이었으면 좋겠다는 생각이 들었다.

‘백도희…….’

살면서 거의 충동을 느끼지 않았었고, 감정적으로 행동해 본 적도 없었다. 그런데 그녀가 예외가 되었다. 1년 전 그날 밤, 그녀에게 갑자기 키스하고 싶은 충동을 느꼈던 것처럼. 백도희라는 여자에 대해 더 알아 가고 싶다는 미지의 욕망이 들었다. 한마디로 정의하기 어려운 욕구였지만, 타인에게 이런 충동을 느낀다는 것 자체가 준원에게는 신선한 충격이었다. 그리고 그 이후, 옥상에서 준원이 도희와 단둘이 마주하게 되었을 때.

"그런데 왜 자꾸 모른척해요?"

도희에게 했던 말은 그녀를 놀라게 하려고 한 말이 아니었다.

"우리 잤잖아요. 라비에트 호텔 2005호."

일종의 신호였다. 난 당신을 잊지 않았다고. 1년 동안 단 한 순간도 잊어 본 적이 없다고.

"설마 모른다고 발뺌하진 않겠지."

그러니 더는 자신을 모르는 척하지 말아 달라는 신호였다.

준원과 도희는 함께 차를 타고 회사에서 꽤 멀리 떨어진 술집에 들어왔다. 식탁 위에는 먹음직스러운 파전과 소주 두 병이 차례로 올라왔고, 준원은 도희의 잔을 가득 채워 주었다. 제 앞에 놓인 소주잔을 물끄러미 바라보던 도희는 그대로 잔을 들어 단번에 입 안에 털어 넣었다.

"후우……."

깊게 숨을 내쉰 도희는 곧장 준원의 잔에도 소주를 따라주었다.

"일단 마시고 시작하죠. 맨정신으로 버티기엔 좀 미친 상황이라."

도희의 말에 준원이 픽 하고 웃음을 터뜨렸다.

"많이 혼란스러우신가 보네요. 내가 1년 전 그날 밤 일을, 어떻게 기억하고 있는지 궁금하죠?"

깔끔하게 잔을 비운 준원은 소주잔을 잘게 흔들며 말을 이었다.

"시간이 계속해서 과거로 되돌아가는 타임 루프 현상, 백 과장도 겪고 있을 거예요."

도희의 동공이 거칠게 흔들렸다.

"그걸 어떻게……."

"그렇지 않고서야 1년 전, 두 번째 반복된 9월 21일에 백 과장이 선 자리에 나타나지 않은 게 설명이 안 되니까요."

도희는 당혹스러움을 감추지 못했다. 준원은 덤덤한 음성으로 말을 덧붙였다.

"난 그때 아주 혼란스러웠습니다. 시간이 아침으로 되돌아가고, 당신과 또다시 만날 거라고 생각하며 레스토랑에 갔는데. 갑자기 다른 여성분이 선 자리에 나오셔서."

어둑한 동공이 날카롭게 빛났다.

"많이 놀랐습니다. 게다가 백도희 씨는 그날부로 감쪽같이 증발했고."

어딘가 추궁하는 듯한 말투였다.

"어찌 됐든 백도희 씨가 처음입니다. 나 말고 시간이 계속해서 과거로 되돌아가는 현상을 겪는 사람."

투명한 잔에서 찰랑거리는 알코올의 궤적에 따라 도희도 가슴도 일렁였다.

"더욱 정확히 말하면, 시간이 과거로 되돌아가도 이전의 기억이 지워지지 않는 사람."

"……그렇네요. 저도 서준원 씨가 처음이에요."

놀란 도희가 떨리는 입술을 열었다.

"이걸 느끼는 사람이 나 말고 또 있었을 줄이야."

어차피 다른 누군가에게 말한다 한들 아무도 믿어 주지 않을 허무맹랑한 일이었기에, 수십 년을 가슴에 비밀로 묻고 살아왔었다.

"신기하네요……. 당황스럽기도 하고."

타임 루프를 처음 겪은 이후로 23년 만에 발견한 존재에 적잖이 충격을 받았다. 이 믿을 수 없는 상황에 놀랐지만, 한편으로는 조금 안심도 되었다. 한번 타임 루프에 빠지면 다른 사람들은 계속 꼭두각시처럼 똑같은 행동을 반복했고, 그 무수한 시간의 굴레에서 도희는 가끔 자신이 미친 게 아닌가 생각했기 때문이었다.

"궁금한 게 있는데……."

준원은 도희의 잔에 술을 따르며 말꼬리를 길게 늘였다.

"왜 날 다시 만나러 오지 않았습니까?"

답변하기 꽤 어려운 질문이었다. 희미하게 떨리는 속눈썹에 도희의 동요가 드러났다. 긴장에 목이 타서 더듬더듬 물잔을 집어 들었다.

"그날 호텔에서…… 별로였습니까?"

푸읍. 생각지도 못한 발언에 놀란 도희가 그대로 물을 뱉어 버렸다.

"뭐, 무슨……."

"난 우리가 잘 맞는다고 생각했는데."

미, 미친……. 아무렇지 않은 표정으로 덤덤하게 뱉는 말에 도희의 얼굴이 화끈 달아올랐다.

"무슨 말을 하는 거예요, 지금? 제정신이에요?"

살짝 당황한 도희는 토마토처럼 달아오른 얼굴에 손부채질했다.

"맘에 들고, 안 들고의 문제가 아니라…… 그날 밤은 내가 너무 감성적이었어요."

서준원의 품에 안긴 채로 타임 루프가 일어나 아침으로 시간이 되돌아갔었고, 빠르게 식었던 도희는 한순간 이성을 되찾았었다.

"후회했어요. 난생처음 보는 남자와 그런…… 일탈을 했다는 것을."

"……후회했다고요?"

"네."

한 치의 망설임도 없이 대답했으나 마음은 불편했다. 굳게 다물어지는 그의 입가를 보니 어디론가 숨고 싶은 기분이었다. 준원이 아무 말도 하지 않자 잠시 무거운 침묵이 이어졌다. 말없이 빤히 바라보는 어둑한 시선에 도희의 가슴은 터질 듯이 두근거렸다. 그렇게 한참을 뚫어져라 응시하던 준원은 느릿하게 팔짱을 끼며 포문을 열었다.

"그럼 아까 했던 질문을 다시 하겠습니다."

의미심장한 음성이 차분하게 이어졌다.

"1년 동안, 잘 지냈어요?"

도희가 일순 멍한 얼굴로 준원을 보았다. 다소 생뚱맞은 질문이었으나 그의 표정은 더없이 진지했다. 의중을 알 수 없어 도희가 망설이며 애꿎은 입술만 달싹였다.

"난 잘 못 지냈어요. 1년 내내 어이가 없더라고."

새까만 동공이 도희의 심장을 깊숙이 파고들었다.

"왜 1년 전 시간이 되돌아갔을 때, 당신이 아닌 다른 여자가 선 자리에 나타난 건지. 근데 이 여자는 왜 본인이 연누리라고 하는 건지."

준원이 잠깐 말을 멈추었다가 이었다.

"그래서 내가 그분한테 몇 번이고 물어봤어요. 진짜 연누리 씨가 맞냐고."

도희는 문득 1년 전 누리가 제게 보내던 문자를 떠올렸다.

[근데 좀 이상해. 자꾸 나한테 연누리가 맞냐고 묻는데?]

"아……."

그래서 그런 말을 했던 거였나. 도희는 딱 들어맞는 상황에 탄식했다.

"난 백도희 씨 때문에, 결혼이고 뭐고 다 때려치우고 1년 내내 당신만 찾았어요."

도희의 심장이 쿵 내려앉았다. 숨이 턱 막히는 기분이었다.

"계속 마음에 걸려서 꿈에 나오기까지 했거든."

나직한 음성이 몽롱한 머릿속을 어지럽게 흐트러뜨렸다. 그 영향으로 느슨하게 벌어진 도희의 입술 사이에는 모진 말들이 엉겨 붙었다.

"……대체 왜요?"

그녀가 살며시 목소리를 내었다.

"서로 없던 일로 하고 갈 길 가면 되는 상황이었잖아요. 나를 왜 찾았는데요?"

속이 답답했다. 왠지 따지고만 싶었다.

"내가 백도희 씨에게 말하지 않았나요? 그날 호텔에서."

준원이 비스듬히 시선을 낮추었다. 천천히 뻗어진 커다란 손이 도희의 목덜미를 부드럽게 어루만졌다.

"난 한번 결정 내리면 끝을 보는 타입이라고. 분명히 경고했던 것 같은데."

은밀하게 세워진 검지가 부드러운 살결 위를 미끈하게 쓸었다. 도희가 이해할 수 없다는 듯 미간을 찌푸렸다.

"그러는 서준원 씨는 기억 못 하나요? 저도 분명히 말했던 것 같은데요."

도희는 제 볼 위로 올라온 그의 손을 매몰차게 탁, 치웠다.

"이런 건 사랑이 아니다 싶으면, 서로 미련 없다 싶으면, 오늘 밤 하루로 끝내는 거로. 그렇게 하기로 했잖아요."

"그러니까 하는 말입니다."

천대에도 불구하고 준원의 커다란 손은 멀어지지 않았다. 오히려 곧바로 파고들어 도희의 작은 손을 확 잡아끌었다.

"나한텐 미련 없어요?"

길쭉한 손가락이 도희의 가느다란 손가락 틈새를 비집고 끈끈하게 얽혔다. 맞물린 손으로 전해지는 온기에 도희의 심장이 터질 것처럼 박동했다.

"난 미련이 있는 걸 넘어서. 아주 뚝뚝 떨어지더라고. 심지어 날 바람 맞힌 여자인데도."

도희의 눈동자가 뒤흔들렸다.

"……무슨 뜻이에요?"

그는 이런 말을 하는 순간마저도 감정이 없는 것처럼 보였다. 어느 상황에도 표정은 무너지지 않고, 빈틈이 없으며, 흘러가는 음성은 높낮이 없이 차분했다.

"설마 날 좋아하는 것 같다고, 우습지도 않은 소리를 할 생각은 아니죠?"

첫 만남부터 지금까지 줄곧 이런 태도를 보였던 그가 나를 사랑한다는 건 상상할 수도 없다.

"글쎄요."

준원이 소리 없이 웃었다.

"왜 이렇게 맘에 걸리는 걸까 생각해 봤는데……."

그는 진한 숨을 뱉으며 도희의 손을 잡고 가깝게 훅 끌어당겼다.

"결론이 안 난 거예요."

본능적으로 움츠러든 도희의 눈꺼풀이 파르르 떨렸다. 비정상적으로 올라간 맥박 때문에 귓불 뒤가 욱신거렸다.

"내 인생은 늘 0 아니면 1. 깔끔하게 흑백으로 구분됐는데, 백도희 씨가 나한테 0도 아니고 1도 아니더라고."

무자비한 열기에 덴 듯 가슴이 화끈거렸다.

"뭘까, 그래서."

저를 산산이 훑어보는 검은 눈과 정면으로 마주하자 몸이 딱딱하게 굳었다.

"대체 당신이란 여자가 나한테 뭐길래 이렇게 결론이 안 날까, 싶더라고."

서늘한 목소리가 사슬이 되어 도희가 숨을 옭아매었다.

"그래서 답을 알고 싶어요. 내가 불확실한 건 못 참는 성격이라."

그의 시선이 집요하게 파고들어 자신의 존재를 선명하게 새기는 듯했다.

……이 남자에게 나는 대체 뭘까. 반대로 내게 이 남자는 대체 무슨 의미일까.

도희가 끝내 찾지 못했던 이 문제의 결론을 이 남자 역시 모른다고 말하고 있다. 뭐라고 대답해야 할지, 마땅한 답이 떠오르지 않아 도희는 그저 입술만 달싹거렸다.

"……하."

도희는 속이 틀어막힌 듯 답답해 물을 벌컥 들이켰다. 답을 내리려고 하는 행위 자체가 소모적이라는 것을 알고 있었다. 이제는 직장 상사로서 함께 일해야 할 남자와 저지른 한때의 일탈 탓에, 그동안 자신이 열심히 가꿔 온 길을 흙탕물로 만들고 싶지 않았다.

"그날 일은…… 일종의 사고 같은 거죠."

"사고?"

"네. 그냥 길 가다가 우연히 차에 치인 거예요."

예상치 못한 비유에 준원의 한쪽 눈썹이 휘었다.

"생각지도 못한 상황에 우연이 겹쳐서 갑자기 벌어진 사고 정도. 그래서 일어난 정말 사소한 해프닝…… 딱 그 정도."

준원의 눈가가 좁아졌다.

"1년이나 시간 지났고, 이렇게 물고 늘어질 만큼 서로 좋은 기억도 아니잖아요."

"왜 좋은 기억이 아니라는 거죠?"

"……."

"나한테는 나쁘지 않은 기억인데, 백도희 씨는 꼭 그날을 트라우마처럼 얘기하네요."

"아니, 내 말은 그런 뜻이 아니라……."

한숨 쉰 도희의 눈동자가 느릿하게 굴러 준원에게 꽂혔다.

"그냥 없던 일로 하자고요, 우리."

입술을 잘근 짓이기며 명백히 선을 그었다.

"……있었던 일을 어떻게 없던 일로 합니까?"

"엄밀히 말하면 그날 밤, 시간이 아침으로 되돌아갔으니까 없었던 일이 된 거 맞잖아요."

"사람은 기억에서 태어나고, 평생 그 기억 속에 갇혀 살아가는 존재입니다."

준원의 길게 가늘어진 눈은 날카롭게 반박하고 있었다.

"없었던 일이 된다는 건, 내 기억에서 백도희 씨가 지워졌을 때나 비로소 할 수 있는 이야기라고."

말 한 마디 한 마디가 도희의 가슴에 화살처럼 날아와 따갑게 박혔다. 재차 1년 전 그날 밤처럼 무너지고 싶지 않아, 도희는 고슴도치처럼 더욱 날을 세웠다.

"그래서, 그 잘난 기억에 무슨 의미가 있어요, 대체?"

"의미요?"

"술김에 한 번 잤다고 대수는 아니잖아요, 어린애들도 아니고."

"지금 무슨 말을 하는 겁니까?"

"그렇잖아요. 저나 서준원 씨나 나이 서른 넘게 먹었는데, 어쩌다 한 번 잔 게 뭐가 그렇게 큰일이라고 결론이니 뭐니……."

도희가 미간을 찌푸렸다.

"우습잖아요."

마음에도 없는 독한 말이 쏟아졌다.

“이런 사소한 거에 목매는 거, 그쪽하고 어울리지도 않고 촌스러워요.”

날이 선 모습을 관찰하듯 지켜보던 준원이 비스듬히 시선을 틀었다. 보통 사람이라면 화가 나거나 흥분하기 충분한 도발이었는데도 그는 여전히 아무런 표정 변화 없이 무던한 얼굴이었다. 그 태도에 도희의 몸에는 찬기가 오르는 듯했다.

“백도희 씨, 지금 거짓말하고 있죠?”

도희가 움찔했다.

“말로는 속여도, 표정은 전혀 못 숨기고 있잖아요.”

속을 꿰뚫어 보는 말에 흠칫한 도희가 입술을 잘근 짓씹었다.

“또 울 것 같은 표정이네요.”

“울긴 누가……!”

일순 발끈했으나 가까스로 이성을 되찾았다.

“울긴 누가 운다고 그래요. 어쩌다 한번 우는 걸 봤다고, 나에 대해 다 아는 것처럼 착각하지 마요.”

표독스럽게 퍼부었으나 욱신거리는 눈가는 감출 수 없는 사실이었다. 여기서 폭발했다가는 정말 눈물이라도 날 것만 같아 주먹을 꽉 쥐었다.

“더 말싸움하기 싫으니까 여기서 그만하죠.”

견딜 수 없는 기분이 된 도희가 자리를 박차고 일어났다. 그리고 준원은 그런 도희의 손을 단번에 붙잡았다.

“기다려요.”

그가 잡은 손에는 힘이 전혀 들어가 있지 않았다. 붙잡았다고 하기도 어려울 정도로 두 손이 살짝 포개진 정도였다.

"예전에 백도희 씨가 나한테, 아무 감정도 못 느끼는 주제에 평범한 척 살아보려고 하는 게 눈에 보인다고 했죠?"

도희는 뿌리치려면 언제든 뿌리칠 수 있을 만큼 느슨하게 자신의 손을 잡은 준원을…….

"정확히 봤어요."

……도저히 거부할 수가 없었다.

"난 솔직히 말해서, 웬만한 일로는 화가 나지도 슬프지도 기쁘지도 않아요."

"……."

"그만큼 공감 능력도 현저히 떨어져서, 불쌍한 사람을 봐도, 심지어는 누가 내 앞에서 울고 있는 모습을 봐도 아무 생각이 들지 않습니다."

준원이 돌연 예고 없이 털어놓는 약점에 동요하는 쪽은 도희였다. 왜 항상 서준원이란 남자가 그토록 미지근한 독처럼 느껴졌는지, 도희는 그 이유를 알 것만 같았다.

"근데 백도희 씨는 늘 예외더라고."

……뜨겁지 않아서 입에 넣기 쉬운 독. 한번 몸 안으로 들어와 버린 미지근한 온기는 서서히 도희의 몸을 중독시켜 타들어 가게 만들었다. 지금, 이 순간마저도 보이지 않을 정도로 조금씩 망가지고 있었다.

"대체 내 어떤 점이 서준원 씨를 신경 쓰이게 만드는 건데요?"

결코 착각이 아니었다. 이대로면 다 타 버리고 재가 되어 비참한 꼴이 될 것이라고 확신했다. 그런데도 도희는 이 남자가 자신을 특별하게 생각하는 이유가 궁금했다.

“불행해 보여서요.”

생각지도 못한 답에 도희의 숨이 우뚝 끊어졌다.

“나 못지않게, 백도희 씨도 되게 불행해 보여서.”

도희의 가슴이 터질 것처럼 요동쳤다.

“그래서 끌렸던 것 같습니다, 결이 비슷한 사람이라.”

귀가 먹먹해질 정도로 박동하는 심장과 함께 도희의 동공은 잠시 공허해졌다. 이내 픽 하고 웃음을 터뜨린 도희는 정신을 놓은 사람처럼 큰 소리로 깔깔 웃었다.

“내 매력 포인트가 불행한 거였구나…….”

한참을 웃다가 뱉어진 말은 쓰디썼다.

“되게 멋없다.”

하나도 웃기지 않은 상황에서, 한바탕 폭소한 끝에 서린 한기.

“그래요. 나 미치도록 불행한 거 맞는데…….”

그 한기를 보는 준원의 눈동자가 어둑했다.

“네가 뭔데 나를 동정해.”

도희의 눈에 일순 불길이 일었다. 일곱 살 때부터 천애 고아로 세상을 살아오며 동정이랍시고 수치를 주는 시선은 지긋지긋하게 겪어 왔다. 그래서 도희는 넘어졌을 때 얼굴에 침 뱉는 사람보다 손을 건네는 사람이 더 싫었다.

“어쨌든 이쯤 했으면 충분히 내 의사전달은 다 됐다고 생각해요. 그럼…….”

가까스로 감정을 다스린 도희가 준원에게 정중하게 인사하고 뒤를 돌았다. 또각또각 빠르지도 느리지도 않은 걸음걸이로 홀을 가로질러 문 앞으로 향했다. 딸랑이는 종소리와 함께 술집 문을 열자 가을 저녁의 차가운 공기가 세차게 몰아쳤다.

"하……."

갑자기 맞은 찬 바람 때문일까, 눈가가 따갑게 시렸다. 살짝 뒤를 돌아보자 유리문 안으로 준원의 모습이 보였다. 그는 아직도 그 자리 그대로 앉아 멀어지는 자신을 멀거니 바라보고 있었다. 그 시선이 죄악처럼 느껴져 발이 쉽게 떨어지지 않았지만, 꿋꿋이 길을 걸었다.

한 걸음 한 걸음 내딛는 발걸음에 떠오르는 것은 1년 전 기억이었다. 묘하게 겹쳐지는 상황에 도희의 가슴이 아프도록 뛰었다. 그렇게 한참을 억지로 걷다가 문득 멈춰서서 뒤를 돌았다. 저도 모르게 빠른 걸음걸이로 다시 술집을 찾아 들어왔다.

"……."

준원은 도희가 떠난 후에도 계속 그녀가 사라진 방향을 지켜보고 있었다. 그는 조금 놀란 듯했으나 침착하게 도희를 응시했다.

"한 가지…… 물어보고 싶은 게 있어서요."

지난 1년간 서준원을 잊고자 온갖 발악을 해 왔었다. 그러는 와중에도 계속 맘에 걸려서, 궁금해서 미쳐 버릴 것만 같았던 의문이 한 가지 있었다.

"아무 의미 없으니까…… 이상하게 듣진 말고요."

"뭔데요?"

"정말 아무 사심 없이 궁금한 거니까……."

"알겠으니 말씀하세요."

"……1년 전에……."

도희는 잠시 숨을 고르고 물었다.

"누리한테도 결혼하자고 했어요?"

예상 밖의 질문에 준원의 눈썹이 들썩였다.

"나 말고 진짜 연누리 말이에요. 작년에 선봤을 때, 두 번째부터는 내가 아니라 누리랑 선봤잖아요. 누리한테도 결혼하자고 했는지……."

도희가 말끝을 흐렸다. 순간 괜한 걸 물어 실수했다는 생각이 스친 탓이었다. 하지만 이미 엎질러진 물, 초조하게 그의 대답을 기다릴 수밖에 없었다.

그런 도희의 맘을 아는지 모르는지, 준원은 한참 동안 대답이 없었다. 주위는 술잔이 부딪치는 소리와 사람들의 대화 소리로 가득하였으나, 준원과 도희의 사이만큼은 진공상태인 듯한 착각이 들었다.

"했을 겁니다."

도희의 심장이 철렁했다.

"그날, 백도희 씨를 만나지 않았다면…… 난 연누리 씨에게도 결혼하자고 했겠죠."

그의 목소리가 한 줌의 찬 공기를 묻힌 채 날아 들어왔다. 치밀하게 짜인 팽팽한 긴장을 가르며 낮은 목소리가 파고들었다.

"하지만 당신을 알고 나서는 그게 잘 안 되더라고요."

"……무슨 말이에요?"

"결혼이니 사랑이니…… 내가 제일 우습게 여기던 말들이었는데."

도희의 입술로 낮은 숨이 끈적하게 달라붙었다.

"그런 말들에 무게가 생기더라고."

물기 젖은 눈동자가 위태롭게 흔들렸다.

"함부로 입 밖에 꺼낼 수가 없게 됐어."

그는 도희의 여린 숨통을 단번에 틀어쥐었다. 하얗게 비워진 머리로 떠오르는 것은 1년 전 자신이 준원에게 했던 말들.

'살면서 단 한 번도 누군가를 사랑해 본 적 없죠?'

'인간에게는 감정이라는 게 있죠. 그 어떤 여자도 당신 같은 마인드로 결혼을 꿈꾸지는 않아요. 그건 나도 마찬가지이고.'

아무렇지 않게 뱉었던 말들이 그의 가슴에 남아 변화를 만들어 냈을 거라고는 상상도 하지 못했다.

"……하."

서준원이라는 존재 때문에 지금까지 공들여 쌓아 왔던 모든 것이 무너져 버릴 것만 같았다. 기어코 깨닫고 말았다. 계속 얽히면 어떻게 될지 장담할 수 없다는 것을…….

"1년 전 내 말들이, 서준원 씨에게 그렇게 큰 영향을 줬는지 몰랐네요."

그래서 그녀는 도망치기로 했다.

"미안해요. 그날 내가 했던 말은 전부 잊어 주세요."

"……잊으라고요? 전부?"

"네. 저 때문에 선보는 것도 그만뒀다고 하셨는데, 그러지 마세요. 다른 좋은 여성분 만나서 결혼도 하시고…… 원하시는 대로 평범하게 살아가셨으면 좋겠습니다."

준원이 헛숨을 터뜨렸다. 그러거나 말거나, 도희는 꿋꿋이 목소리를 내었다.

"내일부터는 부하직원으로서 대해 주세요."

도희가 정면으로 준원을 응시했다.

"저도 내일부터는 서준원 씨를……."

"……."

"아니, 서 팀장님을 상사로서만 대하겠습니다."

준원은 이렇다 할 대답을 내놓지 않았다. 답을 바라고 한 말은 아니었기에, 도희는 미련 없이 뒤를 돌았다. 이번엔 정말로 술집을 빠져나왔고, 다시는 돌아가지 않았다. 이렇게 완전히 끝난 것이다. 한때의 치기로 일어난 관계는…… 이로써 완전히 막을 내린 것이다.

"으음……."

오래간만에 기분 좋은 꿈을 꾸며 깊게 잠이 들었던 도희는 몽롱하게 신음을 흘리며 뒤척였다. 따스한 햇볕이 촉촉하게 밀려들어 오고 폭신폭신한 이불과 베개는 너무도 안락했다. 포근함에 취해 잠에서 깨고 싶지가 않았다. 꿈결에서도 느껴지는 매끈한 촉감에 도희는 그곳에 얼굴을 포옥 기대었다.

'뭔가 단단한…….'

정확히 뭔진 모르겠지만 단단하고 매끈한 무언가가 그녀의 뺨으로 쓸렸다. 좋은 향기가 나고, 촉감도 좋고, 포근하고…… 어쩌면 그리웠던 무언가일까. 도희는 저도 모르게 그 단단한 것에 입술을 묻고 히죽 웃었다. 그러자 제 허리로 커다란 무언가가 올라와 허리를 감싸는…….

따스한 손…… 길……?

"……!"

서늘해진 도희의 눈꺼풀이 번쩍 위로 올라갔다. 그러자 시야에 한가득 들어차는 것은 난데없는 살색의 향연, 남자의 우람한 가슴 근육이었다.

“으악, 엄마야!!!”

까무러치게 놀란 도희가 자지러지듯 뒤로 물러났다. 웬 남자의 맨 가슴에 좋다고 얼굴을 묻고 있던 것이었다. 그리고 그 남자의 정체는…….

“서, 서준원?!”

너무 놀라 숨이 멎을 것만 같았다. 놀랍게도 제 옆에 반쯤 벌거벗은 채 누워 있는 남자는 서준원이었다.

‘왜 이 인간과 내가 한 침대에……!’

하마터면 비명이 새어 나올 것 같아 입을 틀어막았다.

“여, 여긴 어디야……!”

황급히 주위를 둘러보니 아무래도 호텔 같았다. 룸 안에는 옷가지들이 정신없이 널브러져 있었고, 서준원은 상체에 실오라기 하나 걸치지 않은 상태였으며 도희도 속옷 차림이었다.

‘미친. 미친. 미친……!’

뭐지?

뭐야? 뭔데?!

술 때문에 필름이 끊긴 탓인지, 전혀 기억이 나지 않았다. 중구난방으로 바닥에 흐트러져 있는 옷가지들만이 상황 파악을 도울 뿐이었다.

‘대체 어젯밤에 무슨 일이 일어났었던 거냐고오오오!’

어디선가 인생이 꼬여 가는 소리가 들렸다.

'설마 나…… 또 서준원하고 잔 거야?!'

그렇지 않고서야 한 침대 위에서 반나체로 끌어안고 자고 있을 이유가 없질 않은가! 기어코 또 사고를 치고 만 게 틀림없다.

'그런데 어떻게 기억이 하나도 안 나냐고?!'

도희는 아직 눈을 감고 있는 준원이 깰까 봐, 소리 없는 아우성을 내질렀다.

'아니야. 침착하자, 침착. 생각해 보자고!'

도희는 어젯밤에 무슨 일이 있었는지, 차근차근 기억을 되짚어 보기 시작했다.

'저도 내일부터는 서준원 씨를…… 아니, 서 팀장님을 상사로서만 대하겠습니다.'

분명히 그렇게 선을 긋고 미련 없이 술집을 빠져나왔었다. 다시 그곳에 되돌아가지도 않았으니 서준원과는 그 시점에서 완전히 헤어진 게 분명했다.

'그 이후로는…….'

택시를 타고 집으로 돌아가던 중에 누리에게 술을 마시자는 전화가 와서 흔쾌히 응하고 목적지를 틀었었다.

'그러니까 이번 놈은 완전 꽝이었다니까? 포장지만 화려하고 까 보니까 아무것도 없어.'

술집에서 누리는 목에 핏대를 세우며 새 남자 친구와 헤어지게 된 배경을 떠들어 댔고, 도희는 묵묵히 누리의 말을 들으며 술만 홀짝댔었다.

'내가 진짜 기대했는데 어처구니가 없어서 대가리 탁 쳤잖아. 근데, 도희……. 너 내 말 듣고 있니?'

한 잔, 두 잔, 석 잔. 계속해서 미친 사람처럼 술을 들이켜다 보니 어느 순간부터 세상이 뱅글뱅글 도는 것 같았었다.

'야, 너 오늘 왜 이렇게 많이 마셔? 적당히 마셔!'

누리의 만류에도 도희가 계속 과음한 이유는 단 하나였다. 속이 미칠 듯이 답답해서, 차라리 아무것도 기억하고 싶지 않아서, 오늘만이라도 알코올에 의존해 서준원과의 기억을 모두 잊고 싶어서…….

그래서 마셨다. 사실 몇 병을 마셨는지조차 기억나지 않았다. 확실한 건 30년 동안 가장 술을 많이 마신 날로 신기록을 세웠다는 것이다. 그리고 놀랍게도 그게 마지막 기억. 그 이후로의 기억이 새하얗게 지워져 있었다.

'아니, 도대체 왜……?!'

태어나서 처음으로 필름이 끊겨 본 도희는 그저 당황스러울 뿐이었다.

'왜 연누리 그 기집애랑 술을 마시고 있었는데, 일어나 보니 서준원과 한 침대냐고!'

이해할 수 없는 상황과 몰려오는 당혹스러움에 머리가 빙빙 도는 기분이었다. 일단 그의 품에서 벗어나기 위해 황급히 침대에서 몸을 일으킨 찰나였다.

"아……!"

그 순간 도희의 가느다란 허리에 단단한 팔이 감겼다. 엄청난 힘에 확 끌어 당겨진 도희는 도로 준원의 품으로 들어가 폭 안겨져 버렸다.

"일어났어요?"

나직한 음성이 귓가를 촉촉하게 적셨다. 화들짝 놀란 도희는 숨을 멈추었다.

"오늘이 토요일이 아니었으면 어쩔 뻔했어요."

아침인데도 불구하고 비현실적인 미모를 자랑하고 있는 서준원에 도희가 놀란 두 눈을 깜빡였다. 그의 목소리는 아주 현실감 없이 들려왔다. 혹시 이건 꿈이 아닐까, 그런 실낱같은 희망을 품어 봤으나 제 허리를 쓰다듬는 엉큼한 촉감은 너무도 선명했다.

"속 괜찮아요? 어제 술 많이 마셨잖아요."

……이건 대체 무슨 미친 상황일까? 서준원과 한 침대에서 맞는 아침이라니.

"하하하……."

이제 더는 원나잇 한 사이라고 할 수 없겠다. 투나잇 한 사이니까!

도희는 실성한 듯 웃음을 흘렸다. 아침부터 나사 빠진 사람처럼 웃는 도희를 따라 준원도 소리 내어 웃었다.

"하하."

"하하하하."

"하하하."

"하하하하하…… 아아악!!!"

정신줄을 놓은 듯 웃던 도희는 돌연 꽥 소리를 지르며 준원의 딱딱한 흉근을 두 손으로 퍽 밀쳤다. 애석하게도 밀려나는 쪽은 준원이 아니라 오히려 크게 반동한 도희였다. 준원이 허리를 붙잡아 주지 않았다면 침대에서 우스꽝스럽게 떨어질 뻔했다.

"대체 뭐예요?!"

"뭐가요?"

"몰라서 물어요?! 우리가 왜 한 침대에 누워 있는 거냐고요!"

"설마 하나도 기억 안 나요?"

준원의 물음에 도희가 마른침을 꼴깍 삼켰다. 정말 전혀 기억이 나지 않았던 탓이다.

"진짜 기억을 못 할 줄이야. 어제 그렇게 많은 일이 있었는데 말이죠."

"마…… 많은 일?"

"네. 아주 긴 밤이었습니다."

의미심장하게 던져진 말에 도희의 심장이 철렁했다.

"서…… 설마……."

도희의 동공이 거칠게 흔들렸다.

"자…… 잤어요, 우리?"

딱딱하게 굳은 도희가 세상을 잃은 사람처럼 물었으나 준원은 묵묵부답이었다.

"잔 거죠, 우리. 그렇죠?"

"……."

"역시 잔 거야. 잔 거라고……!"

이미 혼자 결론을 내린 듯, 도희의 꽉 쥔 주먹이 파들파들 떨렸다. 하여간 이놈의 빌어먹을 술이 문제지……. 또 얼렁뚱땅 서준원과 밤을 보내다니!

"대답해요! 잔 거냐고요!"

"글쎄요. 어떨 것 같아요?"

신경질적으로 독촉하는 앞에서 준원은 입꼬리를 들어 올리는 여유를 부렸다.

"참고로 난, 어젯밤에 아주 좋았어요."

말꼬리를 길게 늘이며 비스듬히 눕는 모습이 흡사 포식을 끝낸 뒤 나른하게 늘어지는 맹수 같았다.

"역시 우리는 잘 맞는다니까."

"……."

부들부들 떨리는 도희의 혀끝에 험한 말이 고였다. 놀리는 게 틀림없는 상황이었으나 진실을 알 수 없으니 섣불리 따질 수도 없었다. 아, 신이시여……! 대체 어젯밤에 우리에게 무슨 일이 일어났었던 겁니까?!

"그럼 나 먼저 씻고 나올 테니까 잘 떠올려 봐요, 어젯밤 기억."

창백해진 도희를 두고 혼자만 여유 넘치는 준원은 느릿하게 침대에서 내려왔다. 상황도 종결되지 않았는데, 갑자기 씻으러 들어가는 준원을 보며 발끈한 도희가 무작정 손을 뻗었다.

"아니, 왜 말하다 말고 갑자기 씻…… 으악! 엄마야!"

그를 붙잡으려고 잡아당긴 바지가 그대로 쭉 내려가 그의 드로즈와 탄탄한 한쪽 엉덩이 근육이 반쯤 드러나고 말았다. 기겁한 도희가 저도 모르게 비명을 지르며 눈을 가렸다.

"뭐 해요?"

"……."

"이미 다 봐 놓고, 새삼스럽게 놀라긴."

준원이 픽 웃음을 터뜨리며 바지를 다시 제대로 올려 입었다.

'이, 재수 없는 인간…….'

잘 익은 석류처럼 새빨개진 얼굴로 도희는 도끼눈을 하고 그를 노려보았다. 그 모습에 준원은 웃으며 도희의 볼을 살짝 쓰다듬었다.

"어쨌든 나 씻고 나올 때까지 정답 잘 생각해 봐요. 어젯밤에 무슨 일이 있었는지."

톡톡, 뺨을 토닥이는 손길에 도희가 또 왈칵 성을 냈다.

"저, 저……!"

삿대질하며 핏대 세우는 그녀를 뒤로하고 준원은 얄밉게 욕실에 들어갔다. 옷을 전부 벗고 샤워부스의 물을 트는 동안, 욕실 밖에서는 도희의 괴성 아닌 괴성이 들려왔다. 쿵쾅쿵쾅, 한바탕 난리가 난 듯 시끄러운 소리에 준원은 저도 모르게 픽 웃어 버렸다.

"……."

일순 멈칫한 그는 잠시 제 입가를 손끝으로 쓸었다. 지금껏 살면서 준원이 타인의 눈에 띄지 않는 곳에서 웃어 본 것은 손에 꼽힐 정도로 적었다. 웃음이란 남에게 보여 주기 위해 연기하는 도구에 불과했는데. 요즘 들어 아주 이상하게도, 저 까칠한 여자의 다른 일면을 발견할 때마다 작게 웃음이 터졌다.

그리고…… 도희는 잘 모르는 모양이지만, 준원에게 있어서 1년 전 도희를 만난 것은 사실 엄청난 전환점이었다. 준원의 인생은 그녀를 만난 이후, 완전히 달라졌기 때문이었다.

때는 1년 전, 모든 관계의 시작점이었던 2019년 9월 21일 토요일이었다. 준원이 도희를 처음 봤을 때의 느낀 점은 단 한 줄이었다.

예쁘고 상당히 까칠한 여자. 놀랍게도 그 한 문장이 전부였다. 눈앞의 여자가 누군지, 뭘 좋아하는지, 뭘 싫어하는지 전혀 궁금하지도 않았고 알 필요도 없었다. 그때의 준원은 결혼을 꼭 해야만 하는 상황이었기에, 신부를 구하려는 목표만이 있었을 뿐이었다.

결혼 상대로서 준원이 원하는 조건은 늘 단 하나였다. 원하는 게 전혀 없는 여자. 그 무엇보다도 깔끔하고 군더더기 없는 조건이라고 생각했다. 하지만 수도 없이 선 자리를 나갔고 몇 명의 여성들과는 결혼에 대해 구체적인 논의도 나누었지만 늘 결말은 같았다. 처음에는 아무것도 원하는 게 없다는 듯이 굴던 여자들도 끝에는 사랑이나 관심을 요구해 왔고, 준원을 질리게 했다.

"서준원 씨, 살면서 단 한 번도 누군가를 사랑해 본 적 없죠?"

그러던 와중, 예고 없이 준원에게 날아든 도희의 말.

"처음엔 그냥 미친 사람인 줄 알았는데, 이제 보니까 되게 불쌍한 남자였네."

가시가 돋친 그녀의 말은 준원의 내면에 숨겨진 어떤 스위치를 건들고 말았다. 부유한 집안에, 확실한 직업, 값비싼 집과 차, 모자람 없이 완벽한 그에게도 결핍은 있었다.

"아무 감정도 못 느끼는 주제에 평범한 척 살아 보려고 아등바등하는 게 눈에 보여서요. 되게 같잖은데…… 좀 가여워요."

13살 때, 준원은 학교에서 작성하여 제출하라고 했던 장래 희망란에 '평범한 사람'이라고 썼던 적이 있었다. 그때는 어려서 그렇게 쓰는 행위 자체가 정상 범주가 아니라는 것을 전혀 몰랐다.

기쁨, 분노, 슬픔, 즐거움, 인간이면 당연히 겪는 희노애락이 준원에게는 거의 나타나지 않았다. 감정이 결핍되었다는 것은, 사람들이 겪는 보통의 행복을 누릴 수 없다는 뜻이기도 했다. 그리고 당연하게도, 행복이 지워진 인생은 그야말로 불행할 수밖에 없었다. 이건 늘 완벽을 추구하였던 준원이 숨기고 싶은 유일한 약점이 되었다.

이런 그의 결점을 첫 만남에 꿰뚫어 본 여자가 도희였다. 그녀는 준원과 꽤 비슷한 결을 가진 사람이었다. 얼핏 보면 아무런 문제가 없는 듯 보이지만, 그 누구도 구제할 수 없는 고독이 내면 깊숙이 숨겨져 있었다.

그녀가 지금까지 어떤 삶을 살아왔는지 알 수는 없지만, 한 가지 확실한 것은 그날 밤 그녀가 흘린 눈물이 고독과 상처로 점철되어 있었다는 것이었다. 아프게 우는 그녀 앞에서 준원은 해 줄 수 있는 것이 아무것도 없었다. 위로할 것도 아니었기에 그저 우는 얼굴을 가만히 지켜볼 뿐이었다.

그 순간, 그녀의 눈물 젖은 얼굴이 왜 그렇게 예뻐 보였는지는 준원 스스로조차 알 수 없었다.

"음……."

알 수 없는 충동에 이끌려 그녀의 선홍빛 입술에 입을 맞추자 그녀가 작게 소리를 내었다. 한입 베어 물고 빨아들이자 말랑말랑한 입술이 놀란 듯 바르작거렸다. 그녀를 감싼 지독한 불행만큼 농밀하고도 달콤한 입술, 그 틈을 가르고 들어가 무언가를 갈구하듯이 한참을 탐구하며 헤집었다. 뜨겁게 얽히는 숨결과 조금 붉게 상기된 그녀의 얼굴이 태어나서 본 모든 것 중 가장 아름다웠다.

"……다른 사람을 좋아한다는 건, 대체 뭘까요."

그래서인지, 저도 모르게 그녀에게 사춘기 소년 같은 질문을 해 버렸다.

"사랑한다는 감정이 도대체 어떤 건지……."

"……."

"난, 지금 태어나서 처음으로 당신이란 여자가 마음에 걸리는데……."

하지만 그 어느 때보다도 솔직했으며.

"연누리 씨와 함께 있고 싶다고 생각합니다."

처음으로 본능에 충실했었다.

"그렇다면 이건 사랑인 걸까요?"

정확한 이유는 모르겠지만 그날 밤 그녀와 함께 있고 싶었다. 그렇게 라비에트 호텔 2005호에서 보낸 하룻밤은 평생 기억에 남을 만큼 인상적이었다. 하얗고 예쁜 살결, 손가락 끝에 감기는 붉은 머리카락, 핑크빛으로 상기된 두 뺨, 제 품에 안겨 들어오는 여린 체구…….

그렇게 그녀를 품에 안고 있다가, 시간은 갑작스럽게 과거로 되돌아가 버렸다. 한순간 발생한 타임 루프로 인해, 제 품에 안겨 있던 여자는 흔적도 없이 사라지고 없었다. 그 순간 준원을 휩쓴 것은 진한 아쉬움과 다시 그녀를 보고 싶다는 격렬한 갈망이었다. 생전 처음 느끼는 낯선 충동에 심장이 뛰었다. 조금이라도 빨리 그녀를 다시 만나고 싶다는 미지의 욕망에 준원은 전날과 달리 약속 장소인 라비에트 호텔 레스토랑에 30분이나 일찍 도착했었다.

"안녕하세요! 전 연누리라고 해요."

"……."

"그쪽은 서준원 씨 맞죠? 무슨 정형외과 원장님 아들이라던."

그런데 믿을 수 없는 일이 벌어졌다. 당연히 그녀가 나타날 거라고 생각했는데, 레스토랑 문을 열고 등장한 여자는 전혀 다른 사람이었다.

“와, 근데 진짜 잘생기셨네요! 생긴 거 완전히 딱 제 이상형…….”

“연누리 씨 맞습니까?”

“네?”

“그쪽 이름이 진짜 연누리가 맞아요?”

준원은 자신이 연누리라고 주장하는 여자에게 따져 묻듯이 몇 번이고 계속 추궁했다. 눈앞의 여자는 기분이 상한 듯 잠시 얼굴을 구기더니 핸드백에서 주섬주섬 무언가를 꺼내 내놓았다.

“자, 민증 깠습니다. 스물아홉 살, 연누리. 맞죠?”

준원은 두 눈으로 보고도 믿을 수 없었다. 이 여자가 진짜 연누리라면, 전날 나와 하룻밤을 보냈던 여자는 대체 누구인가? 내가 꿈이라도 꿨던 건가?

준원은 타임 루프 현상을 무려 20년이란 긴 세월 동안 겪어 왔지만, 지금까지 하루가 계속해서 반복되고 있다는 것을 아는 사람은 한 명도 없었다. 시간을 거슬러 올라가면서 기억이 지워지기 때문에 사람들은 그저 매일 똑같은 행동을 반복할 뿐이었다.

그리고 그 이름 모를 여자는 20년 만에 만난, 유일하게 다른 행동을 한 여자였다. 그것도 그를 만나지 않겠다는 선택을 한 여자. 본명도, 진짜 직업도, 사는 곳도, 아는 것이 아무것도 없었기에 다시 만날 수 없다는 걸 직감했다.

“하…….”

어딘가 허탈했다. 조금 화가 났던 것도 같았다. 그리고 이러한 감정을 느끼고 있는 자신이 불편했고 낯설었다. 대체 왜 이런 기분이 드는 걸까?

여러모로 충격적이었던 2019년 9월 21일, 그날 하루는 총 4번이나 반복됐었다.

"안녕하세요! 전 연누리라고 해요. 그쪽은 서준원 씨 맞죠? 무슨 정형외과 원장님 아들이라던."

계속해서 하루가 반복되는 바람에 준원은 진짜 연누리와는 3번이나 선을 봤다.

"안녕하세요! 전 연누리라고 해요. 그쪽은 서……."

"서준원 맞고, 정형외과 원장 아들도 맞습니다."

"헐……?"

타임 루프에 빠지면 사람들은 계속 똑같은 말과 행동을 반복했다.

"대박! 제가 할 말 어떻게 맞히셨어요?"

바보 같았다. 이제는 따분하다 못해 지긋지긋했다. 그렇게 네 번째 9월 21일을 보내고 찾아온 밤. 뚫어져라 시계를 바라보고 있던 준원에게 내일, 9월 22일이 날아 들어왔다.

"……."

이제 그 이름 모를 여자와의 관계는 끝이었다. 결국 그 여자가 내게 어떤 존재인지, 그 답을 내리지 못했는데.

'대체 그 여자는 뭐 하는 여자였을까…….'

준원은 그녀의 정체가 궁금했다. 혹시 내가 혼자 꿈을 꾸고선 망상하고 있는 건 아닐까도 진지하게 고민했다. 별의별 상념이 머릿속을 침투하고, 어느덧 하나부터 열까지 전부 그녀에 관한 생각으로 가득 찼다.

사람은 기억에서 태어나고 평생 그 기억에 갇혀 사는 존재라는 말처럼, 일탈의 공간 라비에트 호텔 2005호에서는 이전에는 알지 못

했던 '서준원'의 일면이 태어났고, 준원은 그 기억에 완전히 갇혀 버린 것이다.

그렇게 준원은 도희를 만난 후 1년 동안, 그 어떤 선 자리에도 나가지 않았고 그토록 필요했던 결혼도 전부 포기했다. 속은 텅텅 비어도 겉은 완벽했던, 서준원이라는 남자의 원칙이 붕괴하는 1년이었다. 준원은 다시 도희를 만나기까지의 1년 동안, 단 한 번도 그녀를 제 머릿속에서 지워 본 적이 없었다. 그리고 그녀가 제게 어떤 의미인지 그 결론을 내리기 전까지는 절대 그녀를 놔줄 생각도 없었다.

"백도희……."

그녀는 따분한 삶에 선물처럼 날아 들어온…… 저와 같은 증상을 겪고 있는 유일무이한 존재니까.

준원은 샤워를 마치고 가운을 걸친 차림으로 욕실에서 나왔다.

"안 가고 기다렸네요?"

샤워하는 동안 도희가 집으로 돌아갈 거라고 확신했던 준원에게 눈앞의 그림은 예상 밖이었다.

"도망갈 줄 알았는데."

도희는 말끔하게 옷을 갖춰 입고서 준원을 기다리고 있었다.

"도망은 무슨. 날 뭐로 보고."

다리를 꼬고 침대에 앉아 있던 도희는 느슨하게 팔짱을 끼며 일어났다.

"그리고 어젯밤에 무슨 일이 있었는지, 똑바로 알려 주기 전까지는 절대 못 가요. 아니, 안 가요!"

준원은 제 머리를 쓸어올리며 도희에게로 천천히 다가갔다.

"아침부터 씩씩한 걸 보니 숙취는 별로 없는 타입?"

"그런 건 알아서 뭐 하게요?"

"기억해 뒀다가 앞으로 참고해야죠."

'앞으로'라는 수식어에 일순 도희가 멈칫했다.

"뭐, 회식할 때도 그렇고, 미팅할 때도 그렇고……. 비즈니스적으로 같이 술 마실 일은 많을 테니까."

준원이 작게 덧붙였다.

"물론 사적으로도."

"……머리에 총 맞았어요? 제가 그쪽하고 사적으로 술을 또 왜 마십니까?"

"무슨 근거로 그렇게 장담하지."

나긋한 걸음걸이로 다가오던 준원이 도희의 바로 앞에 멈춰 섰다. 그 순간 코끝으로 화하게 번지는 보디로션의 향기를 느끼며 도희가 마른침을 삼켰다. 벌어진 어깨에 느슨하게 걸친 가운 사이로 드러난 탄탄한 근육과 잘 다져진 복근은 1년 전이나 지금이나 변함이 없었다.

"그래서, 생각은 해 봤어요?"

저도 모르게 그의 쇄골 위를 타고 흐르는 물방울의 경로를 멍하니 바라보던 도희가 흠칫했다. 막 샤워하고 나온 사람답게 그의 까만 머리카락은 물기에 촉촉하게 젖어 있었다. 살짝 긴장한 도희는 고개를 끄덕이며 준원의 검은 눈동자를 정면으로 마주했다.

"우린 아무 일도 없었어요. 맞죠?"

"기억이 나는 거예요? 아니면 아무 일도 없었다고 믿고 싶은 거예요?"

"……둘 다요. 아무 일도 없었던 것 같고. 또 아무 일도 없었다고 믿고 싶어요."

그가 샤워하러 간 사이 몸을 훑어보았으나 간밤의 흔적이라고 할 만한 것은 보이지 않았다. 준원은 도희를 빤히 바라보다가 느릿하게 얼굴을 가까이 가져갔다.

"그래요. 말해 줄게요."

"……."

"어제 무슨 일이 있었냐면……."

저음의 목소리가 도희의 신경을 경직시켰다. 준원은 느긋하게 시선을 들어 올리며 어젯밤 일을 회상했다.

"저도 내일부터는 서준원 씨를……. 아니, 서 팀장님을 상사로서만 대하겠습니다."

어젯밤, 도희가 준원에게 일방적으로 선을 긋고 술집을 떠난 뒤로도 준원은 한참 동안 가게에 남아 있었다. 홀로 묵묵히 그녀와 했던 대화를 되짚으며, 잔이 비자마자 자작하며 연거푸 술을 들이켰다. 딱히 행동에 이유가 있었던 것은 아니었다. 그날따라 술이 마시고 싶었고, 다음 날은 토요일이었기에 상황적으로 맞아떨어졌을 뿐이었다.

그렇게 거의 2시간을 넘게 혼자 자리를 지키고 있자니 술집 종업원이 영업 종료를 알려왔었다. 집으로 돌아가기 위해 대리운전을 부르고 차에 올라탄 준원은 가만히 창밖을 바라보았다. 대리기사는 그런 준원에게 말을 걸어왔다.

“비가 오려나 봐요, 무릎이 아픈 걸 보니.”

“…….”

“제 무릎이 기상청보다 정확하거든요, 하하.”

너털웃음 짓던 대리기사는 준원이 대꾸하지 않자 멋쩍게 뒷머리를 긁적거렸다. 별로 대답해야 할 필요성을 느끼지 못했던 준원은 가만히 창밖만 바라보았다. 유리창 너머로 빠르게 바뀌는 풍경을 지루하게 바라보다가 문득 익숙한 얼굴이 시야를 스쳤다.

“……잠깐.”

“예?”

“잠시 차 세워 주세요. 추가 요금 드리겠습니다.”

“아, 예. 알겠습니다.”

대리기사가 곧바로 갓길에 차를 주차했다. 차에서 내린 준원은 아까 보았던 익숙한 얼굴이 있는 곳으로 걸어갔다. 머지않아 시야에 들어오는 것은 술에 완전히 만취해 길가의 벤치에 정신을 잃고 앉아 있는 도희였다. 얼마나 많이 취했는지 제 몸도 가누지 못하는 상태 같아 보였다.

“어? 어디서 많이 본 얼굴인데…….”

그 순간 도희의 옆에 서 있는 여자가 중얼거렸다. 그녀는 준원을 잘 기억하지 못하는 듯했지만, 그는 한눈에 알아볼 수 있었다.

“안녕하세요. 연누리 씨.”

1년 전 그날, 3번이나 선을 본 진짜 연누리였다.

"아! 생각났다! 작년에 선봤던 분 맞죠? 이름이…… 서춘원이었나?"
"서준원입니다."
"아, 그러니까요. 서준원 씨."
누리가 웃으며 악수하자는 의미에서 손을 내밀었으나 준원은 고개만 까딱였다. 무안해진 손을 뒤로 뺀 누리는 어깨를 으쓱했다.
"거의 일 년 만에 뵙네요. 그동안 잘 지내셨죠?"
"네, 뭐."
준원은 술에 잔뜩 취해 시체처럼 앉아 있는 도희를 보며 입만 움직였다.
"그런데 백도희 씨는 왜 이렇게 됐습니까?"
"어머, 도희랑 아는 사이세요?"
"네. 회사 동료입니다."
"헐. 그렇구나. 세상 진짜 좁다!"
신기하다는 듯 손뼉 치던 누리는 이내 계속해서 울리는 자신의 핸드폰을 흘끔 보더니 한숨을 쉬었다.
"전화 오는 것 같은데, 받으시죠."
"아, 괜찮아요. 집이라서……. 자정이 되어 가는데 왜 안 들어오냐고 난리네요. 제가 생긴 거랑 다르게 통금이 12시라."
"얼마 안 남았는데, 얼른 가 보셔야 하는 거 아닙니까?"
"네. 그런데 도희가 많이 취해서……."
"제가 백도희 씨, 집에 모셔다 드릴 테니 가 보시죠."
"아, 아니에요. 친구한테 전화했더니 걔가 도희 데리러 와 주기로 했거든요. 그 친구 올 때까지만 같이 있어 주면 되는데……."
누리는 잠시 고민하는 듯 준원과 도희를 번갈아 보다가 조심스레 입을 열었다.

"음…… 그럼 혹시 그때까지만 도희 데리고 있어 주시겠어요?"

"예. 그럴게요."

"정말 죄송해요. 제가 통금을 어기면 카드가 끊기는 처지라."

"괜찮으니 가 보세요. 친구분 오실 때까지 여기서 같이 있겠습니다."

"네, 그럼 잠깐만 부탁드릴게요! 한 10분 정도만 기다리시면 될 거예요."

누리가 바쁘게 자리를 뜬 후, 준원은 여전히 벤치에서 미동도 없이 자는 도희를 흔들어 깨웠다,

"백 과장, 일어나 봐요."

"……으응."

"뭔 술을 이렇게 많이 마신 거예요? 나하고 마실 때도 많이 마시더니, 그 이후로 또 얼마나 마신 건지……."

"아아, 시끄러워어. 왜 잔소리야!"

도희는 손바닥으로 준원의 얼굴을 쭉 밀며 짜증을 냈다. 저만치 밀려난 준원이 다시 도희에게 다가가자 그녀의 핸드폰이 시끄럽게 울렸다.

"……라이언?"

저장된 이름이 특이했다. 아마도 데리러 온다는 그 친구의 전화라고 생각해 준원은 곧바로 전화를 받았다.

-야, 백또. 어디야?

……남자?

-나 지금 너 데리러 가고 있는데 거기가 정확히 어디라고?

데리러 온다는 친구가 남자였어……?

당연히 여자일 거라고 생각했던 준원은 잠시 뒤통수를 한 대 맞은 듯 멍한 상태가 되었다. 진짜 친구가 맞는 건가? 겨우 친구 사이면서 이렇게까지 수고하는 남자의 심리는 뻔했다.

–여보세요? 야, 백도희. 빨리 대답해.

"……."

–정확히 어디냐고. 왜 대답을 안 해?

남자의 독촉에 잠시 대답하지 않고 시간을 끌던 준원이 천천히 입을 열었다.

"……여기는……."

뚝. 그 순간 전화가 끊어졌다. 준원은 자기도 모르게 전화를 끊어 버린 건가 싶었으나, 도희의 핸드폰 배터리가 다 된 탓에 끊어진 것이었다.

"……."

준원은 오묘한 기분으로 꺼진 핸드폰과 도희를 번갈아 바라보았다. 그리고 그 순간.

"갑자기 어디 가요?"

시체처럼 죽은 듯 앉아 있던 도희가 돌연 벌떡 일어나더니 비틀비틀 어디론가 걸어가는 것이었다.

"술 취해서 혼자 어딜 가려고."

좀비처럼 걷는 모양새가 준원의 말은 들리지도 않는 모양이었다. 휘청거리던 도희는 구석에 놓인 인형 뽑기 기계로 향하더니 뜬금없이 동전을 넣고 뽑기를 하기 시작했다.

"걸려라, 걸려! 옳지! 아……!"

조이스틱을 이리저리 움직이다가 탄식했다.

"아, 왜 안 잡히냐! 개빡치네, 진짜!"

맨정신에도 힘든 걸 술 취한 사람이 뽑을 수 있을 리가 없었다.

"에이 씨, 딱 기다려! 다 뒤졌어, 이 새끼들!"

거침없는 말투가 꼭 만취해서 돈 내기하는 아저씨 같았다. 이내 집게가 인형 한 마리를 겨우겨우 집자 도희가 악마처럼 깔깔 웃어댔다.

"하하하하하! 넌 뒤졌다, 이 새끼! 궁뎅이 물렸으면 게임 끝이지. 잘 가!"

마치 인형 뽑기에 목숨이라도 건 듯한 도희를 준원은 희한한 눈으로 바라보았다. 마치 태어나서 처음 보는 신기한 짐승이나 생명체를 보는 듯한 기분이었다. 계속해서 버튼만 딱딱거리며 헛손질만 하는 도희를 지켜보던 준원은 결국 대신 인형을 뽑아 주었다.

"자, 여기. 이게 갖고 싶었어요?"

2등신짜리 대두 인형을 건네며 물었으나 도희는 받지 않았다. 그저 반쯤 풀린 눈으로 준원의 얼굴과 인형의 얼굴을 뚫어져라 번갈아 보는 것이었다.

"……누리야."

"……네?"

"너 왜 대가리가 두 개로 늘어났니?"

"……."

"어느 쪽 대가리가 진짜지……?"

대체 얼마나 취했으면 얼굴도 못 알아보는 건가. 준원은 그제야 도희가 자신을 연누리로 착각하고 있다는 것을 깨달았다.

"이게 진짜인가? 아니면 이거……?"

도희는 또다시 비틀거리며 인형의 머리를 쓰다듬다가 그대로 올라가 준원의 뺨을 어루만졌다. 갑자기 작은 손이 제 얼굴을 쓰다듬자 준원의 동공이 조금 흔들렸다. 도희는 맥없이 풀린 눈으로 준원을 가만히 바라보았다. 두 사람의 시선이 허공에서 묘하게 맞부딪혔다.

그렇게 말없이 얼마쯤 시간이 지났을까, 어깨 위로 빗방울이 조금씩 떨어지는가 싶더니 한바탕 소나기가 우르르 쏟아지기 시작했다. 뜻밖의 폭우에 난처해진 준원은 곧바로 정신을 놓은 도희를 업고서 자신의 차로 돌아왔다. 잠깐 사이였지만 준원과 도희는 완전히 비에 젖은 생쥐 꼴이 되고 말았다. 준원의 집까지는 꽤 거리가 있었기에 그는 급한 대로 근처 호텔에 체크인했다. 도희를 업고서 엘리베이터에 올라타자 또다시 그녀의 버라이어티한 술주정이 시작되었다.

"누리야아, 근데 너 왜 오늘따라 이렇게 덩치가 커 보이지?"

얌전히 업혀 있던 도희가 돌연 준원의 탄탄한 가슴 근육을 더듬거렸다.

"너 가슴에 실리콘 빠졌나 봐……. 왜 이렇게 딱딱하냐?"

"……."

"그러니까 내가 가슴은 건들지 말라니까……."

준원이 살풋 웃음을 터뜨렸다. 평소의 도도한 백도희라고는 상상도 못 할 흐트러진 모습이었다. 룸 안에 들어온 준원은 도희를 부드럽게 침대에 눕혔다. 비에 젖은 도희의 재킷을 벗겨 걸어 놓은 뒤, 수건으로 도희의 몸에 묻은 물기를 닦아 주었다. 머리카락과 하얀 뺨, 길쭉한 목덜미를 차례로 닦아 주다 보니 문득 시선이 깊게 파인 쇄골 근처로 닿았다.

"……."

묘한 기분이 된 준원은 곧장 자리를 벗어나 욕실로 향했다. 찝찝했던 빗물을 씻기 위해 샤워를 마치고 머리를 수건으로 털며 나오다가 멈칫했다. 잠결에 옷을 벗은 건지, 도희가 셔츠와 바지를 벗어 던지고 속옷 차림으로 누워 있는 탓이었다. 준원이 마른침을 삼켰다. 살짝 당황했던 그는 이내 천천히 다가가 도희의 몸 아래에 깔려 있던 이불을 들어 가슴까지 꼭 덮어 주었다.

"……."

도희의 옆에 걸터앉은 준원은 가만히 숨을 죽이고 그녀를 바라보았다. 하얀 침대 시트 위로 퍼져 있는 붉은 머리카락이 묘하게 가슴을 달뜨게 만들었다. 준원은 조용히 그녀의 옆에 누워서 다시 가만히 그녀의 잠든 얼굴을 바라보았다. 손을 뻗어 도희의 머리카락을 쓸어 주자 하얀 이마와 보들보들한 뺨, 솜털처럼 긴 속눈썹과 갸름한 얼굴이 드러났다.

창백할 정도로 뽀얀 살결, 선이 여린 둥근 어깨……. 1년 전 그날 밤 준원의 기억 속에 각인된 모습 그대로 여전한 모습에, 준원의 기분은 점점 더 묘하게 변했다. 순간 버선코 아래 도톰한 입술을 한 입 베어 물고 싶은 충동이 들었다. 남자라면 당연히 들 수 있는 욕망이었으나, 준원에게는 익숙지 않은 것이었다.

"……."

그때, 잠겨 있던 도희의 눈꺼풀이 느리게 올라갔다. 동시에 예고 없이 준원과 도희의 시선이 치열하게 충돌했다.

"……하."

도희의 붉은 입술이 작게 벌어졌다.

"이젠 하다 하다 서준원 꿈까지 꾸네……."

도희는 꿈이라고 생각한 건지 잠에 취한 음성으로 중얼거렸다.

"진짜 돌겠다……. 이제는 꿈에까지 나오고."

울상이 된 도희가 입술을 삐죽 내밀었다.

"건방져. 아주 건방지다고, 당신."

평소에는 볼 수 없는 면이 귀엽게 느껴져 준원은 저도 모르게 웃음을 터뜨렸다.

"이런 거 백도희 스타일 아닌데……."

"……."

"잊고 살려고 해도 자꾸 불쑥불쑥 떠오른단 말이야."

준원은 한쪽 손을 뻗어 도희의 뺨을 부드럽게 어루만졌다. 덜 자란 어린 동물의 살결처럼 보들보들한 감촉이 손끝에 느껴졌다.

"아까, 왜 나한테 없던 일로 하자고 말했어요?"

준원이 나직하게 묻자 도희는 더욱 작은 소리로 대답했다.

"……사실 내가 그런 것에 휘둘릴 만큼 여유 있는 사람이 아니라서."

술김인지 잠결인지, 도희는 준원에게 숨겼던 제 속마음을 덤덤하게 털어놓았다.

"내가 나도 모르는 나로 바뀌는 게 싫어서…… 그래서 선을 그었어."

나지막하게 이어지는 도희의 여린 음성이 준원의 귓가를 뜨겁게 달구었다.

"서준원 씨, 나 흔들지 말아요……."

"……."

"나도 가끔 이렇게 사는 내가 쪽팔리니까……."

도희의 음성은 꽤 괴롭게 들렸다.

"여기까지만 해요, 우리……."

그 말을 끝으로 도희는 깊은 잠에 빠져들었다. 곱게 내려앉은 눈꺼풀을 준원은 한참 동안 말없이 응시했다. 고요해진 공간에 도희의 가녀린 숨소리만이 준원의 심장에 다가와 울렸다. 그녀의 얼굴을 이렇게까지 자세히 살펴본 것은 처음이었다. 준원은 잠든 도희의 얼굴을 한참 동안 쓰다듬다가 새벽녘에야 잠이 들었다.

준원은 어젯밤에 있었던 일을 전후 사정만 요약해서 전달했다. 도희는 의문이 풀리지 않는 듯 답답한 표정이었다.

"그러면 왜 우리가 한 침대에서 같이 자고 있었는데요?"

"백도희 씨는 완전히 잠들어서 집에 돌아갈 상태가 아니었고, 나도 술 많이 마셔서 새벽에 차 끌고 돌아갈 수가 없었고."

"그래도 어떻게 한 침대에서……. 아니, 왜 끌어안고 자고 있었냐고요!"

"그거야 나도 모르죠. 자다가 무의식중에 끌어안았거나."

"그……럼 나는 왜 속옷 차림이었는데요?"

"그것도 모릅니다. 백도희 씨가 혼자 벗었겠죠."

"그쪽도 벗고 있었잖아요?"

"빗물에 젖은 걸 그대로 입고 잘 수는 없잖아요?"

준원은 어깨를 으쓱했다.

"비 오는데 두고 가지 않은 것만도 고마워해야 하는 상황 아닌가."

맞아도 너무 맞는 말에 도희는 할 말을 잃어버렸다.

"……본의 아니게 폐를 끼쳤습니다. 정말 죄송합니다."

창피해진 도희는 고개 숙여 정중히 사과했다.

"그러면…… 결과적으로 키스한 것도 아니고, 잔 것도 아니고?"

"뭐, 그렇죠."

"그럼 우리 정말 아무 일도 없었던 거죠?"

"네."

"진짜 진짜 아무 일도 없었던 거 맞죠?"

몇 번이고 확인하는 도희에 준원이 가볍게 고개를 까딱였다. 그제야 안심한 도희가 포옥 한숨을 내쉬었다.

"하…… 다행이다."

그 말에 준원의 한쪽 눈썹이 들썩였다. 안도하는 얼굴과 겹쳐 보이는 것은 전날 끊어질 것 같은 목소리로 본심을 말하던 도희의 얼굴이었다.

"또 사고 친 줄 알고…… 식겁할 뻔했네요."

"……."

왜인지 안도하는 그녀가 불만스러웠던 준원은 묘한 반발심에 휩싸였다.

"키스해도 돼요?"

"네…… 네?!"

놀란 도희의 눈동자가 휘둥그레졌다.

"뭐, 무슨……."

도희는 뒷말을 이을 수 없었다. 제 입술로 말랑한 감촉이 부드럽게 와닿았다가 떨어진 탓이었다. 갑작스러운 입맞춤에 도희의 심장은 고장 난 듯 내달렸다. 놀라 커다랗게 뜨여진 도희의 눈을 보며 준원의 한쪽 입꼬리가 올라갔다.

"백도희 씨가 말하는, 그 아무 일이란 거……."

준원의 입술이 또다시 성큼 다가섰다.

"지금부터 만들어 볼까 싶은데."

도희의 동공이 거칠게 흔들렸다. 그는 마치 다시 침대에 눕혀 버릴 것만 같은 눈빛을 하고 있었다.

순간 도희에게 스친 생각은 단 하나였다.

……미친놈이다. 이건 완전히 정신 나간 놈이야!

당황한 도희가 뒷걸음질 치자 준원이 성큼성큼 그녀에게 다가섰다. 화들짝 놀란 도희는 본능적으로 팔을 세워 제 가슴을 엑스자로 가렸다.

"무, 무슨 짓을 하려고……!"

얼빠진 얼굴로 어버버하자 준원은 팔을 뻗어 잘록한 허리를 확 끌어안았다. 한순간 폭 그의 품에 안겨진 도희가 당황했다. 뻐근하게 고개를 꺾어 위를 바라보자, 마치 키스할 것처럼 다가오는 준원의 입술이 보였다. 움찔한 도희는 저도 모르게 눈을 꾹 감고 말았다.

"……."

준원은 두 눈을 질끈 감은 도희가 귀엽게 느껴졌다. 웃음기 젖은 눈으로 뽀얀 이마를 바라보다가 쪽, 가볍게 입을 맞추고 떼었다.

……쪽? 상상도 못 한 마찰음에 도희가 한쪽씩 조심스레 눈을 떴다. 그러자 눈앞에 보이는 것은 놀리듯이 웃고 있는 준원이었다. 도희는 순간 한 대를 얻어맞은 듯 멍해졌다.

"뭘 기대했어요?"

"……."

"혼자서 눈까지 감고."

……미……친…….

완전히 그에게 놀아난 기분에 도희의 얼굴이 붉으락푸르락 달아올랐다. 발끈한 도희는 그대로 있는 힘껏 준원의 정강이를 퍽 걷어찼다.

"아……."

미간을 찌푸리며 낮게 신음을 뱉는 준원을 뒤로하고, 도희는 씩씩거리며 제 가방을 챙겼다.

"어디 가는 거예요?"

"남이사 어딜 가든 말든! 나한테 신경 끄세요!"

앙칼지게 한마디 쏘아붙인 도희는 뒤도 돌아보지 않고 떠나 버렸다. 준원은 잠시 멍하니 있다가 헛웃음 쳤다.

급하게 호텔을 빠져나온 도희는 곧장 택시를 잡아탔다. 뒷자리에 앉아 있는 내내 조금 전 일이 머릿속에서 계속해서 되풀이되었다. 찰나였지만 잠깐 부딪혔다가 떨어진 서준원의 입술. 그 감촉이 아직도 입술에 남아 도희를 미치게 만들었다.

"하……. 제정신이 아니야, 진짜!"

이제 한 회사, 심지어 같은 부서에서 일해야 하는 사이였다. 이미 벌어진 과거의 일은 어쩔 수 없다고 해도, 이렇게 또다시 얽혀 버리다니! 1년 전 그날 밤은 시간이 되돌아가 없었던 일이 되었기에, 사실상 오늘이 준원과의 진짜 첫 키스였다. 물론 거의 뽀뽀에 가까웠지만…….

"아악, 백도희 이 미친 인간아!!!"

공들여 살아왔던 30년 인생이 무너지는 건 한순간이었다. 서준원을 만나고서부터 도희의 일상은 점점 더 붕괴하고 있었다.

녹초가 되어 집으로 돌아온 도희는 엘리베이터에서 내리자마자 멈칫했다. 현관문 앞 복도에서 이언이 서서 기다리고 있었던 탓이었다.

"뭐야? 강이언, 너 왜 여기에……."

"야! 너 왜 이제야 나타나?!"

도희를 보자마자 이언은 벌컥 화를 냈다. 그는 꽤 오랜 시간 도희를 기다린 것으로 보였다.

"너 뭐야? 어젯밤에 어디 있었던 거야?"

"어? 그게……."

"연락은 왜 안 받고! 대체 어디를 갔다가 오는 거냐고!"

"왜 화를 내고 그래?"

"그걸 진짜 몰라서 묻냐?"

밤새 연락이 안 되는 도희를 사방팔방으로 찾아다니며 얼마나 속을 끓였는지 모른다. 전날 누리로부터 도희가 취했으니 데리러 와 달라고 부탁을 받았고, 집에서 샤워하다가 뛰쳐나와 차를 끌고 데리러 갔었다. 근처에 도착해 정확히 어디인지 묻기 위해 전화를 했으나, 그녀의 전화를 받은 것은 웬 이상한 남자였다.

'야, 백도희. 빨리 대답해. 정확히 어디냐고. 왜 대답을 안 해?'

'……*여기는*……'

그 한마디는 분명히 남자 목소리였다. 그것만으로도 어처구니가 없는 상황인데, 그대로 전화가 끊어지더니 내내 연락 두절이 된 것이었다. 혹시 무슨 일이 생긴 건 아닐까, 그 목소리의 주인이 나쁜 짓이라도 한 게 아닌가. 걱정에 잠도 못 이루고 똥 마려운 강아지처럼 전전긍긍했던 이언이 길게 한숨을 쉬었다.

"전화는 왜 안 받았는데?"

"보다시피 핸드폰이 꺼져서……. 미안."

"어젯밤에 대체 어떻게 된 거야? 집에도 없던데. 어디서 잔 거야?"

"으음……."

졸지에 새 팀장과 호텔에서, 그것도 한 침대에서 같이 잤다고 어떻게 말하겠는가?

"윽, 진짜 최악이야. 생각하기도 싫어."

"왜? 무슨 일인데?"

"사고 쳤어. 그것도 대박 사고."

"사……사고? 무슨 사고?"

놀란 이언의 심장이 철렁했다.

"너 어디 다쳤어?"

사색이 된 그는 다급하게 도희의 몸을 이리저리 둘러보며 물었다.

"아니, 그런 거 말고…… 하, 그냥 좀 일이 꼬였다."

"그러니까 내가 너 술 줄이랬잖아! 누가 보면 20대인 줄 알겠어? 어떻게 하루도 안 빼놓고 매일 술을 마시냐?"

"야, 나 아직 만으로 28살이거든? 그리고 체력 될 때 마셔 둬야지. 나중엔 마시고 싶어도 못 마셔, 뼈 삭아서."

"아오…… 말이나 못 하면. 진짜 미워죽겠다, 너."

밤새 뜬눈으로 걱정하다가 숨넘어갈 뻔했던 이언은 한숨만 폭폭 내쉬었다. 어쨌든 무사히 돌아와서 다행인 마음 반, 대체 어젯밤에 어디서 잤는지 알려 주지 않아 답답한 마음 반이었다.

"미안하다니까."

씩 웃으며 대답하는 도희의 얼굴이 미웠지만, 너무 쓸데없이 예뻤다. 이 앞에서 혼자 죽자 사자 열 내 봐야 뭐가 달라지겠는가.

"하아……."

결국 좋아하는 쪽이 지고 들어갈 수밖에 없었다. 이언은 한숨을 쉬며 커다란 손으로 마른세수했다.

"야, 나 해장하려고 라면 끓일 건데."

이런 맘을 아는 것인지 모르는 것인지, 도희는 태연하게 도어 록 비밀번호를 꾹꾹 누르며 태평한 소리나 했다.

"여기까지 왔는데 같이 먹자."

"뭐?"

"라면 먹고 가라고."

"……."

일순 음란 마귀가 튀어나와 흠칫한 이언은 꿀 먹은 벙어리가 되었다. 그 모습이 하도 어이가 없어서 도희는 헛웃음을 터뜨렸다.

"왜, 순간 심쿵 했니?"

장난스럽게 머리카락을 귀 뒤로 넘기며 속닥거렸다.

"우리 이언이, 누나 집에서 라면 먹고 갈래?"

그 말과 동시에 시뻘게진 이언을 뒤로하고 도희는 깔깔 웃으며 집으로 들어갔다.

"저, 저……!"

요망한……. 이언은 그녀를 향해 삿대질하며 바보처럼 말을 더듬었다. 이내 한숨을 쉬며 머리를 좌우로 털고 집 안으로 따라 들어갔다.

"야, 세 개 끓여. 계란 빼고!"

옵션을 덧붙이는 것은 잊지 않고서.

주말이 지나고 찾아온 9월 28일 월요일 아침. 도희는 출근 준비할 때부터 준원의 얼굴을 어떻게 봐야 할지 걱정이 태산이었다.

그러나 그런 그녀의 걱정이 무색할 만큼 준원의 태도는 이전과 별다른 변화가 없었다. 아무 일도 없었다는 듯 평소처럼 고저 없는 말투로 평범하게, 다른 팀원들 대하는 것과 똑같이 도희를 대했다. 그 차이가 얼마나 큰지, 지난밤 그와 있었던 일들이 제 꿈이었나 착각할 정도였다.

'이건 둘 중에 하나겠지…….'

공과 사가 정말 철저한 남자이거나, 혹은 결국 회사 동료로만 대해 달라는 말을 받아들여 줬거나. 물론 어느 쪽인지 정답을 알 수는 없다.

그렇게 평소와 다름없이 맞은 점심시간. 도희와 지예, 새봄은 식사하기 위해 회사 근처 식당을 찾았다.

"진짜요? 서 팀장님이 약혼녀가 있었다구요?"

양지예 대리의 말에 놀란 새봄이 반문했다. 그리고 그 옆에는 더 놀란 도희가 숟가락을 입 안에 넣은 채 그대로 굳었다.

"그렇다니까? 내가 팀장님 전에 계시던 회사에 아는 사람이 있는데, 그 사람한테 직접 들은 거야!"

……약혼녀가 있었다고? 서준원 그 남자한테? 1년 전 선을 볼 때, 그는 지금까지 누군가를 사랑해 본 적 없다고 분명히 말했었다.

"2년 전쯤에 되게 예쁜 여자랑 결혼한다고 청첩장까지 동네방네 다 돌렸는데, 결혼식 일주일 전인가 엎었다나 봐요."

도희의 머릿속에 걷잡을 수 없는 혼란의 소용돌이가 일어났다.

"뭐가 문제였대요? 보통 결혼 준비하다가 많이 싸우긴 해도, 청첩장까지 돌리고 엎는 건 흔하지 않은데."

"글쎄. 거기까지는 나도 모르겠고."

도희는 알면 알수록 서준원이란 남자를 정의 내릴 수 없게 되었다. 자신이 그에 대해 알고 있는 것은 손톱의 때만큼도 되지 않는다는 걸 새삼 깨달았다. 대체 어떻게 살아왔길래 지금 저런 남자가 된 건지, 솔직히 그 과거가 몹시 궁금했다. 하지만 왠지 알려고 하면 안 될 것 같은 기분이었기에 도희는 더 이상 생각하지 않기로 했다.

"아, 그나저나 월요일…… 진짜 축축 처지네요."

월요병에 시달리고 있는 지예가 한숨을 폭폭 내쉬었다.

"오늘 양 대리, 중요한 PT도 있으면서 처지면 안 되지."

"그러니까 말이에요. 이번 기회에 저도 본부장님한테 점수 좀 따야 하는데."

지예의 표정이 급격하게 어두워졌다.

"아…… 갑자기 생각하니까 너무 긴장돼요."

"뭘 긴장을 해. 편하게 해, 편하게."

흘끔 왼쪽 손목의 시간을 확인한 도희는 테이블 위의 상황을 살펴보았다. 모두 식사를 마친 듯 수저의 움직임이 둔해 보이자 도희가 지갑을 들었다.

“다 먹었으면 일어나자. 내가 커피 살게.”

“우와, 과장님 최고!”

도희를 선두로 지예와 새봄은 신이 나서 가게 밖을 나섰다. 그러나 얼마 가지 않아 지예가 저 멀리서 뛰어오는 남자와 쿵 부딪혀 버렸다.

“아…….”

바닥으로 나동그라진 지예 옆으로 남자의 가방 속 내용물이 어지럽게 흐트러졌다. 어딘가 다급해 보이는 남자는 죄송하다고 연신 반복하더니 빠르게 자신의 짐을 챙겨 사라졌다.

“아, 뭐야. 저 사람……?”

도희와 새봄의 부축을 받아 일어난 지예는 짜증을 내며 바닥에 떨어진 제 USB를 주워 주머니에 넣었다.

오후가 되어 외근을 마치고 돌아온 준원이 서둘러 사무실을 가로질렀다.

“양 대리. 이따 발표할 준비 다 끝냈습니까?”

“네, 팀장님. 완벽하게 준비했습니다!”

“본부장님이 직접 참관하신다니까 실수 없이 준비하세요.”

“네. 알겠습니다.”

지예의 대답이 끝나기도 전에 준원은 바쁘게 제 자리로 향했다.

상품기획팀의 새 팀장으로서 여기저기 외부에 눈도장을 찍는다고 눈코 뜰 새 없이 바쁜 모양이었다. 뚱한 얼굴로 준원의 뒷모습을 바라보던 도희가 일순 아차 했다.

'아……. 나 왜 또 서준원을 보고 있는 거야.'

저도 모르게 또 준원을 염탐한 도희가 흠칫 놀라 고개를 좌우로 저었다. 이제 더는 그에게 신경 쓰지 말자고 다시금 굳게 다짐했다. 시간이 조금 흐르고, 회의시간이 가까워지자 마케팅사업본부의 직원들과 유현록 본부장이 회의실에 모였다. 양지예 대리는 긴장한 것이 무색하게 아주 차분한 목소리로 발표를 순조롭게 진행했다.

"자, 그러면 이제 SNS PR 채널에 올라갈 홍보영상 시안을 시청하시도록 하겠습니다."

유 본부장의 표정을 보아 반응도 나쁘지 않았다. 하지만 발표 막바지 단계에 이르러 지예가 USB에 담긴 동영상을 틀자마자 장내가 술렁거렸다.

"저, 저게 뭐야……?"

뜬금없이 거대한 스크린을 채운 것은 닭백숙처럼 벌거벗은 남녀였다. 낯부끄러운 야한 동영상이 조금의 필터링도 없이 흘러나오고, 당황한 지예는 돌처럼 굳은 채 서 있었다. 아마도 아까 식당에서 나올 때 부딪힌 남자와 USB가 바뀐 모양이었다.

민망한 신음 소리가 장내를 가득 메웠다. 커다란 회의실에서 거대 스크린을 통해 생중계되고 있는 19금 동영상에 모두가 경악을 금치 못했다. 곧이어 사방에선 풋, 하고 비웃음이 하나둘씩 터져 나오고 시뻘겋게 달아오른 지예는 황급히 동영상을 껐다.

"양 대리!!!"

꼭지가 돈 유 본부장의 사자후가 회의실을 쩌렁쩌렁 울렸다. 지예는 속으로 죽었다고 생각하며 눈을 감았다.

"어떻게 이런 실수가 있을 수 있냐고! 어? 입이 있으면 얘기를 해 봐, 양 대리!"

곧장 PT를 중단한 유현록 본부장은 일부러 상품기획팀 전원을 뒤에 세워 두고 그 앞에서 지예를 불같이 혼냈다.

"죄송합니다. 죄송합니다, 본부장님……."

"뭐? 길 가던 놈이랑 USB가 뒤바뀌어? 웃기는 소리를 하고 있네!"

"……죄송합니다."

"애초에 양 대리가 이걸 맡은 게 문제야! 하동현 대리한테 맡겼어야 했는데! 서 팀장! 왜 이렇게 중요한 걸 양 대리한테 시킨 거야?"

"죄송합니다. 제 불찰입니다."

준원은 담백하게 말하며 고개를 숙였다.

"하여간, 이래서 여자들이란 정신머리가 하나도 없어!"

모욕적인 소리를 아무렇지 않게 떠들어대는 유 본부장 앞에서 지예는 입술만 꼭 깨물었다.

"양 대리는 징계야, 징계!!!"

"……죄송합니다. 정말 죄송합니다."

곧 눈물이라도 터뜨릴 것 같이 연신 죄송합니다를 반복하는 지예를 보며 도희는 작게 한숨을 내쉬었다.

그렇게 지예는 퇴근 시간까지 시체처럼 앉아 있다가 그 길로 집에

돌아갔다. 결국 징계를 면치 못한 신세가 된 것이다. 도희도 그녀를 따라 집에 가고 싶은 마음이 굴뚝이었으나, 오늘은 마케팅사업본부의 회식이 예정되어 있었다. 노래방 기계까지 쪼르르 세팅된 어두운 조명의 홀은 유현록 본부장의 아재다운 취향이 100퍼센트 반영되어 있었다.

"비록 오늘 불미스러운 일이 있긴 했지만, 이럴 때일수록 더욱 정신을 다잡는 계기로 삼아야 합니다!"

홀의 맨 앞에 선 유 본부장은 큰소리로 쩌렁쩌렁하게 외쳤다. 그 멘트를 시작으로 약 10분가량 일장 연설을 하는 유 본부장을 도희는 영혼 없는 얼굴로 내다보았다.

"말이 좀 길었는데, 어쨌든 오늘은 우리 상품기획팀 서준원 팀장의 환영회 겸! 우리 마케팅사업본부가 단합하는 자리니까! 오늘만큼은 신나게 먹고 마시자고!"

드디어 연설이 끝나고, 유 본부장은 준원을 앞에 세운 뒤 술병을 덥석 들었다.

"자, 우리 서 팀장! 술 한 잔 받고, 건배사 하나 하지."

두툼한 손이 준원의 등을 툭툭 두드렸다. 무표정하게 술을 받는 준원을 보며 도희는 눈을 가늘게 떴다.

'건배사……?'

저 무미건조한 서준원이 대체 어떻게 건배사를 할지 살짝 궁금해진 차였다.

"예, 알겠습니다."

정중하게 고개 숙여 술을 받은 준원이 건배사로 차용한 것은 그 어떤 수식어도 없는 무미건조한 문장이었다.

"마케팅사업본부를 위하여."

"위하여!"

사방에서 잔이 시끄럽게 모여 붙었다. 담백해도 너무 담백한 건배사에 도희는 참 서준원답다고 생각하며 술을 마셨다. 회식 분위기가 무르익고 멀쩡하던 사원들은 하나둘씩 얼큰하게 취해 갔다. 유 본부장은 신이 나서 계약직 사원들을 앞으로 불러 노래를 부르게 시켰고, 도희는 그 모습을 보며 속으로 혀를 찼다. 그렇게 얼마나 시간이 지났을까, 속이 답답해진 도희는 조용히 회식 장소를 빠져나왔다. 정처 없이 걷다가 한적한 뒷골목으로 들어가 잠시 바람을 쐤다.

"아…… 오늘따라 너무 지친다."

온종일 과도하게 많은 사건이 한꺼번에 겹쳐 하루가 꼭 열흘 같았다. 쭈욱 기지개를 켰으나 여전히 몸은 돌덩이처럼 뻐근했다.

그때, 뒤에서 묵직한 발걸음 소리가 뚜벅뚜벅 들려왔다. 그곳을 향해 시선을 돌리니 어두운 골목 끝에서 담배에 불을 붙이고 있는 준원이 보였다. 잠시 멈칫한 도희는 그런 준원을 가만히 바라보았다. 후, 뱉어진 하얀 연기가 준원의 얼굴 앞으로 뿌옇게 번졌다.

"……."

시선을 느꼈는지 그가 고개를 비스듬히 틀었다. 준원은 담배를 문 채 도희를 삐딱하게 내려다보았다. 가늘게 길어진 눈 사이로 비치는 까만 눈동자가 도희를 꿰뚫을 듯했다.

"피곤해 보이네요."

어깨를 으쓱한 도희는 준원에게 다가가 옆에 섰다.

"담배 연기 싫어합니까?"

"뭐, 썩 좋아하지는 않지만, 피우셔도 상관없어요."

그렇게 말한 도희는 준원의 입가에 느슨하게 물린 담배를 힐끔 바라보았다. 도희의 잿빛 눈동자가 준원의 망막에 다가와 고요히 너울대었다.

"한 대 하겠습니까?"

준원이 담배를 손으로 옮기며 물었다.

"됐어요. 내가 흡연자인지 비흡연자인지, 어떻게 알고 그런 질문을."

"눈빛이 원하시는 것 같길래."

도희가 픽 웃음을 터뜨렸다.

"3년 전에 끊었어요. 건강 때문에."

"담배 피웠었어요?"

"뭐, 그렇죠."

동그란 어깨가 으쓱 올라갔다.

"이 대한민국에서 맨정신에 회사생활 할 수 있는 사람 있으면 나와 보라고 해요. 술이든 담배든…… 하다못해 초콜릿이든. 탈출구가 있어야 버티지."

준원은 얼마 전 도희가 옥상에서 초콜릿 한 봉지를 한자리에서 다 해치웠던 것을 떠올렸다. 담배를 끊고 초콜릿을 대신 먹기 시작한 건가, 그렇게 생각하니 또 괜히 귀엽게 보이기 시작했다.

"이걸 끊다니. 독한 사람이었네요, 백도희 씨는."

도희가 웃으며 비스듬히 고개를 들어 준원을 올려다보았다.

"그거 내가 제일 좋아하는 칭찬인데."

"독하다는 말? 보통은 별로 안 좋아하는데."

"나는 좋아해요. 남들한테 독하다, 영악하다, 이런 소리 듣는 거."

"특이한 취향?"

"그런 건 아니고. 남들 눈에 똑똑하면 영악한 거고, 열심히 살면 독한 거더라고요."

도희가 씁쓸하게 웃었다.

"이왕이면 곰보다는 여우로 살아야죠. 안 그래요?"

"맞는 말입니다. 한 번 사는 인생인데."

준원은 담배를 비벼 끄며 동조했다. 빨간 불꽃이 사그라드는 걸 바라보며 도희의 한쪽 눈썹이 구겨졌다.

"몇 번 빨지도 않은 걸 버려요?"

"우리 독한 백 과장을 위해, 끄기로 했거든요."

"이미 불붙인 걸 그렇게까지 하실 필욘 없는데."

'우리'라는 말에 가슴이 조금 동요했지만, 도희는 내색하지 않았다. 픽 하고 웃음을 흘린 준원은 부드럽게 손을 뻗어 도희의 턱 끝을 살살 어루만졌다.

"미안하면 다른 거로 대신하게 해 줄래요?"

길쭉한 검지에 의해 도희의 턱이 위로 들려졌다. 어둑한 골목에서 더욱 까맣게 빛나는 동공은 도희의 입술을 흠뻑 적셨다. 느릿하게 허리를 숙인 준원은 도희의 얼굴 가까이 다가왔다. 찰나에 가까워진 거리에 도희의 눈꺼풀이 잘게 떨렸다.

"……하여간 또 장난질이지."

온종일 냉소적으로 대하길래, 회사 동료로만 지내자는 말이 통했나 싶었지만 착각이었다.

"계속 이렇게 장난치시면 곤란해요."

그는 여전히 도희에게 지극한 관심을 두고 있었다.

"왜 장난이라고 생각하지……."

끈적한 목소리가 도희의 입술을 촉촉하게 달구었다.

"난 늘 진심인데."

그 야릇함에 휩싸인 도희는 머리부터 발끝까지 흠뻑 젖는 듯한 착각을 했다. 준원은 더욱 허리를 낮추며 비스듬히 고개를 틀었다. 미끄러지듯 내려오는 그의 입술에 도희의 눈꺼풀이 파르르 떨렸다. 두 입술이 아슬아슬하게 맞닿기 직전, 준원과 도희의 숨이 동시에 멎었다.

"……."

놀란 도희의 동공이 거칠게 흔들렸다. 갑자기 제 목소리가 나오지 않는 탓이었다. 이건 타임 루프 현상의 전조증상임이 틀림없었다. 늘 과거로 시간이 되돌아가기 5분 전쯤 갑자기 목소리가 나오지 않았고, 이걸로 미리 타임 루프가 일어날 것을 예측할 수 있었다.

'……오늘 아침으로 시간이 되돌아가나……?'

도희가 그렇게 속으로 생각한 순간.

"오늘 아침으로 시간이 되돌아간다고요?"

준원이 나직하게 반문했다. 놀란 도희의 눈이 점점 더 커졌다.

'뭐야……? 마치 내 속마음을 읽은 것처럼.'

뭔가 이상하다고 감지하는 순간, 시야에 그늘이 지며 어둑하게 흐려졌다. 순식간에 눈앞이 암전되고 정신을 완전히 잃었다.

도희는 욱신거리는 머리를 짚으며 상체를 일으켰다. 주위를 둘러보니 익숙한 풍경이 시야를 한가득 메웠다. 아니나 다를까, 도희의 집 침실이었다.

"하아……."

길게 한숨을 내쉬며 눈을 지그시 감았다가 떴다. 곧바로 핸드폰을 들어 시간을 확인해 보니, 9월 28일, 월요일 아침이었다. 시간은 오늘 아침으로 되돌아가 있었다.

하마터면 또 분위기에 휩쓸려 서준원과 키스할 뻔했다. 그 순간 타임 루프가 일어나 시간이 아침으로 되돌아간 덕분에 참사는 벌어지지 않았지만 말이다.

"……근데 그 사람은 표정이 왜 그랬지?"

도희가 그 어둠침침한 골목에서 마지막으로 본 것은 잘게 흔들리던 준원의 눈동자였다. 그 표정으로 보아, 준원도 무언가를 느끼고 놀란 듯 보였다.

"뭐야, 대체……?"

타임 루프가 일어나기 5분 전부터 도희가 말을 할 수 없는 것처럼, 준원에게도 이러한 전조증상이 있을 확률이 높았다.

"하지만 그 사람은 말을 했잖아?"

제 목소리가 나오지 않았던 순간, 서준원은 말을 할 수 있었다.

'오늘 아침으로 시간이 되돌아간다고요?'

마치 도희의 마음을 읽은 것처럼, 그녀의 생각과 같은 말을 했었다.

"그럼 그 사람은 전조증상이 없는 거야……?"

물론 그가 직접 말해 주지 않는 이상 알 길은 없었다. 언제까지나 이렇게 침대에 앉아 사색에 빠져 있을 수는 없었기에 도희는 자리에서 일어났다. 서둘러 출근 준비를 마치고 차에 시동을 켠 후 비장한 자세로 액셀을 밟았다. 오늘은 고쳐야 할 일이 꽤 많기 때문이었다.

"진짜요? 서 팀장님이 약혼녀가 있었다구요?"

"그렇다니까? 내가 팀장님 전에 계시던 회사에 아는 사람이 있는데, 그 사람한테 직접 들은 거야!"

회사의 점심시간, 도희는 전날과 똑같은 말을 나누고 똑같이 행동하는 지예와 새봄 사이에서 묵묵히 식사했다. 어차피 전날 다 들은 얘기였기에 지루하게 배경음으로 깔릴 뿐이었다. 식사를 다 마치고 도희는 이전처럼 지갑을 들고 자리에서 일어났다.

"다 먹었으면 일어나자. 내가 커피 살게."

"우와, 과장님 최고!"

도희는 식당 문을 열고 선두로 나섰다. 곧 전날과 똑같이 저 멀리서 남자가 다급하게 쿵쾅거리며 뛰어왔다. 이제 저 남자가 지예와 부딪혀 문제의 USB가 야한 동영상이 든 남자의 USB와 뒤바뀔 차례였다.

"앗……!"

지예가 남자와 부딪히기 전에 도희는 그녀의 어깨를 감아 확 끌어당겼다. 순식간에 도희에게 폭 안겨진 지예는 심쿵당한 얼굴이 되었다.

"괜찮아?"

"……네. 저는 정말 과장님이 남자였으면 반했을 거예요."

"징그럽다, 얘. 끔찍한 소리 하지 마."

도희가 장난스럽게 받으며 지예의 어깨를 툭툭 두드렸다. 덕분에 엄청난 나비효과를 몰고 왔던 충돌사고는 발생하지 않고, 지예 또한 손끝 하나 다치지 않았다. 이로써 일단 한 건 해결이었다.

“그러면 이제 SNS PR 채널에 올라갈 홍보영상 시안을 시청하시도록 하겠습니다.”

USB는 뒤바뀌지 않았으니 본부장이 참관하는 PT 도중에 야한 동영상이 틀어지는 대참사도 당연히 일어나지 않았다. 성공적으로 PT가 마무리되고, 유 본부장은 양 대리의 발표가 꽤 마음에 들었는지 칭찬을 아끼지 않았다.

“이야, 양 대리! 오늘 PT 꽤 잘했는걸? 수고했어!”

“하하, 감사합니다. 본부장님!”

도희는 그 모습을 흐뭇하게 관망했다.

‘하여간 이래서 여자들이란 정신머리가 하나도 없어! 양 대리는 징계야, 징계!!!’

‘……죄송합니다. 죄송합니다.’

원래 운명대로라면 지예는 유 본부장에게 인격 모독을 당하고 눈물을 글썽였을 터였다. 전날의 모습과는 완전히 다른 훈훈한 광경에 도희의 마음은 뿌듯해졌다. 도희는 이렇듯 이 타임 루프 현상을 이용해 저 자신의 미래뿐만 아니라 주변인의 미래도 좋게 바꾸곤 했다. 물론 누가 알아주는 건 아니었지만, 그래도 다른 사람에게 불행이 닥칠 걸 알면서도 모른 체하고 관망하는 건 도희의 체질이 아니었다.

‘……근데 저 인간은 왜 저래?’

한 가지 맘에 걸리는 게 있다면 준원의 태도였다. 그는 양 대리가 발표하는 내내 심기가 매우 불편해 보였다. 서준원도 타임 루프 현상을 똑같이 겪고 있으니, 양 대리의 오늘을 바꾸어 준 사람이 자신이라는 것을 알 터였다. 결국 도희는 그의 심기가 불편한 이유를 찾지 못했고, 그대로 저녁이 되어 회식에 참석했다.

"오늘은 우리 상품기획팀 서준원 팀장의 환영회 겸! 우리 마케팅사업본부가 단합하는 자리니까! 오늘만큼은 신나게 먹고 마시자고!"

마치 나비효과처럼 도희가 아주 사소한 것 한 가지를 바꾸면, 그 이외의 것들이 연쇄적으로 줄줄이 영향을 받았다. 이전에는 울면서 회식에 불참하고 집으로 돌아갔던 지예지만, 오늘은 도희의 옆자리에 앉아 환하게 웃으며 회식을 즐겼다. 조금 시간이 지난 뒤, 도희는 전날 그랬던 것처럼 바람을 쐬기 위해 뒷골목으로 나왔다.

"……."

골목을 천천히 걸으며 주위를 둘러봤으나 전날과 달리 준원은 없었다. 그는 지금 이 반복되는 세계 속에서 유일하게 다른 행동을 할 수 있는 사람이었다. 즉, 예측이 불가능한 유일한 사람이었다.

"뭐야……."

왜 안 나와?

굳이 전날처럼 나와야 한다는 법은 없지만, 괜히 찝찝하고 기분이 별로였다. 도희는 한숨을 쉬며 구둣발로 바닥의 돌을 찼다. 작은 조약돌은 떼구루루 굴러 멀리도 날아가더니 이내 매끈한 검은 구두에 가로막혀 움직임을 멈추었다.

"아……."

도희가 고개를 천천히 들어 올리자, 준원의 서늘한 눈매가 보였다. 어떠한 감정 한 조각 담기지 않은 표정에 도희가 저도 모르게 마른침을 삼켰다. 왜 아까부터 묘하게 심기가 불편해 보이는 건지 알 길이 없다. 도희는 그의 집요한 눈빛을 견디기가 어려워 시선을 떨어뜨렸다.

"뭐 하는 겁니까?"

그 순간 묵직한 음성이 고막에서 진동했다.

"……뭐가요, 갑자기?"

"지금껏 나처럼 타임 루프를 계속 겪어왔으면, 시간의 반복에 빠졌을 때 빠져나가는 방법을 모르지 않을 텐데요."

"네. 알죠. 처음과 똑같이 행동하는 것."

무언가를 바꾸려고 시도하지 않고, 처음과 똑같이 하루를 보냈을 때는 정상적으로 시간이 흘렀고 내일은 왔다.

"잘 알면서 왜 그러는 거예요?"

"그러니까 뭐가요? 말 꼬지 마시고 제대로 말해 주세요."

"왜 어제와 똑같이 행동하지 않았냐는 뜻입니다."

준원의 말에 도희의 동공이 흔들렸다.

"백 과장은 오늘 이전과 다른 행동을 했고, 그 영향을 양지예 대리가 받았습니다. 이러면 분명히 오늘은 또다시 반복되겠죠. 내일은 오지 않을 거라는 뜻이에요."

고저 없이 서늘한 목소리가 도희의 가슴을 얼어붙게 했다. 갑자기 바뀐 그의 분위기에 당혹감이 몰려왔다.

"……갑자기 왜 이렇게 태도가 차가워진 건지는 모르겠지만, 난 원래 타임 루프가 일어나도 똑같이 행동 안 해요."

준원의 미간에 희미한 실금이 그려졌다.

"이 현상은 나한테 오답 노트나 마찬가지예요. 과거로 돌아가서 잘못된 걸 고칠 기회를 얻는 거잖아요."

물론 운명을 어긴 대가로 그 하루를 무수히 반복해야만 했다. 하지만 그건 도희에겐 그다지 큰 형벌이 아니었다. 영원히 반복되는 것도 아니었고, 적게는 3번에서 많게는 30번까지 랜덤하게 하루가 반복될 뿐이었다.

"신이 주신 축복인데 내가 왜 놓쳐요?"

미래를 바꿀 수 있는 대가로 이 정도면 아주 훌륭한 거라고 도희는 늘 생각해 왔었다.

"설마 지금까지 살면서 계속 이전과 다른 행동을 해 왔습니까? 미래를 좋게 바꾸겠다는 목적으로?"

하지만 준원은 아니었다. 개척적인 성격의 도희와 달리 준원은 현실적인 성격이었다. 하루를 세 번 이상 반복하는 것을 끔찍하게 여겼기에, 무조건 전날과 똑같이 행동해 최대한 빨리 내일이 오게 만드는 방식으로 20년을 살아왔다.

"네. 전 그랬어요."

"하루가 계속 반복되고 내일이 오지 않아도, 백도희 씨는 상관없나 보죠?"

"영원히 반복되는 건 아니잖아요."

도희는 준원의 예민한 반응이 당혹스러울 뿐이었다.

"전 지금까지 하루가 최대로 많이 반복된 게 30번 정도였는데, 인생이 완전히 뒤바뀌는 대가면 그 정도는 참을 만한 거 아니에요?"

"남들 하루 사는 걸 한 달이나 반복하고 참을 만하다고요?"

준원은 생각만으로도 끔찍하다는 듯 미간을 좁혔다. 매일 같은 말, 같은 행동을 반복하는 사람들 사이에서 또 같은 하루만 서른 번을 반복한다니.

"그런 짓을 대체 왜 하는 겁니까?"

싸늘한 한기에 도희의 심장이 얼어붙었다.

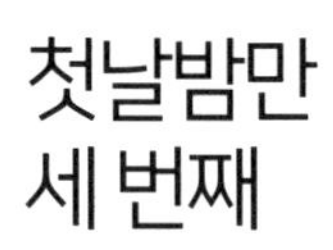

VOL. 1

Three First Nights

CHAPTER 3

신이 내린 축복, 또는 저주

3

신이 내린 축복, 또는 저주

냉기 서린 말에 도희의 살갗에는 서리가 이는 듯했다.

"그냥 똑같이 행동하면 이틀째에 끝날 타임 루프를, 왜 사서 무한 반복을 만드냐는 뜻이에요."

"내 운명은 내가 선택하는 거니까요!"

도희는 오기로 목소리를 높였다.

"10번이고 100번이고 반복해서라도 완벽하게 하루를 보내고 싶으니까. 내 미래는 내가 개척해 나가는 거니까요!"

"백도희 과장."

도희의 마음이 싸하게 얼어붙었다. 전날 이 시간, 이 자리에서 준원은 원래 도희에게 키스하려고 했었다. 하지만 오늘 그의 표정은 얼음장처럼 차가웠고, 이것 또한 낮에 도희가 일으킨 사소한 변화가 불러온 나비효과였다.

"내가 제대로 말하지 않았나 본데, 난 하루가 반복되는 걸 끔찍이 싫어하는 사람입니다."

"……."

"타임 루프가 신이 주신 축복이라고 했나요?"

도희의 눈꺼풀이 전날처럼 파르르 경련했다. 물론 그 이유는 완전히 달랐다.

"나한텐 신이 내린 저주입니다. 지겹다 못해 역겨운 저주."

헛숨을 토해 낸 도희가 입술을 깨물었다. 피가 날 듯 씹은 입술은 누가 보더라도 상처받은 표정이었다. 하지만 준원은 그것과 관계없이 계속 자신의 말을 이어갔다.

"이유는 모르겠지만, 우리가 같이 시간을 공유하게 되면서부터 타임 루프가 동시에 발생하고 있습니다. 즉, 한 명이라도 다른 행동을 하면 시간은 계속 반복된다는 뜻이에요."

1년 전 선을 본 날에도 그랬다. 준원은 늘 처음과 계속 똑같이 행동했지만 4번이나 그 하루를 반복해야만 했다. 이유는 도희가 '준원을 만나러 가지 않는다'는 다른 행동을 했기 때문이었다.

"한쪽이 다른 행동을 하면 그 피해를 다른 한쪽이 고스란히 같이 겪는다고요. 알겠어요?"

도희는 생각지도 못한 부분이었다.

"이제 혼자 타임 루프를 겪을 때와는 다릅니다. 꼭 처음하고 똑같이 행동해 주세요. 나도 그렇게 할 테니까."

쏟아지는 혼란스러움에 도희는 눈을 질끈 감았다가 떴다. 숨이 틀어막힌 듯 속이 답답했지만, 꿋꿋이 참고 입술을 벌렸다.

"……싫습니다."

도희는 성공만이 인생의 목표인 여자였다. 밑바닥에서 혈혈단신으로 시작해 혼자 힘으로 여기까지 올라온 것은 타임 루프가 없었다면 불가능할 일이었다.

“저는 지금까지 이걸 이용해서 똑같은 하루를 수십 번이고 반복하며 고쳐 살아왔어요. 그 덕분에 여기까지 성공할 수 있었고요.”

준원은 별다른 응답 없이 무표정으로 도희를 응시할 뿐이었다. 두 사람 사이에는 한 차례의 소용돌이가 지나간 뒤처럼 깊은 침묵이 내려앉았다. 이내 도희는 그 공백을 뚫고 입을 열었다.

“서 팀장님.”

도희의 눈동자가 준원을 꿰뚫을 듯 주시했다.

“지금까지 자기 일만 챙겨서 살아왔죠?”

준원의 입가가 미세하게 떨렸다.

“팀장이면 팀장답게 아래 애들 실수 감싸주고 고쳐 줄 줄도 알아야 팀장이죠. 본인 하루 며칠 반복하는 거, 그거 싫다고 양 대리한테 일어날 불행을 그냥 모른 체하자고요?”

“잘못된 영상을 튼 건 양지에 대리 실수입니다. 본인 실수를 없었던 일로 만들 이유, 나에겐 없습니다.”

냉정한 말에 도희의 미간이 형편없이 구겨졌다.

“그리고 그만한 그릇에는 그만한 미래가 와야 정당한 겁니다. 능력도 안 되고 실수 연발인데, 그걸 백 과장이 고쳐 줘서 더 나은 미래가 오면, 오히려 그게 부당한 거 아닙니까?”

도희는 이제야 그와 자신은 사고방식부터가 완전히 다르다는 것을 깨달았다. 그가 예전에 제게 말했던 것처럼, 감정이 결여된 그는 공감 능력도 떨어지고 연민도 느낄 수 없는 것이었다. 그런 그에게 도희의 행동은 이해가 안 될 수밖에 없었다.

“팀장님. 저는 7살 때 처음 타임 루프 현상을 겪고 23년간 이렇게 살아왔습니다. 일어날 불행을 알면서도 외면하고 모른 체하는 거 내 스타일 아니에요."

"……."

"여태 이렇게 살아온 걸, 이제 와서 팀장님한테 피해가 가니까 하지 말라는 건……."

도희는 목을 꼿꼿하게 들고 한 마디, 한 마디 힘주어 말했다.

"받아들일 수 없습니다."

타들어 가는 속을 감추고 단언하자 준원의 눈매가 더욱 차가워졌다. 도희는 주먹을 꽉 움켜쥐고 대답을 기다렸으나 그는 말이 없었다. 더 기다리기를 포기한 도희는 곧바로 차갑게 뒤를 돌았다. 그리고 그 뒤로 들려오는 음성은 더욱 냉랭했다.

"상사 명령이라고 해도 말입니까?"

가슴을 전부 얼려 버릴 만큼. 그 말에 들끓던 도희의 내부가 찬물을 끼얹은 듯 서늘해졌다. 아프게 데고 타들어 간 가슴에 돌연 엎질러진 냉수는 잿더미밖에 남지 않은 그녀의 마음을 더욱 초라하게 만들었다.

"……재수 없어."

도희는 준원을 흉흉히 노려보며 씹듯이 뱉었다. 곧장 상가 안으로 들어가 쾅, 하고 문을 닫았다. 계단을 올라가는 내내 눈가가 욱신거리고 입에서는 험한 말이 고였다.

"이기적인 놈……."

기어코 상사 명령이라는 소리까지 들었다. 도희의 속은 그의 말을 되새길 때마다 더욱 쑥대밭이 되어가고 있었다. 서준원과 얽힌 후 눈에 띄게 유약해진 자신의 마음이 너무도 싫었다. 이제껏 어떻게 살아왔는데, 겨우 이런 일로?

'상처받지 마, 백도희.'

속으로 몇 번이고 그 말을 되뇌었다.

'상처받지 말라고!'

도희는 따갑게 욱신거리는 눈가를 거세게 질책했다. 그런데도 어쩔 수 없이 밀려오는 억울함에 입술을 세게 악물었다.

"짜증 나……."

마음에는 굳은살이 생기지 않는 게, 그게 너무도 억울해서 견딜 수가 없었다.

지금으로부터 20년 전, 준원이 13살일 때. 화가였던 준원의 어머니 전희선은 준원의 아버지 서윤건과 별거를 했었다.

두 사람에게 이렇다 할 불화가 있었던 것은 아니었다. 희선은 작품에 몰두하기 위해 늘 자신의 작업실에 틀어박혀 집으로 돌아갈 생각을 하지 않았고, 준원의 아버지도 그런 그녀에게 집으로 돌아오라고 강요하지 않았기에 자연스럽게 별거가 된 것이었다. 평소에는 아버지의 집에서 지내던 준원은 가끔 희선이 부를 때만 작업실에 가서 그녀와 시간을 보내고는 했다.

"준원아."

희선은 알 수 없는 말을 자주 하던 사람이었다.

"화가 뭉크는, 늘 고독과 죽음을 가깝게 여겼다고 해……."

어린 준원이 알아듣기에는 너무도 어려운 이야기들이 대부분이었다. 준원은 무슨 말이냐며 고개를 갸웃했지만 희선은 계속해서 말을 이었다.

“예술을 하는 사람들은 어쩔 수 없는 건가 봐. 늘 죽음과 가까운 곳에서 고독과 싸우는 거야.”

희선은 붓을 쥔 손목을 돌리며 덤덤한 음성으로 속삭였다.

“스스로 삶을 포기한 사람들은, 죽고 싶어서 죽은 게 아니라…….”

“…….”

“살고 싶지만 살아야 할 의미를 찾지 못해서 죽는 거란다.”

아직 중학교도 가지 못한 13살 아이가 알아듣기에는 너무도 어려운 이야기였다.

“미안해, 준원아.”

그런데도 준원은 그 말의 뜻을 알아들었어야 했다고, 수십 년을 두고두고 후회했었다. 심지어는 서른이 넘은 지금까지도…….

“…….”

잠시 시야가 암전됐다가 다시 정신을 차린 준원이 눈을 떴다. 영 기분이 뒤숭숭하고 언짢았다. 오랜만에 어머니의 꿈을 꾼 탓인지, 아니면 조금 전 도희와 싸운 후 얼마 지나지 않아 또 시간이 앞으로 거슬러 온 탓인지 알 수가 없었다.

자신의 침대에 누워 하얀 천장을 멍하니 바라보던 준원이 깊게 한숨을 내쉬었다. 천천히 상체를 일으켜 시간을 확인한 그의 입가가 서늘하게 굳었다. 9월 28일 월요일 아침. 전날에 이어 세 번째 반복되는 9월 28일이었다. 또 시간이 아침으로 되돌아간 걸 두 눈으로 확인한 준원의 얼굴이 공허해졌다.

"……."

그렇다. 준원에게도 노력하면 미래가 바뀔 거라고 믿었던 때가 있었다. 이 타임 루프 현상은 더 나은 미래를 그릴 수 있도록 신이 주신 기회라고. 그렇게 생각했던 때가 있었다. 하지만 결국 바뀌는 건 아무것도 없었다. 지긋지긋하게 하루가 반복되는 이 현상은 그저 신의 질 나쁜 농간일 뿐이었다.

세 번째 9월 28일. 도희는 두 번째 9월 28일에서 그랬던 것처럼 지예의 불행을 막아 주고 그녀의 미래를 바꾸어 주었다. 물론 명백히 준원의 경고를 무시한 행위라는 것을 알았다. 그리고 이건 전날 준원이 한 경고에 대한 대답이기도 했다.

그는 그 대답을 잘 알아들었다는 듯, 더는 도희에게 예전과 같은 온기를 내비치지 않았다. 서로 한마디도 말을 섞지 않고 그렇게 또 한 번 하루가 반복되었다.

찬 바람이 몰아치는 싸한 분위기 속에 네 번째 9월 28일 월요일이 지나고, 드디어 다음 날인 9월 29일 화요일은 왔다. 여느 때와 다름없이 일상을 보내고 퇴근한 도희는 저녁도 먹지 않고 책상에 앉았다. 현재 상황을 분석하고 정리하기 위해 노트 하나를 펼치고 펜을 쥐어 들었다.

"그러니까…… 서준원과 내가 만나기 전에는 타임 루프가 각자 따로 일어나서 상관이 없었는데."

도희는 노트에 현 상황을 간단하게 도식화했다.

"우리가 얽힌 이후로는 왜인지 동시에 타임 루프가 일어난다는 거지……."

도희가 작게 중얼거리며 미간을 좁혔다.

"즉, 내가 미래를 바꾸겠다고 처음과 다른 행동을 하면, 운명을 어긴 대가로 하루를 계속해서 반복하게 되는데……."

도희는 노트 정중앙에 써놓은 그의 이름에 동그라미를 반복적으로 쳤다.

"이제는 그 책임을 서준원, 그 남자도 같이 겪는다, 이거지……."

도희는 한숨을 푹 내쉬었다.

"이걸 어쩐다……."

답이 나오지 않는 수렁에 빠져 버린 기분이었다.

준원과 도희의 사이는 점점 더 악화되어 갔다. 업무상 필요한 대화가 아니면 피차 아예 말을 섞지 않았다. 완전히 남남으로 돌아선 채로 2주라는 시간이 흘렀다. 도희는 차라리 잘된 일이라고 생각하며, 굳건하게 마음을 잡으려고 노력했다.

그렇게 찾아온 10월 14일, 수요일 아침. 출근한 도희는 지하 주차장에 차를 주차하고 또각또각 걸어 엘리베이터로 향했다.

"아, 잠시만요."

근처로 가자 이미 활짝 열려 있는 엘리베이터 문이 보였고, 도희는 같이 타기 위해 양해를 구하고 발걸음을 빨리했다. 그러나 엘리베이터 근처로 도착하자마자 문은 닫히기 시작했다.

"……."

도희의 눈동자가 뒤흔들렸다. 그 닫히는 엘리베이터 문틈으로 무표정한 서준원을 보았기 때문이었다. 아무런 감정이 담기지 않은 까만 동공과 마주치자마자 엘리베이터 문은 쾅, 닫혔다.

"……하."

저거 뭐야……?

순간 울컥한 도희는 태어나서 처음 느끼는 생소한 감정에 온몸이 떨렸다. 정수리부터 발끝까지 서늘해지는 것이, 생전 처음 느끼는 종류의 분노였다. 그렇게 굳은 듯 서 있던 도희는 한참이 지나서야 겨우 정신을 차렸다.

불쾌한 기분 속에 시간은 억겁처럼 흐르고 오후가 되었다. 경영지원실장과 유현록 본부장은 도희가 팀장 대행일 때 실무과장을 맡았던 프로젝트 관련으로 회의를 하기 위해 준원과 도희를 호출했다.

"외부 PT는 백 과장이 하는 거로 하시죠. 미인계 전략으로, 하하하."

어김없이 지랄발광하고 앉은 유현록 본부장의 망발에 도희의 표정이 살짝 굳었다.

"예쁘고 날씬한 우리 백 과장을 보면, 그쪽에서도 그냥 헤벌쭉해서 넘어올 수밖에 없을 거니까요, 하하! 그렇지?"

유 본부장이 도희를 보며 누런 이를 드러내고 웃었다. 도희는 억지로 입꼬리를 끌어올리며 눈웃음 지었다.

"하하, 그럴 리가요. 본부장님."

"왜에. 우리 회사 간판 미녀잖아. 우리 백 과장."

험한 욕설이 금방이라도 쏟아질 듯 혀끝에 고였다. 도희는 참기 위해 입을 꾹 다물고 더욱 환하게 웃었다. 안 그래도 더러운 기분에 아주 투포환을 던지고 앉았다.

"그래도 PT는 남자가 하는 게 더 신뢰가 가지 않겠어? 나는 서 팀장이 하는 게 좋겠는데."

그 와중에 옆에 있던 경영지원실장은 한마디를 툭 던졌다.

"하긴 그건 그렇죠?"

거기에 동조하는 유 본부장까지. 견딜 수 없을 정도로 화가 치솟은 도희는 가지런히 모은 다리 위에 다소곳이 올려놓은 손으로 제 허벅지를 쥐어뜯었다.

'내가 하면 미인계고, 서준원은 신뢰가 가고?'

맘 같아서는 박차고 일어나 쌍욕을 마구 퍼붓고 싶었다. 하지만 지금 이 자리에서 도희가 할 수 있는 것은 입꼬리가 아릴 정도로 예쁘게 웃는 것뿐이었다.

"그럼 PT는 우리 서 팀장이 하는 거로 하지. 준비 잘할 수 있지, 서 팀장?"

"네, 알겠습니다."

대답하는 준원의 목소리가 도희의 가슴에 날아와 아프게 박혔다. 밥 먹듯이 성희롱하는 유현록 본부장과 차별 발언을 아무렇지 않게 하는 경영지원실장보다, 가만히 있었던 서준원이 더 원망스러운 이유는 알 길이 없었다.

'내가 올 상반기부터 얼마나 공들인 프로젝트인데…….'

회의실을 빠져나와 사무실로 걸어가는 동안 도희의 머릿속은 엉망진창이었다.

'회사에서 7년을 근속한 나보다, 들어온 지 한 달 된 서준원이 더 신뢰가 간다, 이거지?'

그것도 남자라는 이유 하나만으로!

하여간 이 회사에는 대가리에 똥만 찬 것들만 득실득실했다. 억울해서 미칠 것 같은데 어찌할 도리가 없었다. 7년간 이런 일들을 숱하게 겪었으나 여전히 마음은 단단해지지 않았다.

도희는 크게 심호흡하며 제 앞에 걸어가는 서준원의 뒷모습을 노려보며 그를 따라 사무실로 들어갔다.

"남아현 씨는 어디에 있는 거죠?"

사무실을 들어서던 준원은 오랜 시간 비어 있는 남아현 인턴의 자리를 포착하고 지예에게 물었다.

"아, 그게…… 그, 아현 씨가 안 좋은 일이 있었는지……."

"몇 시간 동안 자리 비웠죠?"

준원이 지예의 말을 끊고 다시 질문했다. 우물쭈물하는 지예를 보며 건너편에 있던 하동현 대리가 콧방귀를 뀌었다.

"아까 점심시간부터 지금까지 계속 없었어요. 제가 업무 관련해서 쓴소리 좀 했더니 갑자기 울다가 가방 들고 집에 가던데요?"

"하 대리님!"

"뭐. 왜."

술술 고자질하는 모습에 지예가 일갈하자 하 대리는 불량스럽게 고개를 까딱거렸다.

"무단 조기 퇴근이군요. 알겠습니다."

그러거나 말거나, 준원은 서늘하게 한마디를 읊조리고는 자신의 자리로 가서 착석했다. 그 모습에 경악한 도희는 저도 모르게 입을 떡 벌렸다. 준원은 정확히 어떤 문제가 발생한 것인지 전후 상황을 알아볼 생각도 하지 않고, 그냥 기계처럼 원칙대로 처리했다. 어쩌면 저렇게 비인간적인 남자가 있을 수 있나 싶었다.

퇴근한 도희는 이언과 누리와 함께 치킨에 맥주를 마시며 하루의 스트레스를 풀었다.

"흐아……."

맥주를 원샷 하고 아저씨 같은 소리를 내는 도희를 보며 이언이 픽 웃었다.

"술이 그렇게 좋냐?"

"어. 적어도 너보다는 좋다."

"그래? 그것참 아쉽게 됐네."

난 네가 제일 좋은데……. 이언은 속으로나마 본심을 털어놓으며 맥주를 꿀꺽꿀꺽 마셨다.

"도희 너 오늘 기분 되게 안 좋구나?"

누리는 깔깔 웃으며 안주를 냠냠 주워 먹었다.

"혹시 서준원 씨 때문에 그런 거야?"

"……그러하다."

"역시. 으……. 난 진짜 너희 팀에 새로 왔다는 팀장이 그 사람인 줄은 전혀 몰랐다니까?"

"서준원이 누구야?"

누리의 말에 이언이 한쪽 눈썹을 찡그리며 물었다.

"나 1년 전에 선봤던 남자. 근데 알고 보니까 도희네 회사에 새로 온 팀장이 그 사람이라더라?"

"뭐? 새로 온 팀장이면, 얘 자리 뺏은 놈 아냐?"

이언의 말에 팩트 폭력당한 도희는 또다시 울컥했다. 있는 대로 치킨을 마구 뜯어 먹으며 술을 마셨지만 더러운 기분은 나아질 기미가 없었다.

그리고 그 축 처진 기분은 이언과 누리와 헤어진 후로도 계속되었다. 데려다준다는 이언의 호의를 단칼에 거절한 도희는 택시를 타고 귀가해 곧장 찬물에 샤워했다. 쏴아아아, 쏟아지는 물줄기에도 도희의 상념은 좀처럼 씻겨 내려갈 생각을 하지 않았다.

"……."

아침부터 저녁까지 온종일 불쾌한 일투성이였다. 하지만 더 짜증 나는 건, 퇴근해서 씻고 잠자리에 들 때까지 서준원의 생각을 버리지 못하고 있는 자신이었다.

"하아……."

침대에 누운 도희는 또다시 땅이 꺼지라 한숨을 내쉬었다.

'난 솔직히 말해서, 웬만한 일로는 화가 나지도 슬프지도 기쁘지도 않아요.'

문득 떠오른 것은 일전에 준원이 제게 털어놓았던 그의 약점이었다.

'그만큼 공감 능력도 현저히 떨어져서, 불쌍한 사람을 봐도, 심지어는 누가 내 앞에서 울고 있는 모습을 봐도 아무 생각이 들지 않습니다.'

……아주 딱 맞네. 그게 인간이야? 싸가지 네가지 바가지인 기계지!

도희는 이를 바득 갈며 이불을 퍽 걷어찼다. 그 반동에 이불이 펄럭이며 도희의 시야를 어둡게 가린 찰나였다. 정신이 흐릿해지며 몸에 힘이 빠지는가 싶더니, 돌연 눈앞이 핑글 돌았다.

"……아."

잠시 의식을 잃었다가 되찾은 도희는 빠르게 상황 파악을 하기 시작했다. 핸드폰을 주워 들어 시간을 확인하니 또 과거로 시간이 되돌아가 오늘 아침이 되어 있었다. 이전 타임 루프가 끝난 지 2주 만에 또다시 새로운 타임 루프가 시작된 것이다.

두 번째 10월 14일. 온종일 끔찍했던 하루를 처음부터 다시 살 생각에 막막했지만, 도희는 오늘로써 완전히 결심했다.

'나는 내 식대로 할 거야.'

지금까지 인간 백도희가 어떻게 살아남았는지, 서준원에게 똑똑히 보여 주겠다고.

도희는 전날보다 5분 더 일찍 출근해 빠르게 차를 주차하고 엘리베이터에 올라탔다. 조금 기다렸다가 서준원이 걸어오는 타이밍에 맞추어 닫힘 버튼을 눌렀다.

"……."

준원은 저가 오자마자 기다렸다는 듯이 닫히는 엘리베이터의 문틈 사이로 도희의 비웃는 얼굴이 보이자 헛숨을 터뜨렸다. 전날의 복수랍시고 저러는 모양인데, 유치해서 어이가 없을 뿐이었다.

물론 도희에게 그런 준원의 마음은 안중에도 없었다. 중요한 건 한 방 먹이는 데에 성공했다는 거였다. 상쾌한 기분으로 사무실에 들어온 도희는 또 오늘 해야 할 일을 생각해 보았다. 그러고 보니 전날, 그러니까 첫 번째 10월 14일에 남아현 인턴이 무단 조기 퇴근을 했었다. 지금은 저렇게 멀쩡하게 앉아 있는 아현이 무슨 일로 몇 시간 후 조기 퇴근을 하게 됐던 걸까?

'아까 점심시간부터 지금까지 계속 없었어요. 제가 업무 관련 쓴소리 좀 했더니 갑자기 울다가 가방 들고 집에 가던데요?'

그 순간 하동현 대리의 말을 떠올린 도희는 그 원인이 하동현 대리한테 있음을 직감했다. 도희는 볼펜을 딸각거리며 눈을 가늘게 떴다.

"야. 넌 왜 맨날 일을 이딴 식으로 하냐?"

몇 시간 후, 하 대리는 남아현 인턴을 불러내 불같이 화를 냈다.

"진짜 널 보면 내가 속이 답답해서 미칠 것 같아! 그냥 관두지 그러냐?"

마음이 여린 아현은 하 대리의 일갈에 울먹거리며 고개를 떨구었다.

"아니…… 대리님. 저…… 저는……."

"이게 또 울려고 그러네? 하, 참!"

하 대리는 들고 있던 서류를 아현의 눈앞에서 위협적으로 펄럭거렸다.

"하여간 기집애들은 툭하면 눈물이 무기지? 진짜 지겹다, 지겨워."

그대로 서류를 아현의 가슴팍에 팍 던지자 서류가 팔랑이며 바닥으로 추락했다.

"하 대리."

그리고 이 모습을 뒤에서 전부 보고 있던 도희가 싸늘한 얼굴로 다가왔다. 냉랭한 목소리에 하 대리가 흠칫했다.

"지금 뭐 하는 거예요?"

"아니, 그, 얘가……!"

"지금 뭐 하냐고 물었는데."

"……."

입사 동기고 나이도 어리지만, 엄연히 저보다 직급이 높은 상사였다. 하 대리는 입술을 꾹 깨물고 도희와 아현을 번갈아 보다가 짜증스레 제 머리를 헝클어뜨렸다.

"아이, 씨…… 내가 더러워서 진짜."

그는 '너 운 좋은 줄 알아'라는 표정으로 아현을 노려보고는 뒤를 돌았다.

"잠깐."

그러나 몇 걸음 걷지도 못하고 도희의 부름에 멈출 수밖에 없었다. 하 대리가 고개만 돌려 뒤를 보자, 도희는 흘끔 아래를 보며 턱짓했다.

"이거 가져가야죠."

하 대리가 던져 바닥에 널브러진 서류를 두고 하는 말이었다.

“내 말 안 들려요?”

하 대리가 움찔했다.

“주워서 그대로 가져가시라고.”

도희가 다시금 경고하자 자존심에 가만히 있던 그는 어쩔 수 없이 허리를 굽혔다. 서류를 주섬주섬 주운 하 대리는 아현을 한 번 째려보고는 그대로 씩씩대며 자리를 떴다.

“과장님…….”

아현은 빨개진 눈시울로 도희를 보며 울먹였다.

도희는 훌쩍거리는 아현을 데리고 함께 휴게 공간으로 향했다. 울음을 터뜨린 아현은 쉽게 눈물을 그치지 못했고, 그런 아현에게 도희는 따뜻한 차를 건넸다.

“좀 괜찮아?”

“네…… 죄송해요, 과장님. 흐윽…….”

차를 건네받은 아현은 코맹맹이 소리를 내었다. 그 옆에 다리를 꼬고 앉은 도희는 뜨듯한 차로 입가를 적셨다.

“앞으로는 눈물 쉽게 보이지 마. 그 순간 진짜 얕보이는 거니까.”

살면서 깨달았던 진리 중 하나였다.

“사람은 원래 다 그래. 만만하게 나가면 진짜 만만한 줄 알고 통째로 씹어 먹으려고 들어. 그냥 잰 내 밥이구나 싶은 거야.”

“네에…….”

아현은 손등으로 눈물을 벅벅 닦았다.

"과장님, 저요. 앞으로 절대 울지 않을 거예요. 그리고 실수도 절대 안 할게요……."

"또 바보 같은 소리 한다."

"네……?"

"인턴이 어떻게 실수를 안 해."

도희가 입꼬리를 말아 올렸다.

"나도 처음엔 실수 정말 많이 했어."

"과장님이요……?"

"응. 원래 실수도 하고 실패도 많이 해 봐야, 그게 거름이 돼서 나중에 성공하는 거야."

도희가 아현의 등을 톡톡 두드렸다.

"그러니까 실수하면 덮으려고 하지 말고 나한테 바로 말해. 그래야 내가 빨리 수습할 수 있으니까."

"네…… 감사해요, 과장님……. 진짜 진짜 감사해요!"

아현은 눈물을 마저 닦고 말간 얼굴로 웃었다.

"과장님은 정말 제 롤 모델이세요."

"……."

"저도 언젠간 과장님처럼 될 수 있을까요?"

아현의 말에 도희는 대답 없이 웃기만 했다. 갓 대학교를 졸업한 24살의 인턴이 저와 닮고 싶다는데, 거기에 대고 딱히 해 줄 말이 없었다. 오히려 속으로 아현에게 말할 뿐이었다. 나처럼은 되지 말라고. 이렇게 초라한 사람이 돼서는 안 된다고……. 그렇게 속으로 되뇔 뿐이었다.

"……."

한편, 준원은 이 모든 일을 뒤에서 도희 모르게 지켜보고 있었다. 잠시 가만히 서서 사색하던 준원은 이내 걸음을 옮겼다.

"백 과장."

보고할 서류를 정리하던 도희는 갑작스러운 준원의 호출에 놀랐다.

"회의 가기 전에 잠깐 나랑 얘기 좀 하죠."

"……네, 알겠습니다."

도희가 입술을 꾹 다물었다. 그가 무슨 말을 할지는 보나 마나 뻔했다. 원래 운명대로라면 오늘 울면서 무단 조기 퇴근을 했을 아현이 너무도 멀쩡한 모습으로 일하고 있었기 때문일 것이다. 또 왜 다른 행동을 해서 미래를 바꾸었느냐고, 따질 게 틀림없었다.

"이번엔 왜 그랬어요?"

아니나 다를까, 옥상으로 올라오자마자 준원은 나직한 음성으로 물었다.

"난 백 과장이 그렇게 이타심을 가진 사람인지 미처 몰랐군요."

"……."

"아니면 오지랖인가."

도희는 그 말이 비꼬는 듯이 들려와 기분이 팍 상했다. 숨을 뱉은 뒤 고개를 빳빳이 들고 준원을 똑바로 응시했다.

"이타심이 아니라 이기심 때문에."

"……."

"난 날 위해서 그런 거예요."

이해할 수 없다는 듯 그의 눈이 가늘어졌다.

"일어날 불행을 다 알고도 모른 척하는 내 마음이 편치 않아서. 그래서 그랬어요."

본래 이타심이라는 것은 모두 이기심으로부터 출발하는 것이었다.

"이 회사에서 여기까지 버티는 동안, 나도 상처 많이 받았어요."

도희가 시선을 내리깔았다.

"그래서 그 상처가 얼마나 아픈지 잘 아니까. 굳이 받지 않아도 될 상처를, 적어도 내 주변 사람들만큼은 받지 않기를 원하니까."

마음에는 굳은살이 생기지 않아서, 수없이 상처를 받아도 절대 무뎌지지 않았다.

"한번 마음에 난 상처는, 평생 지워지지 않아요."

미세하게 떨리는 음성이 준원의 귓가에서 진동했다.

"모든 걸 기억하고 상처받는 건……."

도희가 숨을 몰아쉬었다.

"나 하나면 충분해요."

그 말에 준원의 가슴 안에서 무언가가 요동쳤다. 겉으로는 아무런 변화가 없었기에 도희는 눈치채지 못했다. 그저 아무 말도 하지 않고 가만히 있는 준원을 뒤로하고 옥상을 떠날 뿐이었다. 홀로 남은 준원은 발목에 족쇄라도 채워진 사람처럼 한참을 그렇게 서 있었다.

1시간 후, 경영지원실장과 유현록 본부장, 도희와 준원은 회의실에 모였다.

"외부 PT는 백 과장이 하는 거로 하시죠. 미인계 전략으로, 하하하."

듣기 좋은 이야기도 늘 들으면 싫다는데.

"예쁘고 날씬한 우리 백 과장을 보면, 그쪽에서도 그냥 헤벌쭉해서 넘어올 수밖에 없을 거니까, 하하! 그렇지?"

듣기 싫은 개소리는 늘 들으면 100배로 역겨웠다.

"그럴 리가요. 본부장님,"

"왜에. 우리 회사 간판 미녀잖아. 우리 백 과장."

두 번째 듣는 헛소리에 속이 뒤집힐 것 같았지만 또 억지로 웃으며 연기했다. 이건 도희의 생존 방식이었다.

"그래도 PT는 남자가 하는 게 더 신뢰가 가지 않겠어? 나는 서 팀장이 하는 게 좋겠는데."

"하긴 그건 그렇죠?"

도희는 잇새를 꽉 깨물었다. 몇 번을 들어도 가슴에 멍이 남는 소리였다. 밀려오는 분노를 참기 위해 또다시 테이블 아래에서 손톱으로 허벅지를 쥐어뜯었다.

"……!"

그 순간 손등 위로 무언가 따스한 게 내려앉았다.

"저는 백 과장이 하는 게 좋다고 생각합니다."

준원이 도희의 손을 잡은 것이었다. 놀란 도희의 손에서 힘이 풀렸다.

"백 과장의 목소리는 차분하지만, 강약이 있어서 신뢰감을 주고, 또 프로젝트 책임자였으니까 업무 내용도 가장 잘 파악하고 있습니다."

몸에 생채기를 내던 작은 손은 커다란 손바닥 안에 감겨 어찌할 줄을 몰랐다.

"무엇보다도 백 과장은 위기대처능력이 뛰어나서. 프로젝트 관련 질문도 용이하게 받을 수 있습니다."

길쭉한 손가락이 제 손가락 사이사이로 끈적하게 밀려 들어오는 것을 느끼며 도희의 눈꺼풀이 가늘게 떨렸다. 테이블 아래에서 준원과 도희의 손이 은밀하게 뒤엉켰다.

"그래? 하긴 우리 백 과장이 똑 부러지지. 암."

툭하면 미인계니 뭐니 헛소리하는 인간들 틈에서, 제 외모가 아닌 점만 골라서 칭찬해 준 사람은 서준원이 처음이었다.

"그럼 PT는 백도희 과장이 하는 거로 픽스 하자고."

……왜 뜬금없이 감동 주고 지랄이야.

순간 눈앞이 핑 도는 바람에, 도희는 하마터면 눈물이 터질 뻔했다. 쿵쿵쿵쿵. 그늘진 테이블 밑에서 부드럽게 깍지 낀 손에 온갖 신경이 전부 쏠리는 듯했다. 원래 사람 손이 이렇게 따뜻했던가. 다정하게 손등을 문지르는 온기에 가슴이 촉촉한 물기로 함빡 젖었다. 심장이 거침없이 요동치기 시작했다.

그 누구보다도 미지근한 그에게 느껴지는 열기……. 그 무엇보다도 뜨거운 열기에 도희는 심장이 온통 녹아드는 기분이었다.

회의실을 나와 사무실로 향하는 동안, 도희는 준원의 뒷모습에서 시선을 떼지 못했다. 도희가 23년간 타임 루프에 대처해온 방식이 있듯이, 준원에게도 오랜 시간 유지해 왔던 자신만의 원칙이 있었을 터였다. 서른 넘은 성인이 수십 년간 지켜왔던 자신의 원칙을 어기고, 타인의 손을 들어 준다는 것은 결코 쉬운 일이 아니었다.

'피도 눈물도 없는 인간인 줄 알았더니…….'

새삼 준원을 다시 보게 되었다. 묘한 기분이 된 도희는 그가 잡았던 자신의 손을 물끄러미 보다가 느리게 주먹을 쥐었다. 다시 펼쳐진 손에 아직 남아 있는 그의 온기가 서서히 가슴으로 번져 갔다.

잠시 틈을 내어 옥상으로 올라온 준원은 재킷 주머니를 더듬어 담배 케이스를 찾았다. 하나를 꺼내 입에 물고 불을 붙이려는 찰나, 뒤에서 느껴지는 인기척에 멈칫했다. 흘끔 뒤를 본 준원은 저 멀리 서 있는 도희를 발견하고 담배를 도로 집어넣었다.

"나한테 할 말 있어요?"

재킷 안쪽으로 케이스를 완전히 밀어 넣은 준원은 옥상 난간에 삐딱하게 등을 기댔다. 저 멀리서 조금 쭈뼛거리던 도희는 애꿎은 제구두만 바라보며 입술을 씹었다.

"……그…… 아까는……."

기어들어 가는 소리로 중얼거렸다.

"……고마……워요……."

근 2주간 서로 말도 섞지 않는 냉전 상태였기에 여간 민망하고 쑥스러운 것이 아니었다.

"네? 뭐라고 하셨어요?"

"……."

"잘 안 들리는데 좀 가까이 오시죠."

준원의 말에 도희가 움찔했다. 이내 짧게 숨을 뱉고서 한 발짝 전진했다.

"……고마웠다고요."

나아간 만큼 더 작은 소리로 웅얼거리는 모습에 준원의 입술에서 바람이 샜다. 사실 처음부터 다 들렸지만, 답지 않게 쭈뼛거리는 모습에 좀 놀리고 싶어졌다.

"제 청력이 그렇게 좋지는 않아서. 딱 20데시벨만 더 높여서 말해 주시면 좋겠습니다."

"얼마요?"

"20데시벨."

어처구니가 없어 헛숨을 터뜨렸다.

"제가 무슨 소음 측정기도 아니고, 20데시벨이 얼마인지 어떻게 알아요?"

"그래요. 바로 지금 말하는 정도. 그 정도면 충분할 것 같습니다."

무의미한 시간 끌기 수준의 대화 끝에, 도희는 크게 심호흡했다가 침착하게 입을 열었다.

"그러니까…… 아까 조금…… 감동이었다고요."

"……."

"플랑크톤이나 박테리아 정도……."

작게 덧붙이는 말이 상상도 못 한 단어였기에 준원이 픽 웃음을 흘렸다.

"플랑크톤이나 박테리아는 좀 너무한 거 아닌가. 다른 거 없어요?"

이미 충분히 자존심을 굽히고 들어간 후였기에 도희는 쉽사리 입을 열지 않았다. 고집스럽게 일자로 다물어진 붉은 입술을 보며 준원은 어깨를 으쓱했다.

"말하기 싫으시면, 굳이 하지 않으셔도 됩니다."

미련 없이 뒤를 돌아 걸어가는 발걸음이 꽤 성급했다. 도희는 저를 지나쳐 옥상 문으로 향하는 그의 뒷모습에 대고 다급하게 소리쳤다.

"고마워요!"

우뚝 발걸음이 멈추었다. 도희는 겸연쩍게 말을 이었다.

"아까…… 그렇게 말해 줘서 고마웠어요."

원래의 운명대로라면 PT는 도희가 아닌 준원이 하게 될 터였다. 하지만 그는 중요한 순간에 '처음과 다른 행동을 하지 않는다'는 자신의 원칙을 어기고 도희의 손을 잡아 주었다.

'저는 백 과장이 하는 게 좋다고 생각합니다.'

나직한 음성이 귀를 울렸던 순간을 되새기며 도희가 흔들리는 시선을 내리깔았다.

"팀장님의 삶의 원칙을 어기고…… 제 손을 잡아 준 거잖아요."

도희는 조심스레 고개를 들어 올렸다.

"어려운 일이었을 텐데, 고마웠습니다."

아주 오랜만에 가식이 아닌 진심 어린 미소를 지었다. 만개한 꽃처럼 활짝 웃는 하얀 얼굴을 준원의 까만 눈동자는 한참을 가만히 담고 있었다. 표정 변화 없이 묵묵히 응시하던 그가 심드렁하게 한마디를 뱉었다.

"맨입으로?"

"……네?"

"아니, 고맙다고 말로만 때우는 건가 싶어서요."

기껏 용기 내서 한 감사 인사에 삐딱하게 나오자 기분이 상한 도희가 눈썹을 치켜들었다.

"그럼 뭐, 제가 여기서 주먹 물고 감동의 오열이라도 할까요?"

"그 정도는 아니어도, 걸맞은 보답을 치르시면 좋죠."

"……지금 괜히 건수 하나 잡았다고 이러시는가 본데, 저도 자존심 하나로 먹고 사는……."

"네, 본부장님."

이어지는 불평불만을 뚝 끊은 준원은 휴대전화를 들고 유 본부장과 통화하는 척을 했다.

"다름이 아니라, 아까 백 과장이 하기로 했던 외부 PT 혹시……."

"무엇을 원하십니까, 팀장님?"

도희는 빛보다 빠른 속도로 양손을 배꼽에 가지런히 모아 90도로 폴더 인사를 했다. 그 모습에 웃음을 터뜨린 준원이 핸드폰을 재킷 안에 넣었다. 뚜벅뚜벅 느릿느릿한 걸음걸이로 다가간 그가 도희의 앞에 가깝게 섰다. 자그마한 얼굴을 빤히 바라보며 길쭉한 검지로 제 볼을 톡톡 두드렸다.

"여기."

느닷없는 행동에 흠칫한 도희가 방어태세를 취했다.

"뭐예요?"

"여기 말이에요. 여기."

계속 자신의 볼만 톡톡 두드리며 무언가를 요구하는 준원의 모습에 도희가 황당한 표정으로 입을 떡 벌렸다.

"나 참, 어이가 없어서…… 회사에서 뭘 원하시는 거예요, 지금?"

볼에 뽀뽀해 달라는 사인으로 해석한 도희는 싸늘하게 항의했다.

“살다 살다 진짜 변태도 아니고…….”

“여기 볼에 속눈썹 떨어졌습니다.”

“…….”

뻘쭘해진 도희가 짧게 헛기침했다.

“어디요. 여기?”

손끝으로 제 볼을 더듬거리며 준원을 올려다보자 그가 비스듬히 허리를 굽혔다. 쪽, 짧은 마찰음이 귓가를 울린 것은 순식간이었다. 놀란 도희의 눈동자가 걷잡을 수 없이 커졌다. 준원이 굽혔던 허리를 세우며 한쪽 입꼬리를 들어 올렸다.

“난 받는 거보다 하는 걸 더 좋아하는 타입이라서.”

준원은 제 입술이 닿았던 도희의 뺨을 엄지로 문지르며 웃었다.

“이걸로 대신 받아 갈게요.”

넋 나간 듯 서 있는 도희를 스쳐 지나가며 유유히 옥상을 빠져나왔다. 뒤늦게 정신을 차린 도희의 얼굴이 화악 붉어졌다.

“진짜 저 정신 나간……!”

돌연 뽀뽀당한 뺨을 벅벅 닦으며, 도희는 옥상 문을 흉흉하게 노려보았다.

“뭐 저딴 인간이 다 있어, 진짜…….”

2주간 그토록 싸늘하게 대하더니, 갑자기 훅 들어와 사람을 미치게 했다. 언제는 폭주하듯이 끌어당기고, 또 언제는 저 멀리 밀어내고. 자꾸만 이랬다저랬다 하는 그의 심리를 도희는 도무지 이해할 수가 없었다.

“아…….”

하지만 그 무엇보다도 가장 거슬리는 것은, 아까부터 계속해서 고장 난 듯 뛰는 도희의 심장이었다.

혼란스러움 속에 일주일이 흐르고 어느덧 주말이 찾아왔다. 휴일을 맞아 어김없이 늘어지게 늦잠을 자고 있던 도희는 시끄럽게 울리는 전화벨 소리에 잠에서 깼다.

"여보세요……."

–야, 도희야! 도희야!

누리의 다급한 목소리가 귓가에 침입했다.

–너 혹시 오늘 뭐 해? 일 있어?

……뭐지. 이 묘한 데자뷔는……? 이상하게 불안감이 슬금슬금 밀려왔다.

"아니, 없긴 한데 왜?"

–아, 사실 엄마가 오늘 또 선 자리 잡아 놨거든. 무슨 철학과 교수라는데, 지금 내 썸남이 엊그제 내가 만들어 준 연어 덮밥 먹고 맛탱이가 가서…….

불안감은 점점 더 증폭하며 몸집을 비대하게 키웠다.

–입원까지 해야 한다는데, 내가 옆에 있어 줘야 할 것 같…….

"싫어!"

–뭐야, 끝까지 들어 보지도 않고?

"안 들어봐도 다 알지. 나 보고 대신 선 자리 나가 달라는 거 아니야?"

–오, 관심법?

“관심법이고 나발이고 난 싫어. 왜 또 나보고 나가래? 절대 싫어.”

도희는 작년의 기억이 스멀스멀 겹쳐지는 탓에 극구거절했다.

–엥? 왜 또야?

“뭐?”

–너 한 번도 나 대신 나간 적 없잖아. 지금까지 거절만 했으면서.

“…….”

말실수를 깨달은 도희가 속으로 아차, 했다. 타임 루프 때문에 준원과의 일은 없었던 일이 됐었기에 누리로서는 대신 나가 준 적이 한 번도 없는 게 맞았다.

–어쨌든, 오늘 나 대신 나가 주면 내가 꽃등심 쏜다!

“됐거든. 그놈의 꽃등심에 눈이 멀어서 일이 이렇게…….”

–아니, 그러니까 대체 무슨 소리를 하는 거냐니까, 아까부터?

“아 몰라, 관둬! 끊는다.”

–아, 잠깐잠깐! 스톱!

도희가 전화를 끊으려고 하는 순간 누리가 다급하게 그녀를 저지했다.

–그럼 이건 어때?

어딘가 의기양양한 목소리였다.

–네가 갖고 싶다던 자무스 한정판 신상 시계.

심드렁하게 침대에 누운 채로 전화 받던 도희가 천지개벽이라도 한 듯 놀라 벌떡 일어났다.

“……그거 국내에 안 들어올 예정이라며?”

–내가 너 갖고 싶다길래 지연 언니한테 부탁했더니, 언니가 어렵게, 어렵게 구해서 국내에 딱 한 개 들어올 예정이래.

"……한 개?"

세상엔 돈이 있어도 살 수 없는 게 있다. 친구 간의 우정, 사람 간의 사랑, 그리고…….

리미티드 에디션!

-어떡할래? 이건 네가 갖고 싶다고 해도 절대 못 구할 시계인데. 그렇지?

누리의 목소리가 그 어느 때보다도 사악하게 느껴졌다. 도희의 동공이 거칠게 흔들렸다. 물욕과 이성의 갈림길에 선 도희가 마른침을 꿀꺽 삼켰다.

"나…… 나는……."

물욕이 승리했다. 세계 유명 브랜드의 시계 수집이 취미인 도희는 자신의 황금 같은 토요일을 리미티드 에디션을 위해 바치기로 했다.

결국, 1년 만에 누리 대신 선을 보러 나온 도희는 약속 장소인 고층 레스토랑에 들어섰다. 대충 입구에서부터 테이블들을 스캔하니 아직 상대는 오지 않은 모양이었다. 먼저 안쪽에 자리를 잡고 있기 위해 걸어가는데, 웬 수염 난 아저씨가 슬그머니 접근해 왔다.

"연누리 씨?"

흠칫해 뒤를 돌아보니 아저씨가 수줍은 얼굴을 하고 웃고 있었다.

"연누리 씨 맞죠? 오늘 선보기로 한."

"아……."

……이 남자, 대체 몇 살이지? 나이를 가늠할 수 없이 추레한 행색

에 충격이 가시질 않았다.

“오우…… 생각보다 키가 아주 크시네요. 170도 넘으시겠어요.”

“…….”

“앞으로 저 만날 땐, 하이힐 신지 말고 운동화 데이트하기. 약속?”

핑클에 빙의라도 한 듯 두툼한 새끼손가락을 세우고 윙크하는 남자를 보며 도희의 동공엔 지진이 일어났다.

……뭔가 오늘 이 자리, 굉장히 불길하다.

한편 준원은 평화로운 주말에 날아든 아버지의 호출에 달갑지 않은 자리에 참석하게 되었다. 분기에 한 번 잡혀 있는 가족 모임이었는데, 준원은 아버지가 아직 살아 있는 탓에 지겹게 유지되는 허울뿐인 모임이 싫었다. 사실 모임이라고 할 것도 없는 게, 이 프라이빗룸에 모인 사람은 준원을 포함해 세 사람이 전부였다.

“어머, 우리 준원이는 어쩜 이렇게 날이 갈수록 멋있어질까?”

준원의 아버지인 서윤건이 새롭게 재혼한 여자, 이수연은 올해로 딱 마흔이었다. 머리부터 발끝까지 품격이 흘러넘치는 수연은 준원과 겨우 7살 차이였다. 고상한 말투와 은은하게 짓는 미소, 격 떨어지지 않는 복장. 그 어느 것 하나 우아하지 않은 데가 없는 여자였다.

“안 그런가요, 여보?”

물론 그녀는 준원의 아버지, 서윤건의 보여주기식 액세서리에 불과했다. 수연의 말에 대꾸도 하지 않고 무시하는 윤건의 태도만 봐도 알 수 있었다.

그러거나 말거나, 이런 상황이 몹시 익숙한 수연은 전혀 개의치 않고 부드럽게 미소를 유지했다. 윤건과 준원, 사이가 좋지 않은 부자는 만나서 식사의 절반을 먹을 때까지 한마디도 나누지 않았다.

"결혼은 대체 언제 할 생각이야?"

그 오랜 침묵을 먼저 깬 것은 윤건이었다.

"너도 알겠지만 이제 나한테 시간이 얼마 남지 않았다. 이건 너에게도 기회가 별로 없다는 뜻이야."

준원은 레스토랑에 들어서서 지금까지 입 한 번 열지 않고 묵묵히 식사만 하고 있었다. 그는 아버지가 뭐라고 말하든 전혀 관심이 없는 듯 보였다. 조금의 표정 변화도 없이, 대꾸하지 않고 기계처럼 식사만 하는 준원을 보며 윤건은 쯧쯧 혀를 찼다.

"들어 보니 유나 얼마 전에 한국 돌아왔다고 하던데, 그 애한테 연락받았었냐?"

"……."

"그쪽 집안에서는 아직 널 맘에 두고 있는 것 같던데."

윤건의 걸걸한 목소리가 더욱 낮아졌다.

"철없을 때 실수로 얻은 결혼이야. 신중하게 다시 생각해 봐."

경고 같은 말에도 준원은 꿈쩍하지 않았다. 마치 이 공간에 함께 있지 않은 것처럼 행동했다. 묵묵히 메인 디시의 절반을 먹은 준원은 포크를 내려놓고 자리에서 일어났다.

"전 이만 일어나겠습니다. 마저 식사하세요."

가족 모임이 시작된 뒤 준원이 처음이자 마지막으로 뱉은 말이었다. 그의 태도에 윤건은 깊게 한숨을 내쉬고는 지끈거리는 제 이마를 짚었다.

"이렇게 번듯하게 앉아서 식사하는 것도 이번이 마지막일 거야."
뚜벅뚜벅 멀어지는 아들의 뒷모습을 보며 윤건이 입을 열었다.
"병원에 한 번이라도 찾아와라. 이 아비 죽고 후회하려고 그러냐?"
그 말에 멈춰선 준원이 무표정하게 윤건을 보았다. 하지만 아주 찰나였다. 그는 아무런 대답 없이 자리를 떠났고, 윤건은 골치 아프다는 듯 고개를 내저었다.
"저놈 자식, 사람 되긴 글렀어……."
윤건의 옆에서 내내 미소 짓고 있던 수연이 풋 웃음을 터뜨렸다. 그녀는 손끝으로 제 입가를 가리며 소리 없이 히죽 웃었다.

"……그래서 장 자크 루소는 말했습니다. 우리는 모두……."
도희는 지금 폭발 1분 전이었다. 한강대학교 철학과의 최연소 교수라는 이 미친놈이 아까 만나서부터 지금까지 계속 철학 얘기만 지껄이고 있었기 때문이었다. 이건 마치 10년 전 스무 살 때, 멋모르고 신청했던 철학 강의를 듣고 자퇴할 뻔했던 때가 겹쳐지는 듯한 느낌이었다. 1시간도 넘게 주절주절 개소리를 듣는 건 성질에 안 맞았으나, 누리를 대신하여 나온 자리였기에 참고 또 참았다.
"즉, 요약하자면 루소는 인간의 불평등에 대해……."
"저 잠시 화장실 좀."
"아, 네! 다녀오세요."
더 앉아 있다가는 저 직박구리처럼 떠벌리는 입에 주먹을 꽂을 것만 같아 일단 피신하기로 했다. 아주 진절머리가 나 버린 도희는 서둘러 화장실에 들어와 숨을 돌렸다.

"하아……."

집에 24시간 박혀 있어도 모자랄 황금 같은 주말에 이게 웬 봉변인가. 시계에 눈이 멀었던 저 자신의 우매함을 탓하며 한숨만 폭폭 내쉬었다. 언제까지나 화장실에 박혀 있을 수는 없었으니 천근 같은 다리를 움직여 화장실 밖으로 나갔다.

"아……."

그런데 코너를 돌다가 갑자기 남자의 어깨에 콩, 얼굴을 부딪쳤다. 얼얼한 이마를 문지르며 고개를 빼근하게 들었다가 준원과 우뚝 눈이 마주쳤다. 놀란 도희의 입술이 툭 벌어졌다.

"팀장님……?"

복도에서 우연히 부딪힌 사람은 놀랍게도 서준원이었다. 그도 의외라는 듯 한쪽 눈썹을 들어 올렸다.

"팀장님이 여긴 무슨 일이세요?"

"전 여기 레스토랑에 약속이 있어서. 백 과장은요?"

"저……도 약속이 있어서."

살짝 움찔했던 도희가 능청스럽게 대답했다. 그러나 곧바로 경직될 수밖에 없었다.

"무슨 약속인데요?"

준원의 이어진 질문 때문이었다.

"……."

잘못한 것도 없는데 왜 괜히 죄를 지은 기분인가. 도희의 동공이 거칠게 흔들렸다.

준원의 질문에 도희는 동요를 감추고 차갑게 답했다.

"상사에게 사생활까지 보고할 의무는 없는 거로 아는데요. 전 일행이 기다리고 있어서 이만……."

차마 또 누리 대신 선보러 나왔다고 말하기가 창피했던 도희는 대충 얼버무리며 자리를 피했다. 복도를 가로질러 다시 레스토랑 문을 열고 안으로 들어가는데, 이상하게 뒤에서 묵직한 발걸음이 따라붙었다.

"오셨어요, 누리 씨?"

환히 웃으며 손을 휘적거리는 소개남의 수염이 흔들거리는 걸 보며 도희가 하하, 기계처럼 웃었다. 도살장에 끌려가는 돼지처럼 자리에 다시 착석하는데, 바로 옆 테이블에 누군가가 앉는 게 느껴졌다.

'저 인간, 왜 안 가고 옆에 앉아……!'

경악한 도희가 속으로 아우성쳤다. 바로 옆 테이블에 앉은 준원이 세상 자연스럽게 커피를 주문하는 것이었다. 온 신경이 그곳으로 다 쏠린 도희는 머리칼이 전부 쭈뼛 곤두서는 듯했다. 이 와중에 눈앞의 소개남은 장장 2시간에 가까워지도록 계속해서 철학 얘기만 떠들어 대고, 이게 웬 환장할 노릇인가 싶었다.

지이이잉. 혼돈 속에 나달거리는 중에 손에 든 핸드폰이 부르르 진동했다.

[들어보니 백 과장, 또 연누리 씨 대신 선보러 나온 건가 봐요.]

준원에게 날아 들어온 문자였다.

"……."

도희의 뒷덜미로 식은땀 한줄기가 주륵 흐르는 듯했다.

[소개팅이 취미이신가. 아니면 연누리 씨 대역이 그쪽 부업이에요?]

누가 봐도 비꼬는 문자에 발끈한 도희가 곧바로 답장했다.

[이번이 처음으로 대신 나와주는 거라고요!]

[저번에 나하고 선볼 때 나왔었잖아요. 연누리 씨 대역으로.]

[아니, 그건 타임 루프 때문에 없었던 일이 됐잖아요! 없는 거로 치는 거죠!]

[근데 이상형이 털 많은 남자인가 봐요. 저 수염 북슬북슬한 아저씨나 만나고.]

[웬 아저씨? 저 사람 팀장님하고 두 살밖에 차이 안 나거든요?]

[저렇게 수염이 많으면 분명히 가슴에도 털이 많을 겁니다. 매생이가 몇 뭉텅이는 있겠죠.]

[어쩌라고요!]

의도를 알 수 없는 문자였지만 저도 모르게 상상해 버렸다. 북슬북슬한 가슴 털이 뭉게뭉게 머릿속에 펼쳐지자 우웩, 헛구역질이 올라왔다.

"……따라서 저는 토마스 아퀴나스의 사상을 주로 언급하는 편입니다."

한창 도희가 문자로 열띤 대화를 나누는 동안, 그녀의 앞에서는 소개남의 열변이 꾸준히 이어지고 있었다.

"인간의 심리를 가장 잘 파악하고 있는 사상가 중 한 명이라고 생각하기 때문이죠."

"아, 그렇군요. 그것참 놀라운 일이네요."

미친놈. 전생에 무슨 죄를 지었길래 사방에 미친놈뿐인가.

“근데 연누리 씨는 어느 철학자를 가장 좋아하세요?”

혼자 흥분해서 웅변대회라도 나온 듯 연설하던 남자가 도희에게 드디어 질문을 건넸다.

“음…… 저는…….”

질문의 상태가 영 별로였지만, 일단 대답하는 게 예의였다.

“아리스토텔레스를…….”

“아, 아리스토텔레스! 고대 그리스의 가장 대표적인…….”

“제일 싫어해요.”

남자가 정색했다.

“……네?”

“아리스토텔레스 사상을 보면, 여성이 자연적으로 변형되었거나 불완전한 남성이라 주장하잖아요.”

도희는 얼빠진 표정을 짓고 있는 남자 앞에서 조곤조곤 이유를 대었다.

“무능력하며 무가치하다고. 그게 현대 여성의 관점으로는 아주 개논리로 보여서.”

“개논리라니요! 어떻게 그런……!”

경악한 남자가 게거품을 물고 노발대발했다.

“고대인의 사상을 현대인의 관점으로 해석하는 것은……!”

또 염병을 떨고 자빠진 남자 앞에서 목이 탄 도희는 물을 단번에 마셨다.

[저거 다 들으면 A+ 준답니까?]

그 순간 도착한 준원의 문자에 도희가 풋 웃음을 터뜨렸다. 크게 소리 내어 웃자 앞에서 열변을 토하던 남자가 움찔하며 말끝을 흐렸다.

"아, 죄송해요."

도희가 웃음을 갈무리하며 비스듬히 눈을 떴다.

"제가 헛소리를 들으면 웃는 습관이 있어서."

"……네? 아니, 말이 좀……."

"오케이, 거기까지."

그래, 이 정도면 백도희 성격에 오래도 참은 것이다.

"2시간 동안 공짜로 관심도 없는 철학 강의 대단히 감사합니다. 가문의 영광이고요."

도희는 빠르게 가방을 챙기며 왼쪽 손목을 톡톡 두드렸다.

"그쪽 스타일로 말해 보자면……."

미련 없이 자리를 털고 일어나며 눈웃음 지었다.

"벤저민 프랭클린의 명언이 있죠. 시간은 금이다."

"네? 아……."

"이만 일어날게요."

당황한 남자가 어버버거리더니 또각또각 멀어지는 도희의 뒤를 졸졸 쫓아왔다.

"잠시만요, 누리 씨! 제가 죄송해요. 제 관심사만 너무 오래 얘기해서 지루하셨죠?"

"네. 너무 재미없어서 환장할 뻔했어요."

"그…… 앞으로는 주의할게요! 저희 다음엔 언제 만날까요?"

다급해진 남자는 아예 도희가 가지 못하도록 레스토랑 문 앞을 막고 섰다. 느슨하게 팔짱을 낀 도희는 그런 그를 가만히 내려다보았다.

"아까 저한테 하이힐 신지 말라고 하셨죠?"

친절하게 덧붙여 주었다.

"이번 생엔 제가 좀 자유롭게 살고 싶어서, 다음 생에 키 커서 만납시다."

그럼, 하고 고개를 까딱인 도희는 뒤 한번 돌아보지 않고 레스토랑 밖으로 걸어 나갔다.

"아, 누리 씨! 잠시만, 저에게 기회를……!"

포기를 모르고 뒤쫓던 남자는 얼마 가지 못해 우뚝 멈추어 버렸다. 갑자기 커다란 키와 떡 벌어진 어깨를 가진 남자가 제 옆을 가로질러 도희를 따라갔기 때문이다.

수려한 얼굴과 눈이 마주치자 괜히 혼자 주눅 든 남자는 쭈뼛거리다가 뒤를 돌아 사라졌다. 도희는 남자가 떠나는 걸 확인한 뒤 안도의 한숨을 내쉬며 발걸음을 빨리했다. 그러나 이번엔 준원이 끈질기게 뒤따라왔다.

"왜 따라오세요?"

몇 걸음 가지 않고 멈춰선 도희가 따지듯이 물었다.

"따라간 적 없습니다. 나도 주차장 가는 길이에요."

"……."

하여간 사람 뻘쭘하게 만드는 데에 뭐 있다니까. 홱 앞으로 고개를 돌린 도희는 다리를 마저 움직였다. 빠르게 걷는다고 속도를 높여 다리를 교차했지만, 준원은 그 옆에서 여유롭게 주머니에 손을 꽂은 채로 걸음을 맞췄다.

"점심은 먹었어요?"

"지금 막 나온 곳이 레스토랑이잖아요."

"보니까 거의 못 먹은 것 같던데. 같이 밥 한 끼 할래요?"

준원의 제안에 도희는 심드렁하니 앞만 쳐다보았다.

"생각해 보니까 우리 매일 술만 마셨지, 밥을 먹은 적이 없더라고."

"싫습니다. 제가 왜요?"

"주말에 따로 만날 사람 없잖아요?"

"허."

어이가 없어서 다시 우뚝 멈춰선 도희는 준원을 올려다보며 따졌다.

"방금 내가 만난 건 사람 아니에요? 인면어처럼 생기긴 했어도 엄연히 사람이라고요."

"어쨌든 아까 그 철학자 때문에 밥도 제대로 못 먹은 것 같던데."

"철학자 아니고 철학과 교수예요. 그리고 저 밥 많이 먹었거든요?"

꼬르륵, 그 순간 타이밍 좋게 도희의 배에서 오묘한 소리가 울렸다. 여간 민망한 상황이 아닐 수 없었다.

"……."

"……."

두 사람 사이에 잠시 침묵이 이어졌다. 위기대처능력으로는 1등인 도희는 세상 뻔뻔하고 자연스럽게 말을 이었다.

"……그리고 방금 소화가 다 됐어요."

도희의 눈동자가 이리저리 구르다가 준원을 향했다.

"원래 밥은 먼저 먹자고 하는 사람이 사는 거 아시죠?"

준원의 입가에 옅게 웃음이 걸렸다.

"좋습니다. 뭐 먹고 싶어요?"

"음……."

가느다란 손이 금방이라도 소주를 원샷 할 것 같은 제스처를 취했다.

“곱창전골에 소주, 아니면 닭볶음탕에 소주. 오늘은 무조건 소주.”

“밥 먹자니까 왜 또 술이에요?”

준원의 한쪽 눈썹이 구겨졌다.

“답답하시긴. 파전 하면 뭐예요?”

“막걸리.”

“치킨 하면?”

“맥주?”

“그러니까.”

갑자기 퀴즈를 내던 도희가 씩 웃었다.

“딱 그런 느낌으로 이게 바로 세트잖아요.”

“……이심전심 퀴즈 할 정도로 우리가 친했나요?”

“안 친하니까 하는 거죠. 친절하게 설명까지 일일이 덧붙여서.”

확 뻗어진 하얀 검지가 준원의 얼굴 앞에서 우뚝 멈추었다.

“친해져 봐요, 설명은 무슨. 내 앞에서 맥도 못 추리지.”

“……지금은 사적인 모드 맞죠?”

“……모드라고 하지 마요. 기분 나쁘니까.”

비즈니스 외의 영역에서는 솔직하다는 말처럼 한 마디 한 마디가 직설적이다. 그게 그녀의 매력이라는 걸 아는 준원은 픽 웃음을 터뜨렸다.

근처 곱창전골 맛집으로 들어온 준원과 도희는 원형 테이블에 마

주 앉았다. 얼큰한 빨간 국물을 자랑하는 곱창전골이 팔팔 끓은 채로 서빙되고, 국물을 몇 번 떠먹던 도희는 문득 준원에게 물었다.

"근데 팀장님은 이제 진짜 선 안 보세요?"

"네. 안 봅니다."

그는 작년에 자신을 만난 뒤로부터 결혼이고 선이고 모든 걸 그만뒀다고 말했었다.

"진짜 이유가 뭐예요?"

"백 과장 때문이라고 전에 말했었는데."

도희가 불만스럽게 미간을 찡그리자 준원이 픽 웃었다.

"뭐, 사실 그것도 그렇고. 제 결혼에 대한 가치관과 완벽히 부합하는 여성을 찾기가 힘들기도 하고요."

"그…… 작년에 말했던 것처럼 아무것도 원하는 게 없는 여자?"

"네. 전 애정이나 사랑을 요구하는 게 질색이거든요. 여러모로 피곤해서."

"그럼 그냥 말로만 좋아한다, 사랑한다, 해 줘도 되지 않아요?"

"그렇긴 합니다. 사랑한다는 말만큼이나 검증할 필요 없이 뱉기 쉬운 말은 없으니까요."

준원은 느릿하게 팔을 뻗어 물잔을 들어 입가를 적셨다.

"하지만 사람은 자신의 말에 책임을 져야 할 필요가 있고, 나는 이 세상에서 나 외에 다른 누구도 책임질 생각이 없습니다."

타인의 생을 책임진다는 것은 굉장히 큰 용기가 필요한 일이었다. 도희도 항상 공감해 온 부분이었으나, 이상하게 오늘따라 그의 말이 단단한 벽처럼 느껴졌다.

"근데 작년에 결혼이 필요하다고 했잖아요. 이제 필요 없어요?"

"여전히 필요하고, 남은 시간도 없긴 합니다."

왠지 조금 껄끄러운 기분이 된 도희가 길쭉한 검지로 테이블을 톡톡 두드렸다.

"남은 시간이 없다는 게 무슨 뜻이에요? 아직 나이도 서른세 살밖에 안 됐고, 얼굴만 보면 20대 후반 정도로밖에 안 보이고, 직업도 확실하고, 집안도……,"

저도 모르게 줄줄 호평을 쏟아 내던 도희가 흠칫해 멈추었다.

"아. 오해할까 봐 말하는데 이건 칭찬이 아니라 평가. 객관적인 평가."

얼른 선을 그었다.

"약간 뭐랄까, 이건 갈색이다, 이건 흰색이다, 하는 수준의……."

"왜 변명해요? 난 아무 말도 안 했는데."

"……."

도희가 입술을 꾹 다물었다.

"아, 어쨌든 대답이나 하세요. 왜 시간이 없냐고요."

도희의 독촉에 준원은 무덤덤하게 답했다.

"아버지가 폐암 말기, 시한부 환자입니다."

도희의 심장이 철렁 내려앉았다. 상상치도 못한 대답이었다. 무슨 말을 해야 할지 몰라 애꿎은 입술만 달싹거리다가 어설프게 위로의 말을 건넸다.

"……마음이 안 좋으시겠어요. 아버지 떠나시기 전에 결혼해서 가정 이루는 모습…… 꼭 보여 드리고자 하는…… 그런 거죠?"

그는 의외로 인간미 있는 남자였다. 요즘 같은 시대에 보기 드문 효자…….

“재산 상속 때문에요.”

……가 아니라.

“제가 결혼만 하면, 저 원하는 대로 유언을 써 주신다고 하셔서요. 아버지 소유로 되어 있는 것 중에 갖고 싶은 게 있어서.”

……사탄이다. 웬만한 악마들도 오열하고 갈 사탄이야……!

“……사람이 참 한결같아요?”

“언제는 곰보다 여우로 사는 게 좋다면서요. 내 밥그릇 챙기는 게 죄는 아니잖아요?”

자신의 말을 들먹이며 대꾸하자 도희가 혀를 찼다. 대체 평생 뭘 먹고 자랐길래 이런 보통 아닌 남자가 된 걸까.

“그렇게 부모와 자식 간에도 밥그릇 챙기는 사람이 PT는 왜 내가 하게 해 줬을까?”

도희가 수저를 내려놓고 준원에게 불쑥 물었다.

“아니, 그렇잖아요. 외부 PT. 실장님이랑 본부장님 모두 팀장님한테 하라고 하는데, 갑자기 거기서 그 찬스를 나한테 돌리다니.”

처음에는 솔직히 감동이었으나, 이후로 계속 든 의문은 ‘대체 왜 그랬을까’였다. 곰곰이 생각을 해 봐도 그런 가치관을 따르고 있는 그가 확고한 자신의 원칙을 깨고 제 편을 들어 준 것이 이해가 되지 않았다.

“그 PT가 어떤 PT인데. 온갖 기업 회장님들부터 각종 인사 다 모이는 행사에 눈도장 찍을 엄청난 기회를…….”

도희가 말끝을 흐렸다. 준원의 까만 눈과 정면으로 마주친 탓이었다.

“글쎄. 왜 그랬을까.”

느슨하게 올라가는 시선이 도희의 얼굴을 더듬는 듯했다.

"나도 잘 모르겠네요."

사실 별다른 이유가 있었던 것은 아니었다. 그저 그 순간, 그녀가 상처받은 표정을 짓는 걸 보고 싶지 않았을 뿐이었다. 준원이 도희를 알고 그녀에게서 가장 많이 본 표정은 단 하나였다. 곧 눈물을 터뜨릴 것처럼 눈은 울고 있는데, 입은 환히 웃고 있는 모순적인 표정.

불행이 뚝뚝 묻어나는 그 표정이 자신 외의 다른 사람들이 보기에는 그저 상냥한 미소로 보인다는 것을. 무언가를 꾹 인내하고 있는 듯한 그 표정을 더 보고 싶지 않았을 뿐이었다.

"저, 솔직히…… 좀 좋았어요."

촉촉한 음성이 준원의 고막에 다가와 울렸다.

"타임 루프에서 벗어나는 방법이 나와 다르긴 하지만…… 어쨌든 이 세상에서 이 현상을 느끼는 게 나 하나만은 아니라는 거."

도희는 솔직한 자신의 마음을 털어놓았다.

"이 무한한 시간의 굴레에 갇힌 사람이, 나 말고 한 명 더 있다는 거."

도희가 부드럽게 미소 지었다.

"존재만으로도 위로가 된다고 해야 할까요."

"……."

준원의 가슴에서 무언가 묵직한 것이 울리는 듯했다. 그는 말없이 시선을 들어 도희를 응시했다. 둘 사이로 잠시 침묵이 내려앉았다. 뒤엉키는 시선이 꽤 어둑하고 치열했다.

"왜 하필이면 서준원 씨일까요?"

도희는 준원의 검은 동공을 똑바로 응시하며 한마디, 한마디 느리게 뱉었다.

"왜…… 이 많고 많은 사람 중에, 유일하게 같은 증상을 느끼는 사람이 그쪽인지."

도희답지 않은 질문이었다. 스스로도 그것을 알고 있었다. 물컵을 쥔 하얀 손끝이 잘게 떨렸다. 그 미세한 진동을 본 준원의 동공이 더욱 진해졌다. 뚫을 듯한 시선을 받으며 도희는 팽팽한 긴장감을 느꼈다.

"그건……."

그의 촉촉한 입술이 느리게 벌어졌다.

……그건? 살짝 긴장한 도희는 준원의 입술을 가만히 바라보았다. 그러나 곱게 다물어진 그의 입은 벌어질 듯 말 듯 애를 태울 뿐이었다. 그 순간 저음의 목소리가 찰나의 침묵을 깨뜨렸다.

"야, 백도희."

갑자기 뒤에서 나타난 이언이 도희를 부른 것이었다.

"어? 강이언……."

예상치 못한 인물의 등장에 도희의 눈이 커졌다.

"너 어떻게 여기 있어? 오늘 훈련 있다며."

"컨디션 조절하려고 취소했지. 그러는 넌 왜 여기 있냐?"

"뭐, 근처에 약속 있어서 왔다가 밥 먹으러 왔지."

이 식당은 이언의 집과 걸어서 10분도 되지 않는 가까운 거리에 있었다. 집 근처를 어슬렁거리던 이언은 우연히 도희가 낯선 남자와 밥을 먹고 있는 광경을 보고 들어온 것이었다.

"그런데…… 처음 뵙는 얼굴인데?"

이언은 살짝 경계하는 듯한 눈빛으로 준원을 바라보았다. 사실 밖에서부터 이게 가장 궁금했다. 대체 누구길래 주말에 단둘이 밥을 먹고 있는 건지. 평소 친구라고는 자신과 누리가 전부인 도희가 주말에 남자를 만나는 광경은 꽤 수상하게 느껴졌다.

"아, 우리 회사 팀장님. 인사해."

그 말에 이언은 도희의 팀장직을 뺏었다는 새 팀장이 준원임을 알아차렸다. 자연스레 입가가 굳으며 눈빛이 날카로워졌다.

'근데 왜 둘이 주말에 밥을 먹고 있는 거지?'

사이가 안 좋은 게 아니었던가? 알 길이 없었으니 일단 인사하는 게 예의였다.

"안녕하세요. 도희 친구 강이언입니다."

까만색 마스크를 길쭉한 검지로 내린 이언이 고개를 까딱했다.

"네, 반갑습니다. 서준원입니다."

준원이 손을 내밀어 악수를 청하자 이언이 그의 손을 탁 움켜쥐었다. 꽉 세게 힘을 주자 준원의 미간에 미세한 실금이 그려졌다.

"근데 강이언 씨면…… 예전에 백 과장이 취했을 때 데리러 온다고 하셨던 그 친구분이시군요."

준원은 이언의 악력을 느끼며 헛웃음 쳤다.

"그때 백 과장 대신 전화를 받았던 게 저였습니다. 배터리가 다 되어서 도중에 끊어졌지만요."

"아아, 그때 그분이셨군요……."

그때를 상기하니 이언은 다시금 분노가 몰려왔다. 술 취한 도희를 데리러 가는데 갑자기 웬 남자가 전화를 대신 받질 않나, 도중에 전화가 끊어지더니 이후로는 연락도 안 되질 않나. 그렇게 도희가 아침까지 외박했었던 걸 이언은 똑똑히 기억하고 있었다.

"그때 제가 어디냐고 물었을 때, 바로 위치를 말씀해 주셨으면 좋았을 텐데 말입니다. 오래도록 뜸 들이셔서 그 틈에 핸드폰이 꺼졌었죠."

얼굴은 웃고 있지만, 가시가 돋친 듯 뾰족한 말투였다.

"뭐, 누군지 확실히 파악도 안 된 상태에서 백 과장의 위치를 말하기엔 위험부담이 좀 있었거든요."

조금의 표정 변화도 없이 답하는 준원에 이언이 헛숨을 터뜨렸다.

"도희 핸드폰에 제 번호가 저장돼 있었으니 친구란 거 바로 아셨을 텐데요."

"라이언이라고 저장되어 있으시더라고요. 그것만 보고 친구라고 바로 판단을 내리긴 어려워서요."

이언은 어이없다는 듯 웃었다.

"그냥 제 목소리 듣고, 남자라서 전화 끊으신 건 아니고요?"

그렇게 말하며 이언은 마주 잡은 준원의 손을 터뜨릴 듯이 꽉 움켜쥐었다. 그사이에 낀 도희는 이상한 눈으로 준원과 이언을 번갈아 보았다.

"왜 둘이 계속 손잡고 있어요……?"

이해할 수 없다는 듯 물었으나 두 손은 떨어질 기미가 없었다. 도희는 괜히 어색한 기분이 되어 옆에 있는 물잔을 들어 입을 축였다. 곧 전쟁이라도 일어날 것처럼 팽팽한 분위기 속에 준원은 이언과 마주 잡은 손을 가만히 바라보았다. 부서뜨릴 듯이 손바닥에 힘을 준 탓에 이언의 구릿빛 손등에는 핏줄이 불뚝 솟아 있었다.

"그런데 초면에 실례지만 혹시 강이언 씨는……."

준원은 제 손을 옥죄어오는 힘을 느끼며 무표정한 얼굴로 무덤덤하게 물었다.

"백 과장을 좋아하십니까?"

푸웁. 놀란 도희가 마시던 물을 그대로 뿜어 버렸다. 그 옆에 당황한 이언의 눈동자가 뒤흔들렸다. 곧바로 손을 놓은 이언은 충격에 말을 더듬었다.

"무, 무슨……."

"제 손을 비이성적으로 세게 잡으시길래."

남자들 사이에서 악수할 때 손을 세게 잡는 것은 서로를 경계하는 신호로 쓰였다. 이언이 제 손을 꽉 붙잡는 동안 준원은 전혀 힘을 주지 않고 가만히 있을 뿐이었다.

"보통은 이렇게 나오면 똑같이 세게 잡겠지만, 저는 별로 그런 도발에 흥분하는 타입이 아니라서."

적수라고 생각하지 않는다는 뜻이었다. 이렇게까지 직설적인 사람은 처음이었기에 이언은 당혹감을 감추지 못했다.

"아, 아니…… 그런 의도가 아니라."

이언은 평정을 되찾으며 서둘러 변명을 늘어놓았다.

"오해입니다. 제가 운동선수라서 기본적으로 악력이 좀 세서 그런 것 같습니다."

"아, 어디서 많이 봤다고 했더니 역시. 강이언 선수 맞죠?"

"아, 네. 맞습니다. 알아보시는군요."

"저도 종종 골프 경기를 관람하거든요. 만나서 영광입니다."

이언은 준원이 자신을 알아보자 살짝 우쭐해졌다.

'하긴 모를 리가 없지.'

다시금 페이스를 되찾은 이언은 목을 가다듬고는 추가로 질문을 던졌다.

"그런데 혹시 그날, 도희 데리고 어디 가셨었어요?"

"그날이면…… 백 과장 취했던 날이요?"

"네. 만취했다는 애가 집도 안 들어오고 외박했길래요. 그때 같이 계셨잖아요?"

갑자기 3주 가까이 지난 일을 머리채 잡아끌고 들어오는 화법에 당황한 쪽은 도희였다. 당시에 제대로 대답해 주지 않았던 게 지금까지 계속 마음에 걸렸던 모양이었다.

"야, 그걸 왜 팀장님한테 물어보는……."

"호텔에 갔습니다."

준원의 짧고 간결한 답에 도희의 숨이 뚝 끊어졌다.

이런 미친……. 도희가 황당한 얼굴로 준원을 바라보았으나 그는 여전히 표정 변화 하나 없었다. 마치 뭐가 문제인지조차 알지 못하는 사람 같았다.

"……호……텔……이요?"

갑작스러운 폭탄선언에 이언의 얼굴은 울긋불긋 험악하게 일그러졌다. 이언의 꽉 쥔 거대한 주먹이 부들부들 떨렸다. 평소에는 심드렁하지만 도희를 건드리는 놈이 나타나면 일단 줘어 패고 보는 게 이언의 성격이었다. 그의 욱하는 성깔을 잘 아는 도희의 눈이 휘둥그레졌다.

"……어떻게 술 취한 부하직원을 데리고……!"

"이언아!"

커다란 주먹이 대뜸 휘둘러지려고 하자 도희가 황급히 그를 붙잡고 말렸다.

"그런 거 아니야! 진정 좀 해! 보는 눈도 많은데 여기서 소란 일으켰다가 어쩌려고!"

"지금 진정하게 생겼어? 이 자식이 널 건드렸다는데?"

"아무 일도 없었어!"

"뭐?"

"그때 갑자기 비가 오는 바람에 옷이 젖어서 어쩔 수 없이 그렇게 된 거야!"

또박또박 사실을 짚으며 같이 해명하라는 듯 준원을 쏘아보았다.

"그렇죠, 팀장님?"

"……."

"안 그런가요, 팀장님?"

말 한 마디 한 마디에 힘을 주며 압박했으나 준원은 아무 말도 없이 팔짱을 낀 채 묵묵부답이었다. 빨리 대답하라는 무언의 협박 같은 눈빛에도 그는 그저 어깨를 한 번 으쓱할 뿐이었다.

"……제가 오해했다면 죄송합니다. 정중하게 사과드리겠습니다."

언행 불일치의 표본을 보여 주는 듯, 그렇게 말하는 이언의 표정은 더없이 흉악했다.

"하지만 일부러 그렇게 말씀하신 것 같다는 생각을 지울 수가 없는데……."

그 앞에서 태연하게 앉아 있는 준원을 똑바로 바라보며 이언이 말을 이었다.

"혹시 우리 도희 좋아하십니까?"

기겁한 도희가 자리에서 일어나 이언의 팔을 잡아끌었다.

"야, 너 왜 자꾸 무례하게……!"

"아니요."

단호한 준원의 대답에 도희의 눈동자가 커졌다.

"좋아하지 않습니다."

흔들리는 동공으로 준원을 바라보니 아무런 감정도 드러나 있지 않은 얼굴이 시야에 들어왔다. 그런 그를 가만히 바라보는 도희의 입술 끝이 미세하게 떨렸다. 그러나 아주 잠깐이었다. 감정을 감추는 데에 능숙한 도희는 곧바로 제 얼굴에 드러난 동요를 지웠다.

"……."

무표정한 도희를 보며 준원은 길쭉한 검지로 테이블 위를 톡톡 두드렸다. 그의 눈가가 고요하게 좁아졌다.

차를 몰고 집으로 돌아가는 동안 준원의 머릿속은 각종 상념으로 가득 차 있었다. 갑작스러운 친구의 난입으로 인해 대답하지 못했던 도희의 질문이 아직도 귓가에 쟁쟁했다.

'왜 하필이면 서준원 씨일까요?'

……글쎄.

'왜…… 이 많고 많은 사람 중에, 유일하게 같은 증상을 느끼는 사람이 그쪽인지.'

왜 무수히 많은 사람 중, 타임 루프를 함께 겪고 있는 여자가 하필 너인지. 왜 무의식적으로 그런 너에게 끌렸었던 건지…….

준원은 그 대답을 찾아낼 수가 없었다. 현상은 그 자체로 존재할 뿐, 의미는 부여하기 나름이었다.

"……이상해."

지금껏 태어나서 단 한 번도 타인의 기분을 고려해 본 적이 없었는데. 다른 누군가가 상처를 받든 말든, 그건 나와 관계없는 얘기라고 생각했는데…….

참 이상하게도 그 여자만은 예외로 작용했다. 그녀의 상처받은 얼굴을 보고 싶지 않아 행동했던 것은 결과적으로 이타적인 행위였다.

'이타심이 아니라 이기심 때문에. 난 날 위해서 그런 거예요.'

그 순간 준원의 머릿속으로 파고드는 것은 도희가 얼마 전 옥상에서 그에게 했던 말이었다.

'일어날 불행을 다 알고도 모른 척하는 내 마음이 편치 않아서. 그래서 그랬어요.'

이타심은 이기심으로부터 비롯된다는 말……. 그녀의 말대로라면 이런 마음도 이타심이라고 할 수 있는 걸까.

'혹시 우리 도희 좋아하십니까?'

이언의 질문을 다시 떠올린 준원이 픽 헛웃음 쳤다.

"우리 도희는 무슨……. 정작 그 여자는 맘에도 없는 것 같은데 혼자 삽질하긴."

첫 등장부터 좋아하는 티를 팍팍 내는 꼴이 우습고 거슬렸다. 좋아하는 마음을 들켰다가는 친구 관계도 끝난다고 생각해 고백도 못해 보고 옆에 붙어 있는 게 불 보듯 뻔했다.

"……맘에 안 드는 놈이네."

유쾌하지 않은 기분이었다. 무엇이 심기를 상하게 했는지 단언할 수는 없었다. 하지만 많은 것 중 가장 준원의 심기를 자극한 것은. 조금 전 도희를 좋아하지 않는다고 말한 순간, 아무런 표정 변화도 없이 무표정했던 그녀였다.

녹초가 되어 집에 도착한 도희는 꽤 날이 서 있었다. 빠르게 샤워를 마치고 침대에 누울 때까지도 한번 상한 기분은 풀리지 않았다.

'좋아하지 않습니다.'

누워서 천장을 바라보는 도희의 귓가로 아까 준원이 했던 말이 계속해서 맴돌았다.

'좋아하지 않습니다.'

한 번, 두 번, 세 번, 계속해서 되풀이되니 짜증이 몰려왔다.

'좋아하지 않습니다.'

"하, 누군 좋아하는 줄 알아?"

먹은 음식이 제대로 얹힌 듯이 속이 답답했다. 벌떡 자리에서 일어나 서랍장을 뒤져 소화제를 두 알 삼켰다.

"하……."

왜 이렇게 기분이 더럽지? 왜 이렇게 짜증이 나는 거지? 도희는 작게 주먹을 쥐고 제 가슴을 쿵쿵 두 번 두드렸다. 그러자 문득 떠오르는 것은 그가 1년 전 선 자리에서 했던 말이었다.

'나도 내가 다른 사람을 책임지거나, 사랑할 수 있는 위인이라고 생각하지 않으니까요.'

분명히 도희도 그렇게 생각하고 있었다.

'타인의 마음을 보려고 하지 않는 건, 비겁해 보일지는 몰라도 아주 속 편한 일입니다.'

당시에는 그것이 현명하고 영리한 것으로 생각했고 물론 지금도 변함이 없었다. 그런데 왜 마음이 이렇게 답답한 건지…….

"짜증 나……."

그와의 관계는 늘 경계에 서서 아슬아슬 외줄 타기를 할 뿐이었다. 서로에게 끌려 하룻밤을 보냈지만, 더 이상 관계를 진전시킬 마음은 피차 없었다. 그래서 이 불필요한 관계의 고리를 끊어 내기 위해 없었던 일로 하자고 했었으나, 그는 그 제안을 강경하게 거절했었다.

"언제는 자기 인생이 늘 0 아니면 1이라면서, 이게 뭐냐고. 0.5도 아니고……."

물론 맞는 말이다. 도희는 분명 그를 좋아한다고 볼 수 있는 단계까진 아니였고, 준원도 표면적으론 그녀를 좋아하지 않았다.

"대체 나랑 뭘 어쩌고 싶은 거냐고……."

서준원. 그는 속마음을 드러내는 법이 없고 늘 일정 선을 지키는 남자였다. 멀어지면 당기고, 가까워지면 밀어내고. 자신의 영역에는 절대 침범하지 못하게 하면서, 떨어지지도 못하게 곁에 가두어 두었다. 늘 미지근한 태도에 감정의 기복도 거의 없고. 입은 웃는데 눈은 전혀 웃고 있지 않았다. 마치 감정의 출구를 찾아 헤매다가, 너무 오랜 세월이 지나 버린 탓에 감각이 무뎌진 것만 같았다.

그리고…… 그래서인지 조금 안쓰러운 남자였다.

"……."

겉은 꽉 차 보이지만 실제로 열면 아무것도 없는 깡통. 긴 세월 동안 그 안으로 들어가고 싶어 하는 여자가 얼마나 많았을지는 불 보듯 뻔했다. 아마 한 트럭은 진입을 시도하다가 실패하고 상처받아 밀려났을 터였다.

"나라고 다르지 않을 것이고……."

물론 애초에 도희는 그 남자와 더 깊은 관계를 원하지 않았다.

"그러니까 여기까지가 끝인 거야."

아니, 끝이어야 해.

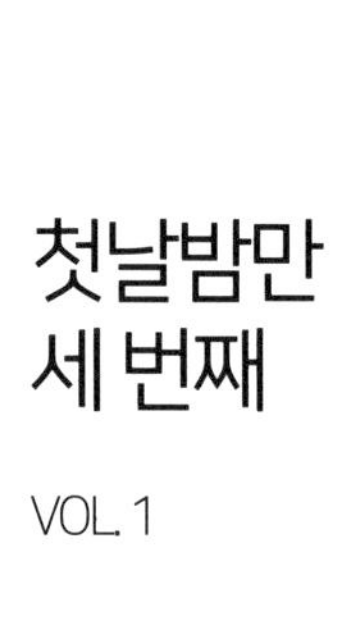

첫날밤만 세 번째

VOL. 1

Three First Nights

CHAPTER 4

건전한 키스

4

건전한 키스

월요일 아침, 눈을 뜨자마자 시간을 확인한 도희가 까무러쳤다.

"아, 미쳤다. 지각이다!"

직장 생활 7년 근속에 지각 한번 해 본 적 없는 성실의 아이콘에 금이 가는 소리가 들려왔다. 엄청난 속도로 침대에서 벗어난 도희는 머리를 대충 하나로 질끈 묶고, 얼굴에도 손에 잡히는 대로 아무거나 찍어 발랐다.

"아, 이거 차 끌고 가면 오히려 지각이겠는데."

막히지 않으면 30분 정도 걸리는 거리였지만 출근 시간이 겹치면 1시간은 기본이었다. 할 수 없이 지하철을 타기로 한 도희는 서둘러 준비를 마치고 밖을 나섰다. 운 좋게 자리가 나서 앉은 채로 출근하는데, 다리가 불편해 보이는 학생이 안으로 들어섰다.

"학생, 여기 앉아요."

"아, 감사합니다!"

도희가 자리를 양보하자 학생이 배시시 웃었다. 사실 이것 역시 타인을 위한 배려가 아닌, 다리가 불편한 학생 앞에 앉아 있기 껄끄러울 스스로를 위한 배려였다. 그런데 학생은 꽤 감동이었는지 슬그머니 비타민 음료 하나를 건넸다.

"고마워요. 잘 마실게요."

정신은 좀 없지만 어쨌거나 꽤 뿌듯하게 시작하는 일주일의 시작이었다. 우려와는 다르게 넉넉히 지각을 면하고 회사에 도착했다. 엘리베이터에 올라타자 월요일 아침에도 빈틈없는 모습의 준원이 보였다.

"팀장님. 안녕하세요."

"네, 안녕하세요."

덜컹, 문이 닫히고 좁은 엘리베이터 안에는 단둘이 되었다. 딱히 유쾌한 사이는 아니었기에 도희는 꽤 어색하고 껄끄러운 기분에 휩싸였다. 고요해진 공간에서 준원은 계속해서 도희를 흘끔거리며 눈치를 보았다. 시선을 느낀 도희가 그를 올려다보자 준원이 입을 열었다.

"저기…… 백 과장."

"네?"

"그…… 저번 주말에……."

저번 주말?

"내가 백 과장 친구분한테, 백 과장 좋아하지 않는다고 했었던 거 말이에요."

"아……."

무슨 얘기를 하려고 저렇게 뜸을 들이나 했더니 주말 내내 도희를 심란하게 했던 그 사건에 관한 이야기였다.

"사실 잘 생각해 보니까……."

준원이 말꼬리를 길게 늘이며 도희를 똑바로 응시했다.

"좋아하는 거 맞습니다."

"……네?"

도희의 표정이 한 대 얻어맞은 듯 멍해졌다.

"아니, 좋아합니다. 백도희 씨."

"……네에에?!"

뭐, 뭐지……?! 대체 지금 이 미친놈이 뭐라고 하는 거지? ……좋아한다고? 지금 이 인간이 나한테 좋아한다고 했어……?!

느닷없는 고백에 당혹감에 빠져든 도희의 동공에 지진이 일어났다. 무슨 상황인지 채 파악하기도 전에 시한폭탄 같은 그의 고백은 계속해서 이어졌다.

"백 과장."

"네?"

"나는 이제 이 솟구치는 사랑을 더는 숨길 수가 없어요."

"네……?!"

미…… 미친…….

"사, 사랑이요?"

"그대의 아름다운 눈동자에 빠져들고 싶은데 허락해 줄래요?"

"근데 말투 왜 그래요……?"

당황한 도희가 뒷걸음질 치자 등 뒤로 엘리베이터의 벽이 턱, 하고 닿았다.

"아!"

쿵, 하고 커다란 손바닥이 벽을 짚어 도희를 구석에 가두자 놀란 그녀가 까무러쳤다. 돌연 벽치기를 당한 도희의 눈알이 튀어나올 듯이 휘둥그레 뜨여졌다.

“나의 이 불같은 열정이 그대를 활활 불타게 할지라도…….”

“아니, 그러니까 말투 왜 그러냐고요!”

“이제 확실히 내 마음을 알아 버렸으니 더 이상 물러나지 않겠습니다.”

“아니요, 물러나! 물러나요, 빨리!”

“그대의 앙증맞은 입술에 입을 맞추어도 될까요?”

“하지 마요! 미친놈아! 하지 므……읍.”

갑자기 제 입에 맞닿은 말캉한 입술 때문에 말을 채 이을 수 없었다. 한 치의 틈도 없이 맞물리는 입술 사이로 준원의 과감한 침입이 이어졌다. 회사 엘리베이터에서 일어나는 일이라고 믿을 수 없는 청소년 관람불가 등급의 키스에 도희의 이성은 완전히 날아가 버렸다.

머리 위의 CCTV가 노골적으로 불을 밝히고 있는데도 준원은 전혀 신경 쓰지 않는 듯했다. 1년 전이나 지금이나 그는 장인 정신이 돋보이는 출중한 키스 실력을 자랑하고 있었다. 이 정도면 국가에서 인간문화재로 공인을 해 줘야 하는 수준…… 응? 근데 이 엘리베이터 왜 도착을 안 하는…….

“……!”

흠칫한 도희는 화들짝 놀라 잠에서 깼다. 등 뒤에 맞닿은 푹신한 침대의 감촉과 시야를 채우는 하얀 천장이 이 모든 게 꿈이었음을 알려 주었다.

"미친……."

잠결에 입술을 쭉 내밀고 있던 도희는 살짝 마중까지 나간 제 혀끝을 집어넣으며 욕설을 뱉었다.

"백도희 이 미친……!"

창피함에 얼굴이 화악 붉어졌다. 이불을 미친 듯이 발로 차며 침대를 떼굴떼굴 굴렀다.

"그냥 나가 죽어라!!!"

사춘기도 아니고 살다 살다 직장 상사 상대로 야한 꿈을 꾸다니!

그것도 그 '서준원'을 상대로!

"무슨 욕구불만이냐고……!"

인생이 너무 바쁘니까 욕구를 해소할 여유조차 없었고, 비연애주의였기에 당연히 잠자리도 작년에 서준원과의 밤이 마지막이었다.

"아무리 그래도 이건 아니잖아!"

완전히 멘탈 붕괴 상태에 접어든 도희가 마구 발광하다가 쿵, 바닥으로 떨어져 엉덩방아를 찧었다.

"아……. 아파."

얼얼한 골반을 문지르며 고개를 들어 올리자 시야에 들어온 것은 벽에 걸린 네모난 시계였다.

"미쳤다. 지각이다."

놀란 도희는 자리에서 벌떡 일어나 욕실로 뛰어갔다. 빠르게 샤워를 마친 후 머리를 질끈 묶고 대충 주워 입은 복장으로 집 밖을 나섰다. 자가용으로 가면 십중팔구 지각일 것 같아서 지하철에 올라탄 순간, 도희는 다시금 오묘한 기분에 휩싸였다. 꿈에서 본 학생과 똑같이 생긴 학생에게 자리를 양보해 주었더니, 비타민 음료를 주는 게 아니던가.

'뭐지……?'

분명히 꿈에서도 이러지 않았나?

도희는 묘하게 간밤의 꿈과 겹쳐지는 상황들에 미간을 좁혔다.

'설마 예지몽은 아니겠지…….'

23년간 타임 루프 현상을 겪었는데 이제는 예지몽을 꾼다고 해도 이상하지 않을 것만 같았다. 그렇게 회사에 도착해서 엘리베이터에 올라탔는데, 정말 꿈에서처럼 서준원이 타 있었다. 괜히 제 발 저린 도희가 움찔했다가 주춤주춤 죄인처럼 안으로 들어섰다.

"안녕하세요……."

"네, 안녕하세요."

세상 어색한 인사에 준원은 평소와 다름없이 답했다. 도희는 엘리베이터의 가장 구석에 틀어박혀 두 눈을 부릅뜨고 서서히 올라가는 층수만 노려보았다.

"저기, 백 과장."

그때 준원이 돌연 도희를 불렀다. 화들짝 놀란 그녀의 눈동자가 커졌다.

"네?"

"저번 주말에 내가 백 과장 친구분한테, 백 과장 좋아하지 않는다고 했었던 거 말이에요."

꿈과 똑같이 이어지는 상황에 도희가 꿀꺽 마른침을 삼켰다. 그렇게 말하는 준원의 입술이 오늘따라 유난히 촉촉해 보였다. 꿈에서의 야릇한 키스가 계속해서 겹쳐지자 도희의 눈동자가 파르르 떨렸다.

“사실 잘 생각해 보니까…….”

서…… 설마…….

“좋아하는 거 맞습니다.”

진짜 예지몽이었냐! 도희의 사고가 완전히 정지했다.

‘지금 저 인간이 나한테 좋아한다고 말한 거야?!’

말도 안 되는 일이 벌어졌다. 혹시 또 꿈을 꾸고 있는 게 아닌가 싶었으나 엄청난 속도로 뛰고 있는 제 심장으로 미루어 보아 현실이 분명했다. 순식간에 토마토처럼 붉게 달아오른 도희는 저도 모르게 제 입을 가렸다. 꿈에서라면 이 뒤에 준원이 갑자기 키스를 퍼부었기 때문이었다.

“사람 대 사람으로, 또 직장 동료로서 꽤 좋아합니다.”

“……네?”

“괜찮은 사람이라고요. 백 과장은.”

“…….”

머리를 한 대 얻어맞은 기분이었다. 멍하니 눈만 껌뻑이던 도희는 곧바로 잠시 집 나갔던 정신줄을 다잡았다.

“아……하하.”

어색하게 웃으며 당황한 기색을 지우려고 노력했다.

“네, 뭐. 그럴 수 있죠.”

뻣뻣하게 굳은 도희의 말투는 인공지능처럼 부자연스러웠다. 때마침 타이밍 좋게 엘리베이터 문이 열리고 도희는 꾸벅 고개를 숙였다. 홧홧하게 달아오른 제 얼굴을 손으로 누르며 빠르게 화장실로 직행했다.

“하…….”

세면대에 서자 거울에 보이는 것은 우스꽝스럽게 상기된 자신의 모습이었다. 도희는 서둘러 손부채질하며 곤두선 신경을 진정시켰다.

"대체 뭐 하는 거냐, 나. 바보같이."

복잡미묘한 감정이 몰려오며 기분이 이상해지기 시작했다. 사람 대 사람으로, 또 직장 동료로서 좋아한다는 것. 별것도 아닌 말에 혼자 지구가 무너진 듯 동요하고 말았다.

"이게 다 그 망할 꿈 때문에……!"

간밤의 꿈을 상기하며 입술을 으득 깨물었다. 서준원과 엮이면 어김없이 매번 흑역사만 생성하는 도희였다 .

"너 주말에 서준원 씨랑 둘이 밥 먹었다며?"

도희의 숨이 우뚝 끊겼다. 안 그래도 그 남자 때문에 심란한데, 퇴근하고 저녁이나 같이 먹자고 부른 연누리마저도 서준원 타령이었다.

"네가 그걸 어떻게 알아?"

"강이언이 그러던데? 우연히 만났다고."

"아…… 맞아. 주말에 네 선 자리 대신 나갔었잖아. 거기에서 우연히 만나서 그냥 한 끼 했어."

대수롭지 않게 설명했지만 누리는 표정은 꽤 음흉하게 바뀌었다.

"야, 솔직히 말해 봐."

"뭘?"

"뭐 있지, 너희?"

"있긴 뭐가 있어? 아무것도 없어."

"웃기시네. 딱 봐도 있는데 어디서 발뺌이야?"

"뭐래……."

도희가 헛숨을 터뜨리며 티슈로 입가를 닦았다.

"그날 잤지, 서준원 씨랑?"

"야, 미친……!"

흠칫한 도희가 휘둥그레진 눈으로 누리를 노려보았다.

"어우, 눈빛 봐. 완전 사람 죽이겠네?"

"……."

"아니면 아닌 거지 왜 이렇게 오버야. 더 수상하게?"

그 말에 도희가 뜨끔했다.

"서른 먹어서 남자랑 잔 게 흠도 아니고."

누리가 어깨를 으쓱하며 말을 이었다.

"난 늘 남자랑 자고 싶어. 24시간 자고 싶어."

"……미쳤냐?"

"왜? 자고 싶다고. 누구든 괜찮으니까 잘생기고 몸 좋고 성병 없고 신원 확실한 남자랑."

도희가 한숨을 내쉬며 고개를 절레절레 내저었다. 하여간 어떻게 된 게 주변에 정상이 없다. 속이 타서 물잔을 집어 들어 입가로 가져다 댔다.

"그래, 이를테면 서준원 씨."

푸읍. 도희는 그대로 마시던 물을 전부 뿜어 버렸다. 이, 미친……. 입가에 흐르는 물을 훔치며 누리를 쏘아보자 세상 음험한 미소가 보였다.

"어머, 우리 도희가 서준원 씨 얘기만 하면 반응을 하네?"

"……이게 진짜……."

"몸이 막, 막 이렇게 뜨거워지니?"

누리가 자신의 가슴께를 터치하며 변태 같은 표정을 짓자 도희의 머릿속에 떠오르는 것은 간밤의 엉큼한 꿈이었다. 그리고 이어지는 것은 아직도 생생한 1년 전 그날 밤의 기억…….

"야. 당분간 그런 얘기는 좀 자제해 줘."

몸서리치며 고개를 내저었다.

"연누리 너는 남자 얘기 지겹지도 않냐? 그만하고 다른 얘기 하자."

"남자 얘기 말고 무슨 얘기? 옆집 누렁이 발정 난 얘기라도 할까?"

"그것도 수컷이잖아. 싫어."

"……너희 공공장소에서 대체 무슨 이야기를 하는 거냐?"

황당한 대화의 흐름을 끊고 침입한 것은 이언의 목소리였다.

"뭐야, 강이언 왔냐? 못 온다더니?"

"요즘 컨디션이 영 별로라 당분간 쉬기로 했어."

이언이 발로 의자를 빼낸 뒤 털썩 앉았다.

"뭐? 너 대회 코앞인데 괜찮겠어?"

"안 괜찮으면 어쩌겠어. 슬럼프인데."

"하긴 그건 그렇지."

심드렁한 이언의 대답에 도희는 고개를 끄덕이며 술잔을 건넸다.

"차 끌고 와서 안 마신다. 이 알코올 중독자야."

"……그래, 고맙다. 이 골프 중독자야."

불만스럽게 답한 도희가 당근을 하나 집어 와그작와그작 씹었다.

"야야, 어쨌든. 빨리 더 썰 풀어 봐."

호기심 어린 누리의 눈동자가 반짝였다.

"주말에 서준원 씨랑 밥 먹고 뭐 했어? 어디 갔어?"

그리고 그 옆에 더 강렬한 관심을 불태우는 사람은 이언이었다. 그는 관심 없는 척 심드렁하니 팔짱을 끼고 있었지만 사실 청각에 온 신경을 곤두세우는 중이었다.

"뭘 뭐해? 그냥 우연히 만나서 밥 먹고 그대로 헤어졌어. 그사이에 강이언 만난 거고."

"에이, 재미없다. 난 뭔가 있을 줄 알았는데."

"야. 그 사람 우리 팀 팀장이야. 어디 큰일 날 소리를……."

단호하게 치는 철벽에 슬그머니 몰래 웃는 쪽은 이언이었다. 느슨하게 턱을 괸 누리는 아쉽다는 듯 입맛을 다셨다.

"아, 서준원 씨. 네 회사 팀장님만 아니었으면 확 꼬셔 보는 건데."

도희가 움찔했다.

"하긴 뭐, 그 남자가 내가 꼬신다고 넘어올 타입이 아니지, 절대."

방송계에 몸담을 정도로 예쁜 얼굴과 늘씬한 몸매, 빠지는 구석 없이 빵빵한 집안을 가진 누리는 가만히 있어도 남자들이 줄을 섰다. 그런 그녀가 대놓고 자신이 오를 언덕이 아니라고 말하는 남자는 처음이었다.

"대체 무슨 타입이길래?"

"음, 그 사람은 뭔가……."

이언의 질문에 누리가 말꼬리를 길게 늘였다.

"인간미가 없어. 온기가 없이 딱딱한 느낌? 속을 알 수 없는 되게 어려운 타입이야. 보나 마나 여자들도 한 트럭은 울렸을 거 같고."

사교적으로 많은 이들과 부대끼는 직업이었기에 누리의 사람 보는 눈은 꽤 예리했다.

"한마디로 말해서, 되게 나쁜 남자 같은 타입이랄까?"

확실히 서준원은 늘 차분하고 속을 알 수 없는 남자였다.

"넌 어떻게 생각해, 도희야?"

이제껏 어떤 삶을 살아왔길래 그런 사람이 된 건지, 평생 빈틈 하나 없는 그의 마음에 들어갈 수 있는 여자가 한 명이라도 있기는 할지…….

"몰라. 관심 없어, 난."

물론 도희와는 전혀 상관없는 일이었다.

"나 화장실 좀 갔다 올게."

의자를 끌며 자리에서 일어난 도희는 화장실로 향했다. 그런 그녀의 뒷모습이 시야에서 사라질 때까지 이언은 멍하니 바라보았다.

"야."

그때, 누리의 목소리에 이언이 흠칫했다.

"너 요즘 완전 티 나."

"갑자기 뭐가?"

"도희 좋아하는 거. 이제 숨길 생각도 없지, 너?"

그 말에 이언의 심장이 철렁했다. 순식간에 구릿빛 얼굴이 새빨갛게 달아올랐다.

"얘, 얘가 무슨……."

당황한 이언이 말을 더듬었다.

"뭔 미친 소리냐? 취했냐? 누가 누굴 좋아해……? 내가? 내가 저런 정신 나간 애를? 정말 네가 아주 제대로 미쳤구나, 진짜? 하여간 끼리끼리 아니랄까 봐 내가 이 머리가 아픈 여자들과 하루빨리 절교

해야…….”

“닥쳐.”

“네.”

이언이 얌전히 입을 꾹 다물었다.

“그럼 아니라고 치고. 내가 보기엔 쟤 지금 벌써 서준원 씨 입덕부정기야.”

살면서 만난 남자가 손가락 발가락 개수를 다 합친 것보다도 많은 누리가 하는 말이었다.

“너 계속 그렇게 애매하게 굴다가 눈앞에서 뺏기는 거 한순간이다?”

이언의 동공이 거칠게 흔들렸다.

“도희 쟤, 지금까지 남자한테 마음 줘 본 적 없는 거 너도 알지?”

이언은 15년이란 오랜 세월 동안 도희와 절친한 친구로 지내 왔다. 그동안 도희를 거쳐 간 남자 중 그녀가 정말 좋아한 남자는 없었다고 확신할 수 있었다. 그리고 그것은 이언을 현 상황에 안주하게 했다.

“친구 포지션인 네가 아직까진 우위라고. 지금부터 이 누나 말 잘 들어?”

“…….”

“이제 도희한테 잘해 주지 마.”

……잘해 주지 말라고?

“여자는 말이야. 본능적으로 나쁜 남자한테 끌리게 되어 있어. 내 밥이 아닌 남자한테 몸 달게 되어 있다고.”

“아니, 안 좋아한다니까 왜 자꾸…….”

“닥치고 기억해.”

"……."

"쿨하고 나쁜 남자, 오케이?"

누리가 가느다란 검지를 세워 강조했다. 동시에 화장실에서 돌아온 도희가 물기 젖은 손을 털며 자리에 앉았다.

"뭐야, 둘이 무슨 얘기해?"

"응. 옆집 누렁이 발정 난 얘기 중."

"미친년……."

도희는 한결같이 미친 친구에게 덕담을 날려 주었다. 그리고 그 옆의 이언은 커다란 덩치를 하고서는 어울리지 않게 도희의 눈치만 살살 살폈다.

'닥치고 기억해. 쿨하고 나쁜 남자, 오케이?'

조금 전 누리의 충고가 계속해서 머릿속에 재생되었다.

'……근데 나쁜 남자가 뭐지?'

어떻게 해야 나쁜 남자인 거지? 그러고 보니 서준원이 나쁜 남자 타입이라고 했는데…….

이언은 지난번 준원을 만났을 때 그의 행동을 차근차근 되짚어 보았다. 그러다 문득 그가 했던 말 한마디를 떠올리고 무릎을 '탁' 쳤다.

"야, 백도희."

꽤 자신만만한 음성이었다.

"어?"

도희가 돌아보자 이언은 그녀를 빤히 쳐다보며 천천히 말을 이었다.

"나, 사실 너를……."

이언이 자신만만하게 외쳤다.

"친구로서 싫어해!"

"……뭐?"

이언이 생각하는 나쁜 남자란 그런 것이었다. 아주 단순하게 좋아하는데도 안 좋아한다고 거짓말하는 남자! 거기에 '친구로서'를 붙여서 이성으로는 좋다는 의미까지 은근하게 깔았다.

"너를 친구로서 좋아하지 않는다고!"

……뭐 어쩌라는 거지?

하지만 정작 도희는 어이가 없어 기가 막힐 지경이었다.

"아니, 싫어해. 진짜 싫어해. 아주 많이 끔찍하게 싫어해!"

그러거나 말거나, 이언은 확신을 가진 목소리로 세상 당당하게 소리쳤다.

"백도희!!! 세상에서 네가 제일 싫…… 악!"

"뭐 어쩌라고, 미친놈아."

결국 뒤통수를 한 대 퍽 소리 나게 얻어맞았다. 뭐가 문젠지 전혀 모르겠다는 표정을 한 이언은 어리숙하게 제 머리를 문질렀다.

'하여간 저 뇌가 근육으로 된 놈 같으니…….'

그 참담한 광경을 보며 누리는 속으로 혀를 끌끌 찼다.

나쁜 기억일수록 더 오래 가슴에 남는다고 하던가. 그 명제는 애석하게도 감정이 고장 나 버린 남자에게도 해당되었다. 외부 충격에 둔감한 준원에게도 잊고 싶은 나쁜 기억은 있었으니까.

'준원아…….'

사람은 기억에서 태어나고, 평생 그 기억에서 갇혀 살아가는 존재라는 말은 준원의 엄마, 전희선이 그에게 자주 했던 말이었다.

'준원아, 엄마……. 엄마, 숨이 안 쉬어져.'

준원은 아직도 20년 전, 그녀가 죽은 날의 기억이 생생했다. 화염에 몸이 타들어 가는 와중에도 꿈쩍하지 않고 자신의 그림들에 둘러싸인 채 서서 우는 그녀의 모습을.

'살려 줘……. 살려 줘, 준원아.'

준원은 평생 잊으려야 잊을 수가 없다.

'준원아……!'

가만히 서서 불에 타 죽는 엄마의 모습을 무표정한 얼굴로 무덤덤하게 바라보았던 그날의 기억을.

"……!"

확 눈꺼풀을 들어 올린 준원은 반사적으로 허리를 일으켰다. 누군가가 목을 조른 뒤처럼 준원은 거친 숨을 토해 냈다. 가빠 오는 호흡을 갈무리하며 머리를 짚었다. 종종 꾸는 이 악몽은 꽤 지독하게 오래도록 준원을 괴롭혀왔다.

"하……."

쉽사리 진정되지 않자 떨리는 손으로 서랍장을 더듬어 약 봉투를 찾았다. 그러나 병원을 가지 않은 지 오래였기에 소득 없이 돌아올 뿐이었다. 침대에서 일어난 준원은 부엌으로 향해 냉장고에서 물병을 꺼냈다. 물 한 병을 전부 마시고도 진정이 되지 않아 크게 심호흡했다.

"……하아."

사용감 없는 식탁을 양 손바닥으로 짚은 순간, 그의 손등 위로 무언가 푹신한 게 툭 떨어졌다. 식탁에 아무렇게나 던져 뒀었던 인형이었다. 예전에 도희가 만취했을 때, 몇 번이고 허탕을 치는 그녀 대신 준원이 뽑아 주었던 그 인형.

"……."

준원은 작은 인형을 가만히 들여다보았다. 그러자 떠오르는 것은 만취한 도희의 황당한 주정이었다.

'너 왜 대가리가 두 개로 늘어났니? 어느 쪽 대가리가 진짜지……?'

취해서 인형 머리를 사람 머리로 생각하고 쓰다듬던 모습이 떠오르자 준원은 저도 모르게 헛웃음을 터뜨렸다. 어느덧 손끝의 떨림이 가라앉고 차분하게 진정되었다. 다시 무표정으로 돌아온 준원은 고꾸라진 인형을 들어 식탁에 제대로 앉혔다. 한참을 잠자코 바라보다가 이내 뒤를 돌아 출근 준비를 시작했다.

상품기획팀과 상품개발팀, 유현록 본부장까지 모인 오후의 회의실은 꽤 활력적인 분위기였다.

"방송 출연으로 인기를 얻고 수많은 구독자를 보유한 곽정현 작가는 요즘 아마추어적이면서도 독특한 레시피로 주목을 받고 있는데요."

회의실 앞에 서서 발표하는 도희의 음성에는 자신감이 가득 차 있었다.

"비전문적인 이미지를 콘셉트로 1인 가구들을 위한 간편식을 출시하면, 기존의 딱딱한 이미지에서 탈피하여 소비자들에게 우리 브랜드를 더욱 친숙하게 각인시킬 수 있습니다.”

힘이 있는 중저음의 목소리는 신뢰감을 형성했다. 깔끔하게 핵심만 전달한 발표가 끝나고 회의실에는 박수 소리가 가득 찼다.

“이야, 역시 백 과장! 아이디어 좋은데?”

박수 소리가 회의실을 가득 메우고 유 본부장이 입에 침이 마르도록 칭찬을 퍼부었다.

“새로운 느낌이야. 수고했어!”

성공적으로 발표를 마친 도희가 자리로 들어오고, 다음으로는 하동현 대리의 발표가 이어졌다. 점심 직후였기에 금방 나른해진 사원들은 어느덧 흐린 눈을 하고 발표하는 하동현 대리를 바라보았다.

“요즘 SNS에서 새롭게 스타로 떠오르고 있는 차유나 셰프와의 콜라보가 어떨까요? 차유나 셰프의 레스토랑의 시그니처 메뉴인 가지 그라탕을 이제 가정에서도 만날 수 있도록…….”

하동현 대리의 발표를 듣는 도희의 표정이 미세하게 구겨졌다.

‘뭐라는 거야? 누가 집에서 간단하게 끼니를 때울 때 가지 그라탕을 처먹는다고.’

게다가 하필이면 그 재수 없는 차유나와 콜라보를 하자니. 고등학교 동창이었던 차유나는 도희가 세상에서 제일 혐오하는 부류 중 하나였다. 도희는 지루한 표정으로 하 대리의 발표를 무덤덤하게 들었다. 그 옆의 준원도 역시나 무표정으로 스크린을 응시할 뿐이었다.

“좋아, 좋아! 간만에 하 대리 아이디어도 괜찮은데?”

그런데 놀랍게도 유 본부장은 좋다고 손뼉을 치는 게 아니겠는가. 하여간 윗분들의 판단력은 가끔 이해하기조차 어려울 때가 있다.

“자, 그러면 지금 아이디어가 말이지…….”

재킷 안에서 돋보기안경을 꺼낸 유 본부장이 코에 느슨하게 걸치고 서류를 내다보았다. 옆에 앉은 준원과 논의하며 고개를 끄덕이는 중에, 돌연 하 대리가 손을 번쩍 들었다.

"저, 그런데…… 지금 포털사이트 실시간 검색어 1위가 곽정현 작가인데요?"

모두의 시선이 하 대리에게 모여 붙었다. 흠칫한 도희가 핸드폰을 들어 포털사이트에 들어갔다.

"마약 했다는데요? 지금 막 기사가 엄청나게 뜨고 있어요."

……미친. 도희의 동공이 거칠게 흔들렸다. 타이밍도 소름 끼치게 현재 실시간 검색어 1위는 정말 '곽정현 마약'이었다.

열심히 준비한 기획서가 쓰레기가 되는 건 한순간이었다. 회의가 끝나고 사무실로 돌아오자마자 하동현 대리는 싸한 분위기를 읽지 못하고 혼자 미친 듯이 웃어 댔다.

"하하하하! 야, 곽정현 레시피 간편식? 그건 대체 뭐냐? 간편한 마약 도시락?"

"아, 그만 하세요. 대리님! 왜 이렇게 눈치가……."

도희의 눈치를 살피던 새봄이 한마디 했으나 하 대리는 계속해서 비웃어댔다.

"약쟁이들한테는 잘 팔리겠다! 하하하!"

화가 난 도희가 참고 또 참다가 한마디를 뱉었다.

"하 대리. 지금 이게 재밌어요?"

나직한 음성에 하 대리의 입이 일자로 꾹 다물렸다. 움츠러든 그는 입 다물고 다시 멍청하게 자신의 컴퓨터로 시선을 돌렸다. 그 한심한 모습에 작게 한숨을 내쉰 도희가 가방 안에서 파우치를 들고 일어났다. 그런 그녀가 사무실 밖으로 나가는 것을 준원은 묵묵히 지켜보았다.

옥상으로 올라온 도희는 아무도 없는 걸 확인하고 목을 옥죄는 넥타이를 느슨하게 풀었다.

"하동현 개자식, 진짜……."

입사 동기라는 게 저 모양이니 의지할 곳 하나 없었다. 언제나 그랬듯이 파우치를 열어 초콜릿을 한 주먹 꺼낸 도희는 그것을 와구와구 입에 넣고 씹어먹었다.

"하아……."

달콤한 당분이 맛봉오리를 함빡 적셔도 한번 망가진 기분은 나아질 기미가 없었다. 도희는 정말 비상시에만 먹는 두꺼운 판 초콜릿을 꺼내 한입 크게 베어 물고 우물거렸다.

"또 초콜릿 먹고 있네."

남자의 목소리에 흠칫 놀라 뒤를 돌아보니 준원이었다. 살짝 안도한 도희가 작게 숨을 터뜨렸다.

"기분 안 좋아 보이네요."

"뭐…… 몇 날 며칠 공들여 준비한 아이디어가 순식간에 조롱거리로 전락당했는데, 기분이 좋진 않죠?"

"지친 것 같은데, 휴식이 필요해 보입니다."

"아니에요. 바로 새로운 아이디어 추가로 보고 올릴게요."

"지금 3시도 넘었는데. 야근하려고요?"

도희는 초콜릿을 마저 먹으며 고개를 끄덕였다.

"네. 기한이 넉넉하진 않으니까요."

"그렇게 일이 좋아요?"

돌아온 것은 다소 황당한 질문이었다. 대체 세상 어느 누가 일을 좋아서 한단 말인가.

"……음, 좋아서 하는 건 아니지만…… 싫어하진 않아요."

커다란 눈동자가 도르륵 굴러 준원에게 닿았다.

"일은 날 버리지 않거든요."

사람은 사람을 버려도, 돈과 일은 절대 그렇지 않았다. 도희가 사람은 믿지 않아도 돈과 일만은 맹신하는 이유였다.

"그런데 그거 습관인가 봐요?"

준원은 말을 하면서도 계속 초콜릿을 우물거리는 도희를 보며 웃었다.

"스트레스 받으면 초콜릿 먹는 거."

"그렇죠, 뭐. 팀장님도 드실래요?"

도희가 먹던 초콜릿을 들어 보이며 물었다. 먹겠다고 말하면 당연히 새 걸 줄 생각이었는데, 느슨하게 허리를 숙인 그는 그대로 얼굴을 가깝게 내렸다. 딱딱하게 굳은 도희의 손이 떨렸다. 입을 벌린 그가 그대로 제 손에 들린 판 초콜릿을 한입 베어 물었기 때문이었다. 순식간에 가까워진 거리에서 검은 눈과 마주치자 살짝 당황한 도희가 시선을 돌렸다.

"별로 취향은 아니네요."

그가 선홍빛 혀로 제 입술을 핥으며 말했다.

"그럼 먹지 마세요. 누가 강요했나……."

당혹스러움에 심장이 빠르게 뛰었다. 또 슬그머니 머릿속을 파고들며 겹쳐지는 것은 얼마 전 꿨던 그와 키스하는 꿈이었다. 머리에 후끈하게 열기가 모였으나 내색하지 않으며 태연하게 말을 이었다.

"여기 한 대 하러 오신 거 아니에요? 전 괜찮으니까 피우세요."

"난 그냥 백 과장을 따라온 건데."

갑작스러운 말에 도희의 숨이 끊겼다.

"저 담배 끊었습니다."

이상한 눈으로 준원을 보던 도희는 충동적으로 손을 뻗었다. 가느다란 손이 준원의 재킷을 가르고 침입하여 안주머니를 더듬거렸다. 도희의 하얀 손이 탄탄한 가슴 근육을 은밀하게 스쳤으나 준원은 몸을 빼지 않고 가만히 서서 그녀의 행동을 지켜보았다. 몇 번 더듬다가 그의 재킷 안주머니에서 담뱃갑을 발견한 도희가 끄트머리를 꺼내며 웃었다.

"거짓말 들키셨네."

다시 담뱃갑을 제자리에 넣고 물러났다.

"이게 그렇게 쉽게 끊어지는 게 아니거든요."

"역시 경험자는 다르네요."

제 재킷 안을 파고들었던 손길을 되새기며 준원이 픽 웃었다.

"하지만 웬만하면 진짜 끊으세요. 아버지가 폐암 말기라면서 어떻게 겁도 없이 담배를."

용감하다, 용감해. 비꼬듯이 중얼거리는 도희의 얼굴 가까이로 준원의 고개가 비스듬히 틀어졌다.

"글쎄요. 초콜릿도 그렇게 건강할 것 같진 않은데 말이지."

"담배보다는 훨씬 낫겠죠."

"그러는 백 과장은 가족력 없어요?"

"음. 가족력이라……."

잠시 말꼬리를 길게 늘이던 도희가 씁쓸하게 웃었다.

"잘 모르겠어요. 솔직히 말하면 저 가족이 없어서."

"부모님 돌아가셨어요?"

"……되게 단도직입적이시다."

보통은 가족이 없다고 하면 당황하며 더는 질문하지 않았다. 하지만 그는 당황한 기색도 전혀 없었고, 무덤덤할 뿐이었다. 정말 보통이 아닌 남자. 부모님이 죽었느냐고 묻는 질문도 '밥 먹었어요?' 같은 질문과 거의 비슷한 어조였다.

"몰라요. 살았는지 죽었는지도."

그리고 그 덤덤한 태도 덕에 도희는 한 번도 회사 사람들에게 말해 본 적 없는 제 비밀을 털어놓았다.

"정확히 말하면 아빠는 누군지도 모르고, 엄마는……."

픽 웃었다.

"죽었어요. 내 머릿속에서는 죽은 지 오래니까 죽은 거겠죠?"

제 속을 이렇게 아무렇지 않게 털어놓을 수 있는 상대는 처음이었다. 심지어는 알고 지낸 지 얼마 되지도 않은 남자인데도 불구하고 말이다. 그건 아마도 거의 반응 없이 묵묵히 들어 주기만 하는 그의 태도 때문일 것이다.

"팀장님은요?"

"저는 이전에 말했듯이 아버지는 시한부고 어머니는 돌아가신 지 꽤 됐습니다."

"그렇구나……."

그리고 도희 또한 세상 덤덤하게 반응했다. 그 무던함이 준원에게도 꽤 신선하게 다가왔는지 그는 묘한 눈으로 도희를 가만히 내려다보았다.

"음, 난 그게 참 싫더라고요. 남들은 당연히 부모님이 있을 거라고 생각하는데, 부모가 없어. 그럼 그때부터 세상 불쌍한 사람 쳐다보듯이 보는 거. 그 느낌이 되게 싫더라고요……."

도희의 입꼬리가 말려 올라갔다.

"우린 피차 같은 입장이니까 쪽팔릴 것도 없겠어요. 그렇죠?"

준원이 웃음을 터뜨렸다.

"맞습니다. 역시 비슷한 점이 많네요, 우린."

그의 음성에서는 어느덧 미세한 열기가 느껴졌다.

"어쨌든 1일 영양성분 기준치를 넘은 당분을 먹는 건 좋지 않아요."

"앗."

준원이 갑자기 도희의 손에서 초콜릿을 빼앗아 갔다. 다시 가져가려고 손을 뻗었으나 준원이 더 높게 팔을 빼는 바람에 실패했다. 졸지에 사탕 뺏긴 아이의 심정에 이입한 도희가 눈을 뾰족하게 떴다.

"흡연자이신 팀장님한테 그런 말 듣고 싶지는 않은데요."

"담배보다는 나을지 몰라도 장기적으로 보면 둘 다 좋은 건 아니니까."

준원이 초콜릿을 도로 도희의 재킷 주머니에 넣어 주며 말을 이었다.

"이렇게 하죠. 나는 담배를 끊고, 백 과장은 초콜릿을 끊읍시다."

……뭐라는 거야?

도희는 황당한 얼굴을 했다.

"어때요? 내기합시다."

"아니, 내기는 무슨. 담배도 안 되고 초콜릿도 안 되면 스트레스를 뭐로 풀어요?"

순식간에 태도가 불량해진 도희가 따지듯이 턱을 치켜들었다.

"뭘 먹고 뭐 하면서 푸냐고요."

그 모습이 귀엽다는 듯 웃은 준원이 도희에게 한 발자국 다가섰다. 비스듬히 내려오는 턱과 함께 뜨거운 숨결이 얽혔다.

"키스할까요?"

준원이 길쭉한 손가락으로 도희의 턱 아래를 매끄럽게 쓸었다.

"건강에도 좋고, 건전하기까지 한."

끈적한 기운에 흠뻑 젖은 입술이 웃었다. 심장이 쿵 내려앉은 도희의 입술이 반사적으로 벌어졌다. 그 순간 커다란 손이 뒷머리를 부드럽게 끌어당기며 촉촉한 입술이 부딪혀 왔다.

준원의 입술이 부딪혀 오자 놀란 도희의 손끝이 떨렸다. 날렵한 코끝이 비스듬히 각도를 틀며 뜨거운 입술이 더욱 깊숙하게 맞물려 왔다. 순식간에 미끌미끌하게 젖은 입술을 자연스레 열고 들어가 끈적해진 내부를 헤집는 준원의 움직임은 믿을 수 없을 만큼 대담했다. 잘록한 허리로 부드럽게 감겨 들어오는 단단한 팔뚝에 도희의 다리에서 힘이 풀렸다.

"하……."

잠시 떨어진 입술 사이로 뜨거운 숨결이 오고 갔다. 창백했던 도희의 두 뺨은 어느덧 빨갛게 물들어 있었다. 서둘러 주위를 둘러보고 아무도 없는 걸 확인한 도희가 탄식 같은 숨을 뱉었다.

"진짜 미쳤어요? 뭐 하는 거예요, 회사에서!"

도희가 힘껏 노려보며 소리쳤으나 준원은 세상 여유로웠다.

"회사에서 담배도 피우고 초콜릿도 먹는데……."

그가 웃음을 터뜨렸다.

"키스는 하면 안 돼요?"

"하……."

말이 안 통하니 이길 자신이 없었다. 도희는 귀가 아플 정도로 뛰는 제 심장 때문에 진정이 되질 않았다.

"어쨌든 우리 내기하는 거예요. 나는 담배를 끊고, 백 과장은 초콜릿을 끊고."

"제가 그딴 내기를 왜 해야 하는데요?"

"뭐, 싫으면 어쩔 수 없고."

준원은 별 미련 없이 대답하며 고개를 돌렸다.

……대체 이 남자, 무슨 생각이지?

돌연 진한 키스를 퍼부어 놓고 아무 일도 없었다는 듯 태연한 모습이 불만스러웠다. 일자로 다물린 도희의 입술이 삐딱하게 비틀렸다.

"……아니, 해요. 내기."

승부욕과 함께 저 무표정을 일그러뜨리고 싶다는 알 수 없는 충동이 일어났다.

"나 담배도 끊은 사람인 거 알죠? 이깟 초콜릿 끊는 건 대수롭지도 않지."

오기로 뱉자 준원의 까만 눈동자가 다시 도희를 향해 굴렀다.
“대신 지는 사람이 이긴 사람한테 소원 들어주기로 하죠.”
“소원? 나한테 뭐 원하는 거 있어요?”
머리부터 발끝까지 한번 쓱 훑는 도희의 시선에 준원의 한쪽 눈썹이 구겨졌다.
“생각해 보고 나중에 말할래요. 지금은 가질 건 다 가진 사람이라.”
느슨하게 풀린 준원의 눈매가 유려하게 휘었다.
“좋아요. 그럼 그렇게 하는 거로.”
다시 완전히 몸을 도희 쪽으로 튼 준원이 한 발짝 가까이 다가섰다. 성큼 줄어든 거리에 도희가 저도 모르게 주춤 뒷걸음질 쳤다. 느릿하게 허리를 굽혀 도희와 시선을 마주한 준원은 엄지로 그녀의 말랑한 입술을 문질렀다.
“그런데 입에 초콜릿 아직 묻어 있는 거 알아요?”
“……그래서요?”
순식간에 다시금 과열된 분위기와 함께 도희의 가슴이 떨렸다.
“눈 감아요.”
길쭉한 손가락이 도희의 턱을 감싸자 도희는 반사적으로 떨리는 눈꺼풀을 닫았다. 턱이 위로 빼근하게 올라서자마자 그는 도희의 아랫입술을 물고 섬세하게 빨아당겼다. 겹쳐진 입술 안쪽의 유들유들한 점막이 비벼지며 끈적한 감각이 몰려왔다. 부드럽고 말캉한 혀가 내부에 깊숙이 침입해 오자 도희의 가슴이 간질거렸다.
연인 사이도 아닌데, 심지어는 같은 부서에서 일하는 사람들끼리 회사에서 이런 짓을 한다는 건 있을 수 없는 일이었다. 언제 누가 들어오더라도 이상하지 않을 한산한 옥상에서 벌어지는 비도덕적이고 은밀한 행위.

"하아……."

정신이 모조리 녹아내릴 만큼 아찔한 키스였다.

"어때요. 기분 좀 나아졌어요?"

뜨거운 입술이 떨어지고 준원이 낮은 음성으로 물었다.

"전에도 말했지만 난 백 과장이 사람 대 사람으로 좋습니다."

"……."

"우리 팀에서 가장 신뢰하고 의지할 수 있는 동료라고 생각하고요."

무더워진 공기를 가르며 도희의 눈꺼풀이 떨렸다. 먹먹해진 귀로 제 심장 고동과 그의 달콤한 저음이 섞여 파고들었다.

"또……."

고개를 숙인 그가 눈을 맞추며 속삭였다.

"얼굴만 봐도 키스하고 싶은 여자는 처음입니다."

두 볼이 화끈 달아오르며 동공이 거칠게 흔들렸다. 숨이 멎을 듯 심장이 거칠게 뛰었다. 파동처럼 몰려오는 생소한 감정에 머리가 혼란스러워진 순간, 도희의 시야에 들어온 것은 준원의 칠흑처럼 까만 눈동자였다.

"……."

건조한 그의 눈을 보자마자 과열된 머리가 서늘하게 식으며 냉철해졌다. 그가 뱉는 달콤한 말들에는 영혼이 담겨 있지 않았다. 입은 웃고 있어도 눈은 절대 웃지 않는 것이 그 증거였다.

"대체 나한테 왜 이러는 거예요?"

가까스로 평정을 되찾은 도희가 차갑게 물었다.

"수작 부려서 뭐 어쩌려고. 원하는 게 뭐예요?"

가시 돋친 말에 준원은 웃으면서 도희의 뺨을 쓰다듬었다.

"좋을 대로 생각해요. 의미는 부여하기 나름이니까."

부드럽게 떨어진 손은 미련 없이 깔끔하게 주머니에 꽂혀 들어갔다. 느릿하게 뒤를 돈 그는 가만히 서 있는 도희를 두고 여유로운 걸음걸이로 걸어갔다. 뚜벅뚜벅 나직한 걸음걸이가 옥상을 울리고 준원이 문고리에 손을 댄 순간, 빠르게 다가간 도희가 그의 팔을 잡아 확 끌어당겼다.

"……."

놀란 준원의 눈동자가 커졌다. 까치발을 세운 도희가 준원의 목덜미를 확 끌어내려 그의 입술 위로 제 입술을 포갰다. 맞닿은 입술의 감촉에 준원은 가만히 굳어 버렸다. 그 닫힌 입술을 가르며 들어오는 도희의 뜨거운 침입에 잠시 멍하니 있던 준원이 눈을 감으며 고개를 틀었다. 제 치열을 쓸어올리는 말캉한 그녀의 움직임에 맞춰 준원이 도희의 허리를 끌어당겼다. 한참의 입맞춤 끝에 턱이 뻐근해진 도희가 입술을 떼고 엄지로 촉촉해진 입가를 쓸었다.

"하는 걸 더 좋아하는 타입이라고 했죠?"

거친 숨을 토해 내는 붉은 입술을 준원은 넋이 나간 사람처럼 바라보았다.

"나도 뭐든지 내가 직접 해야 직성이 풀리는 성격이라."

델 듯 뜨거운 시선이 준원의 입술부터 코, 눈까지 더듬듯이 올라갔다.

"누가 내 머리 위에 있는 것처럼 구는 거 딱 질색이에요."

열기로 탁해진 눈동자가 준원을 뚫어지게 응시했다.

"그러니까 키스는……."

비스듬히 턱을 올린 도희가 준원의 귓가에 대고 속삭였다.

"내가 그쪽한테 한 거예요."

뱉어진 간지러운 숨결이 준원의 고막을 끈적하게 적셨다. 그 말을 끝으로 하얀 손바닥은 준원의 가슴을 쭉 밀었다. 하릴없이 옆으로 밀려난 준원을 뒤로하고 도희는 빠르게 옥상을 빠져나갔다. 그 뒤로 혼자 남은 준원은 잠시 넋을 놓은 듯 멍하니 서 있다가 제 입가를 쓸었다.

"하……."

숨소리 같은 웃음이 터져 나왔다.

"누가 이기나, 해 보자는 거지."

난생처음 느끼는 생소한 기분이었다. 제 입술을 문지르는 손끝이 미세하게 떨렸다.

"첫판부터 내가 졌네."

혀를 한번 굴려 입안에 남은 그녀의 잔향을 되새기며 웃었다. 비로소 1점을 내어주고 시작된 게임이었다.

오후 내내 멍하니 있던 도희는 퇴근 후 잠자리에 들 때까지도 넋이 나가 있었다. 낮에 있었던 일들이 현실이라는 걸 도무지 믿을 수가 없었다.

……어쩌다 보니 서준원과 또 사고를 쳤다. 그것도 세 번이나 진하게 키스해버렸다!

"미쳤어……."

연인 사이도 아닌데, 이런 관계는 비정상적이었다.

"제정신이 아니라고!"

-그래. 내가 봐도 넌 제정신이 아니야.

"어…… 어?"

-너 내 말 듣고는 있니?

누리의 말에 넋을 놓고 있던 도희가 퍼뜩 정신을 차렸다.

"아, 어. 미안. 뭐라고 했지?"

그제야 누리와 통화 중이었다는 걸 깨닫고 재차 물었다.

-얘가 뭔 일이 있었길래 정신 빼고 있어?

"아, 아냐. 그냥 회사일. 신경 쓰지 마."

아무리 친한 친구여도 애인도 아닌 남자와 키스했다는 얘기를 할 수는 없었다.

-아니, 너도 오늘 문자 받았냐고.

"무슨 문자?"

-동창회 문자 말이야. 올해도 한다던데?

"아……."

도희가 짧게 탄식했다. 받긴 받았으나 그리 유쾌한 일은 아니었다. 학창 시절의 기억이라고는 하나부터 열까지 역겨운 일들뿐이었기 때문이다.

"응. 올해도 어김없이 보냈더라. 이딴 걸 나한테 왜 보내는지."

고등학교 동창 중 도희가 아직도 연락을 이어가는 사람은 누리가 전부였다. 여고 시절 내내 불쾌한 헛소문은 도희를 지긋지긋하게 따라다녔고, 뒤에서 제 이야기를 마치 껌처럼 씹고 다녔던 아이들과는 연을 끊은 지 오래였다.

-동창회 갈 거야?

"얘는 무슨. 내가 거기 가서 기분 좋을 사람 한 명도 없을걸?"

그리고 당연하게도 불같은 성격의 도희는 그런 거짓 루머에 질질 짜거나 주눅 들지 않았다. 오히려 목에 핏대 세우고 헛소리하는 인간들과 모조리 싸우고 다니는 편이었다.

"애초에 초대 문자 보내는 것도, 그냥 나 꼽주려는 의도겠지."

그 탓에 졸업할 때쯤에는 누리 외에 같이 사진 찍을 친구가 한 명도 없었다. 그런 도희에게 동창회에 오라고 문자를 보냈다는 건 속이 뻔히 보이는 짓거리였다.

-그런데 이번 동창회에 걔도 온다더라.

"누구?"

-차유나.

그 이름 석 자에 머리가 서늘하게 식었다.

-걔 작년 겨울에 한국 들어와서 차린 레스토랑, 요즘 SNS에서 잘나가잖아.

"……."

-하여간 대중들은 아무것도 몰라요. 차유나 걔가 얼마나 쌍년의 정석인지.

도희가 씁쓸하게 헛웃음 쳤다. 한때는 자매처럼 친하게 지냈던 차유나가 손바닥 뒤집듯 저를 배신하고 등을 돌렸던 기억이 아직도 생생했다. 10년도 더 된 일이지만 가슴에 남은 멍은 사라지지 않았다.

"그 망할 년이 온다면 난 더더욱 안 가지."

여고를 졸업할 때 도희는 차유나와 절교하며 그녀에게 말했었다.

'유나야. 우연히라도 마주치지 말자.'

다시 만나면 죽여 버릴지도 모르니까.

……원래 나쁜 기억일수록 더 오래 가슴에 남는 법이었다.

하루하루가 똑같은 직장인들에게도 소소한 즐거움은 있기 마련이다. 가령 월급날이라든가, 칼퇴근하는 날이라든가, 보너스 받는 날이라든가.

"새봄 씨, 오늘 팀장님 검은색 셔츠 입은 거 봤어?"

혹은 훌륭한 비주얼에 감동을 받는 날이라든가.

"봤죠, 봤죠. 완전 미쳤던데요?"

지예와 새봄은 출근하자마자 맞이한 준원의 비주얼 쇼크에 제대로 심쿵당해 넋을 놓아 버렸다. 그가 부임해 온 지 어느덧 한 달하고도 열흘이 지났으나 나날이 발전하는 화려한 외모는 아침마다 충격을 선사했다.

"내 말이, 내 말이! 그냥 그 셔츠 아예 박제해야 해. 꿰매 놔야 해!"

"그러니까요! 제 평생 검은색 셔츠가 그렇게 잘 어울리는 남자는 처음이라니까요?"

지예와 새봄은 꺅꺅거리며 탕비실이 떠나가라 있는 대로 호들갑을 떨었다. 두 사람은 커피잔을 든 채로 꿈을 꾸는 듯한 표정을 지었다.

"아…… 나도 팀장님 같은 사람이랑 연애하고 싶……."

"남자 겉모습에 현혹되면 큰일 난다, 너희?"

"으악, 깜짝이야!"

소리소문없이 등장한 도희가 뒤에서 속삭이자 놀란 지예와 새봄이 까무러쳤다.

"아, 과장님! 오셨어요?"

"응. 아침부터 여기 모여서 팀장님 덕질 중?"

도희의 물음에 새봄과 지예가 머쓱하게 웃었다. 요즘은 정말 어딜 가나 서준원 얘기뿐이었다. 능력, 학벌, 뛰어난 비주얼까지 어느 것 하나 빠지지 않는 사기캐로 공공연히 인정받은 준원은 어느덧 회사 여자 직원들 사이에서 최고의 인기를 누리고 있었다.

"하하하⋯⋯ 죄, 죄송. 하지만 오늘 좀 유독 멋있으시더라고요."

지예와 새봄이 멋쩍게 웃었다.

"멋있긴 무슨. 맨날 보는 얼굴인데 그 얼굴이 그 얼굴이지."

대수롭지 않게 어깨를 으쓱하자 지예와 새봄이 까르르 웃었다.

"과장님 고기 좋아하시죠?"

"응? 그렇지."

"맨날 먹는 고기인데 그 고기가 그 고기는 아니잖아요?! 소고기도 있고, 돼지고기도 있고, 닭고기도 있고!"

"얼씨구. 사람을 고기에 비유하면 못 쓴다."

도희가 픽 웃으며 길쭉한 검지로 커피 머신 버튼을 눌렀다.

"아, 그거 기계 고장 났대요. AS 올 때까지 못 쓸 것 같아요."

"그래? 또 고장 났어?"

"과장님, 제가 이걸로 타 드릴게요! 아이스? 따뜻한 거?"

"응. 따뜻한 거로 부탁해."

"네, 잠시만요."

헤헤 웃은 새봄이 커피를 타기 위해 원두 가루 병을 들었다. 그런데 이전에 닫을 때 잘못 닫았는지, 꽉 맞물린 뚜껑은 쉽게 열리지 않았다.

"으, 근데 이거 왜 이렇게 안 따져."

"왜? 병이 안 따져?"

병뚜껑을 잡고 끙끙거리는 새봄에게 도희가 손을 내밀었다.

"줘봐. 내가 따 줄게."

새봄에게서 병을 받아든 도희는 뚜껑을 잡고 세게 돌렸다. 꽤 힘이 센 편인 도희인데도 꽉 닫힌 뚜껑은 열릴 기미가 없었다.

"뭐야, 이거 불량품 아니야? 왜 이렇게 안 따져?"

있는 힘껏 뚜껑을 돌려도 꿈쩍도 하지 않았다.

"아……."

그때, 갑자기 도희의 손에서 병이 휙 위로 빠져나갔다. 놀란 도희가 병을 따라 고개를 들자 뒤통수에 단단한 가슴 근육이 툭 닿았다. 화들짝 놀라 반사적으로 뒤를 돌아보니 시야에 가득 차는 것은 무표정한 준원이었다.

검은 셔츠를 롤업 해 드러난 팔뚝에 잠시 힘줄이 불끈 솟는가 하더니, 그는 1초도 걸리지 않아 손쉽게 뚜껑을 땄다.

"……아, 감사합니다."

살짝 당황한 도희가 얼떨떨하게 말하자 준원이 곱게 웃음 지었다. 아무 말 없이 도희에게 병을 건네주고 주머니에 손을 찔러넣은 채 뒤를 돌았다. 길쭉한 다리로 성큼성큼 걸어간 그는 얼마 가지 않아 시야에서 완전히 사라졌다.

"……."

멍하니 서 있는 도희의 뒤로 새봄과 지예가 호들갑을 떨었다.

"꺄악, 멋있다!"

“어떡해. 어떡해!”

사춘기 소녀처럼 까르르 웃으며 손뼉을 쳐대는 여자들 틈에서 도희는 넋 나간 사람처럼 가만히 서 있었다. 한차례 폭풍이 휩쓸고 지나간 도희의 정신은 어지럽게 흐트러져 있었다. 그 혼란스러운 틈을 가르고 불쑥 침입한 것은 준원의 문자 한 통이었다.

[혹시 좀 설레셨어요?]

도희의 동공이 거칠게 흔들렸다.

[딱 심쿵 당한 표정이던데.]

“…….”

도희의 얼굴이 화끈 달아올랐다. 이건 오해의 여지 없이 분명했다.

‘서준원 저 자식…….’

저거 일부러 개수작 부리는 거야!

그 이후로도 서준원의 알 수 없는 개수작은 멈추지 않고 계속되었다.

“백 과장은 머리 묶은 것도 잘 어울리네요.”

틈만 나면 은근슬쩍 심쿵을 유도하는 멘트를 날리지 않나.

“무겁지 않아요? 내가 들어 줄게요.”

무거운 걸 들고 가면 자연스럽게 대신 들어 주질 않나. 타인에 대한 관심이나 배려심이라곤 눈곱만큼도 없다고 생각했던 남자의 묘한 행동들은 도희를 혼란스럽게 하기에 충분했다. 도대체 왜 저러는 건지, 그 심리를 도무지 알 수 없어 답답한 마음으로 시간은 더디게 흘렀다.

“내가 운전할게요. 키 주세요.”

……그래, 이런 상황. 외부 미팅을 하러 가는데 굳이 자기가 운전하겠다고 손을 내민다거나. 직급이 낮은 사람이 차를 모는 건 너무도 당연한 일인데도 말이다.

“아니에요. 제가 운전할게요.”

“두 번 말하는 거 별로 안 좋아해요. 제가 할 테니까 키 주세요.”

준원은 도희의 손에 들린 차 키를 뺏어 들고 엘리베이터 문을 지나 주차장으로 걸어갔다. 그 뒤를 따르는 도희는 어딘가 찝찝한 기분에 사로잡혔다. 옥상에서 키스를 나눈 이후 열흘 가까이 지났지만, 준원은 다시 그때처럼 먼저 선을 넘는 법이 없었다. 그저 알 수 없는 배려로 도희를 혼란스럽게 할 뿐이었다.

“참, 행사 PPT 자료는 어떻게 진행되고 있어요?”

차에 타자마자 시동을 걸고 하는 이야기도 비즈니스에 관련된 것이었다.

“거의 마무리됐습니다. 이따 복귀하면 중간보고 드릴게요.”

“아니요. 중간보고는 생략해도 괜찮아요.”

빨간 불 앞에 부드럽게 정차하고, 준원의 검은 눈동자는 천천히 굴러 도희를 담았다.

“백 과장이니까 이번에도 완벽하겠죠. 항상 믿고 있습니다.”

“아…….”

눈이 마주치자 살짝 움찔한 도희가 시선을 피하며 답했다.

“네, 감사합니다.”

주책맞게 올라가려는 입꼬리를 안간힘을 써서 내린 채 버텼다. 그는 알고 있는 게 분명했다. 외모가 아닌 실력으로 칭찬받고 인정받는 것을 가장 좋아한다는 사실을.

"그리고 양 대리가 담당인 홈페이지 건도 월요일까지 마무리 지어야 할 것 같은데……."

"네. 그건 제가 책임지고 끝낼게요."

몸살감기로 3일째 결근 중인 지예의 업무는 전부 도희가 짊어져야 할 몫이었다. 자기 일만으로도 허덕이는 다른 팀원들은 사실상 도움이 되기 힘들었다.

"양 대리 업무는 지금 백 과장이 전부 커버하고 있잖아요? 이 건은 다른 사람한테 시킬 테니까 무리하지 마세요."

"괜찮아요. 기한 내에 끝내려면 제가 맡는 게 속 편해요."

도희가 단호하게 선을 긋자 준원이 픽 헛웃음 쳤다.

"가만 보면 진짜 일 중독이라니까……."

짙은 눈매가 부드럽게 늘어졌다.

"누가 알아주는 것도 아닌데, 너무 열심히 일하지 말아요."

"팀장님이 팀원한테 하실 말씀은 아닌 것 같은데요."

도희의 입술 사이로 숨소리 같은 웃음이 터졌다.

"그리고 알아주시잖아요. 팀장님께서."

느리게 움직인 잿빛 눈동자가 준원에게 닿았다.

"인사고과. 아시죠?"

손가락을 세워 입가에 갖다 댄 도희가 장난스럽게 속닥거렸다. 반달처럼 휘는 도희의 눈을 보며 준원이 웃었다.

"그래도 힘들면 참지 말고 말해요. 백 과장 혼자 다 짊어질 필요는 없으니까."

“네. 고마워요.”

도희는 두근거리는 제 가슴을 느끼며 고개를 돌렸다. 솔직히 그의 이런 행동들이 좋지 않다고 하면 거짓말이었다. 그의 말대로 도희는 지금껏 누가 알아주지도 않는 일들을 혼자 과중하게 짊어져 왔고 억울함에 울컥할 때가 많았다.

그런 면에서 준원은 인간적인 면모는 좀 부족하더라도 확실히 리더십은 있는 남자였다. 도희는 흐릿하게 소리 없이 웃으며 제 가방을 움켜쥐었다. 동시에 안에 넣어 두었던 핸드폰이 부르르 진동했다.

[이번 달 병원비, 오늘 안에 보내라.]

도착한 문자를 확인한 도희의 얼굴이 싸늘해졌다.

‘미친 새끼. 뭐라는 거야…….’

화가 치밀어 올라 핸드폰을 쥔 손이 부르르 떨렸다.

“누구한테 온 문자인데 표정이 그래요?”

“별거 아니에요. 그냥 스팸이에요.”

적당히 둘러대고 시선을 아래로 떨구자 이어서 도착한 문자가 각막을 때렸다.

[피도 눈물도 없는 년. 아무리 그래도 네 어미인데, 진짜 죽어도 상관없다는 뜻이냐?]

도희는 어처구니가 없어 속으로 코웃음 쳤다.

‘엄마는 무슨. 낳았다고 다 엄마는 아니지.’

엄마는 이미 죽은 지 오래니까. 오른쪽 위의 메뉴를 꾸욱 누른 도희는 번호를 차단하겠느냐는 물음에 망설임 없이 ‘예’를 눌렀다. 지긋지긋한 악연이 제발 끝나기를 바랄 뿐이었다.

외부 미팅이 끝나고 사무실로 돌아온 준원과 도희는 남은 업무를 처리했다. 퇴근할 시간이 조금 지나고 복도가 시끄러워지는가 싶더니 유현록 본부장이 웃으며 걸어 들어왔다.

"어, 우리 본부 에이스들! 아직 안 가고 있었네?"

앉아 있던 준원과 도희는 기립하며 허리를 숙였다.

"그래, 그래. 열심히들 하는 건 좋은데 슬슬 정리하고 퇴근해야지."

"네, 바로 마무리하겠습니다."

"신경 써 주셔서 감사합니다. 본부장님."

준원과 도희가 차례로 답하자 유 본부장은 역시 두 사람이 가장 열심이라며 엄지를 날렸다.

"맞다. 서 팀장. 내일 삼일마트 김 이사 미팅 잊지 않았지? 썬더라이즈 VIP룸."

"네, 기억하고 있습니다."

"그래. 서 팀장도 이번이 기회니까 단단히 눈도장 찍어 두라고."

"예, 감사합니다."

"오케이. 그리고 우리 백 과장!"

유 본부장은 도희를 향해 윙크를 날렸다.

"백 과장도 와야지, 당연히?"

"아……."

도희는 저도 모르게 잠시 머뭇거렸다. 삼일마트 김 이사는 손버릇이 고약한 진상 중의 진상이었기 때문이었다.

"왜? 무슨 중요한 일 있어?"

"아휴, 그럴 리가요. 제가 회사 일보다 중요한 일이 어디 있겠어요."

"그래, 그래! 김 이사가 백 과장을 맘에 들어 하니까 안 오면 되게 섭섭해해. 하하하!"

게걸스러운 웃음에 맞춰 도희도 억지로 웃었다.

"그럼 그런 거로 하고. 수고들 해!"

손을 한번 휘적거린 유 본부장이 바쁘게 자리를 뜨고, 준원과 도희는 단둘이 사무실에 남겨졌다.

"백 과장이 삼일마트 김 이사님 미팅에 왜 참석해야 하는 겁니까?"

이해할 수 없다는 듯 준원의 한쪽 눈썹이 삐딱하게 올라갔다.

"그걸 왜 저한테 물으세요?"

도희가 헛웃음 쳤다.

"몰라요. 가라니까 가는 거지. 저 말고 김 이사님한테 물어보세요. 저도 궁금하니까."

씁쓸하게 비소를 뱉은 도희는 자리를 정리하고 곧장 가방을 챙겼다.

"그럼 저 먼저 들어갈게요. 내일 뵙겠습니다."

또각또각 걸어서 사무실을 나가는 그녀의 뒷모습이 준원은 왠지 마음에 걸렸다.

다음 날, 10월 30일 금요일 저녁, 썬더라이즈 VIP룸. 준원과 도희, 유 본부장과 영업팀장은 예정대로 삼일마트 측과 술자리를 가졌다. 국내 대형 마트 중에서도 가장 거물급 판매처인 삼일마트는 위

치적으로 '갑'에 있었고, 시장점유율 싸움에서 밀리지 않으려면 반드시 그들의 비위를 맞춰 줘야만 했다.

"이야, 역시 우리 백 과장이 타 준 술이 제일이야!"

"그렇죠? 백 과장이 저희 회사 보배입니다, 보배. 하하하."

도희가 제조한 폭탄주를 마시고 김 이사가 감탄하자 유 본부장이 너스레를 떨었다. 이제 자다가도 비즈니스 미소를 지을 수 있는 도희는 예쁘게 입꼬리를 말아 올리며 웃었다.

"그러고 보니, 서 팀장!"

"예, 이사님."

"서 팀장님하고 나는 참 인연이 깊어? 이전에 효진F&B에 있을 때부터 안면이 있었잖아."

김 이사는 술을 꿀꺽꿀꺽 마시며 껄껄 웃었다.

"어때. 작은 물에서 놀다가 큰물로 옮긴 소감이?"

"아주 좋습니다. 신경 써 주신 덕분입니다."

준원은 무미건조한 음성으로 영혼 없이 답했다. 그렇게 술자리는 점점 더 무르익었고 테이블엔 어느덧 빈 양주병이 하나둘 늘어났다. 결국, 알코올에 만취한 김 이사는 본격적으로 헛소리를 남발하기 시작했다.

"그나저나 백 과장은 아직 미스지?"

은근슬쩍 화장실을 갔다 온 후 도희를 제 옆에 앉게 한 김 이사가 얼큰하게 시뻘게진 얼굴로 물었다.

"나이도 있는데, 슬슬 시집가야지?"

"하하, 아직 생각 없습니다."

"그래? 애인은 있지?"

"아니요. 지금은 일에 집중하고 싶어서……."

"에이, 빼지 말고 솔직히 말해 봐. 애인이 몇 명이야? 응?"

술을 제조하던 하얀 손이 멈칫했다.

"백 과장 미모면 한 열 명쯤은 있을 것 같은데. 그렇지?"

"아……."

시대가 달라졌다고 해도 바뀐 건 법이지 사람이 아니었다. 이미 더러운 문화에 찌들어 한평생을 살아왔던 높으신 분들은 아직도 술만 들어가면 옛 향수에서 벗어나지 못했다.

"열 명 갖고 되나요. 열한 명쯤은 있어야죠."

저질스러운 농담에도 쿨하게 반응해 주니 김 이사는 좋다고 껄껄 웃었다. 그러거나 말거나, 여전히 접대용 미소를 짓고 있는 도희를 보며 준원의 표정은 서서히 굳어지기 시작했다.

"하하하하! 내가 이래서 백 과장을 좋아한다니까!"

이 자리의 있는 7명의 사람 중 유일한 여성인 도희에게 김 이사의 모든 관심이 집중적으로 쏠렸다.

"아이고, 이사님. 우리 백 과장은 요즘 젊은 여자들하고는 비교가 안 됩니다!"

"그렇지? 하여간 요즘 애들 너무 예민해. 뭐만 하면 성희롱이래. 예쁘다고 칭찬해 줘도 성희롱이래!"

유 본부장과 김 이사의 대화는 전형적인 꼰대의 정석을 보여 주고 있었다.

"반면에 우리 백 과장은 쿨한 게 그릇이 남달라."

김 이사가 손으로 도희의 가슴 굴곡을 그리는 듯한 제스처를 취하며 호탕하게 웃었다.

"역시 이 사이즈가 남달라서 그런가?"

그 말을 듣는 준원의 표정이 일순 싸늘해졌다. 건너편에 앉은 삼일마트 측의 실무과장도 발언의 수위가 아슬아슬하다고 생각했는지 너스레를 떨며 만류했다.

"하하하, 이사님. 요즘 시대에 그런 말 하면 큰일 난답디다."

"그런가? 백 과장, 혹시 기분 나쁜 거 아니지?"

자기들끼리 북 치고 장구 치고 난리가 난 와중에 도희는 표정 관리가 되지 않아 미칠 지경이었다. 안간힘으로 입꼬리를 밀어 올리고 넉살 좋게 눈웃음 지었다.

"아휴, 그럴 리가요. 예쁘다는데 감사하죠."

스스로 말하면서도 견딜 수 없는 수치심과 모멸감을 느꼈다. 이런 순간마다 이따위로 사는 스스로가 죽고 싶을 만큼 쪽팔렸다.

"근데 백 과장은 가만 보면…… 볼 때마다 바지만 입는 것 같아."

김 이사의 시선이 은근슬쩍 도희의 허벅지를 훑고 지나갔다. 그 불편한 눈빛을 감지한 준원의 한쪽 눈썹이 미세하게 구겨졌다.

"다음엔 치마도 좀 입고 그래 봐. 응?"

"하하, 죄송합니다. 제가 치마가 없어서요."

"그래? 내가 백화점에서 하나 사 줄까?"

"네? 아……."

도희가 도저히 표정 관리가 되지 않아 곤란해하던 찰나였다.

"이사님, 한잔 받으시지요."

준원이 자연스럽게 끼어들어 중재했다.

"어, 어. 그래. 따라 봐."

화제가 바뀌자 그제야 도희가 속으로 안도의 한숨을 쉬었다.

"참, 이사님은 전에 뵐 때보다 더 건강해지신 것 같습니다."

"하하하! 요즘 골프를 많이 치러 다녀서 그런가?"

"나중에 필드 한번 같이 나가시죠. 한 수 배우고 싶습니다."

"음. 그래야지! 나도 서 팀장처럼 젊은 친구랑 필드 나가면 좋지!"

준원은 자연스럽게 대화를 이어 나갔다. 덕분에 잠시나마 숨을 돌렸던 도희는 이내 김 이사에 의해 또다시 딱딱하게 경직될 수밖에 없었다.

"근데 우리 백 과장도 골프 좀 칠 줄 아나?"

뱀 같은 손이 은근슬쩍 도희의 어깨로 올라왔다. 본능적으로 굳어지는 표정을 감추기란 도희에게 너무도 어려운 일이었다.

"아, 네, 조금."

"나중에 백 과장도 같이 필드 나가자고. 하하!"

두툼한 손이 툭툭 어깨를 두드렸다. 그 불쾌한 접촉에도 도희는 미소를 유지했다. 애써 웃고 있는 듯한 도희를 준원은 무표정하게 바라보았다.

"오늘 다들 수고했어. 잘들 들어가!"

삼일마트 사람들을 먼저 다 배웅한 뒤, 영업팀장과 유현록 본부장도 자리를 떴다. 마지막으로 남은 사람은 준원과 도희였다. 그제야 비즈니스 미소가 지워지고 도희의 표정은 형편없이 일그러졌다. 주먹을 꽉 쥔 도희는 곧바로 고개를 돌려 길가를 따라 걸어갔다.

"백 과장."

준원의 부름에도 도희는 다리를 멈추지 않았다.

"안색이 안 좋은데 괜찮아요?"

"……."

"멈춰 봐요. 잠깐 나하고 얘기 좀 해요."

"나중에요. 저 피곤해서 먼저 들어가 볼게요."

"아니, 잠깐……."

뒤도 돌아보지 않고 걸어가는 도희의 손을 잡아 끌어당긴 준원의 눈동자가 커졌다. 일그러진 그녀의 눈가는 빨갛게 부어 있었다. 금방이라도 울음을 터뜨릴 것만 같은 표정을 본 순간 준원의 머릿속은 백지가 되었다.

굳어 있는 준원의 손을 도희는 팍 뿌리쳤다. 온종일 가볍게 몸에 손을 대는 아저씨들 틈에서 제멋대로 굴려진 기분에 죽고 싶었다. 지금만큼은 누구에게도 멋대로 잡히고 싶지 않았다. 설령 그게 서준원이라 할지라도.

어딘가 충격받은 듯한 준원을 보며 도희는 뭐든 말을 하기 위해 입을 벌렸다. 그 순간, 도희는 움찔하며 제 목을 움켜쥐었다.

'목소리가…… 안 나와…….'

말을 할 수 없는 건 타임 루프 현상의 전조증상이었다. 시간이 되돌아가기 5분 전부터 말을 할 수 없었으니, 이제 곧 시간이 오늘 아침으로 되돌아갈 것이 분명했다.

"목소리가 안 나온다고요?"

그런데 그 순간, 준원이 도희의 생각을 입으로 똑같이 뱉었다. 놀란 도희의 동공이 흔들렸다.

'뭐야……?'

어떻게 내 생각을 읽은 거지?

어딘가 이상함을 감지한 순간, 시야가 덜컹하며 끊겼다. 사지가 충격에 흔들리는가 싶더니 그대로 정신을 잃었다. 또 한 번의 완전한 암전이었다.

"……!"

흠칫 정신을 차린 도희는 눈꺼풀을 확 들어 올렸다. 벌떡 상체를 일으키니 누워 있는 곳은 자신의 침대였다. 황급히 핸드폰을 들어 현재 시간을 확인해 보았다. 10월 30일 금요일, 오전 6시 59분. 아니나 다를까 시간은 오늘 아침으로 되돌아가 있었다. 전날 마지막에 서준원이 저를 붙잡았던 시간이 자정에 가까워질 무렵이었으니, 이번엔 무려 17시간 전의 과거로 되돌아온 것이었다.

"하……."

어떻게 운수가 없어도 이렇게 없을 수 있을까. 이 빌어먹을 하루를 또 반복할 걸 생각하니 지긋지긋하다 못해 구역질이 나올 것만 같았다. 제 어깨를 더듬던 두툼한 손과 허벅지와 가슴을 은근하게 훑던 기름진 눈빛이 아직도 생생하다.

"……짜증 나."

이제 몇 시간 후면 그걸 또다시 겪어야 했다. 눈물이 날 것 같은 탓에 도희의 코끝이 찡해졌다. 하지만 그녀가 자신의 하얀 손으로 눈가를 지그시 누르고 있는 것은 아주 잠깐이었다. 도희는 바로 정신을 차리고 출근 준비를 시작했다.

사무실에 도착한 도희는 준원에게 인사했다가 반쯤 무시당했다. 그는 오늘따라 기분이 몹시 나빠 보였다. 하긴 일전에 타임 루프를 신이 내린 저주라고, 끔찍하다고 말했으니 그런 표정도 이해할 수는 있었다.

'근데…… 대체 어떻게 내 생각을 맞힌 거지?'

시간이 과거로 거슬러 올라가기 5분 전부터 도희는 말을 할 수 없었다. 그런 그녀가 속으로 한 생각을, 그 순간 준원은 마치 들리는 것처럼 명확하게 말했었다. 미스터리한 일이었으나 오늘따라 그가 기분이 좋아 보이지 않았기에 도희는 괜히 나서서 물어보지 않기로 했다.

그렇게 시간은 흐르고 흘러 저녁이 되었다. 삼일마트 김 이사와의 미팅이 이루어졌던 썬더라이즈 VIP룸. 그 공간에서의 끔찍한 시간이 다시금 도래했다.

"그나저나 백 과장은 아직 미스지? 나이도 있는데, 슬슬 시집가야지?"

이전처럼 얼큰하게 취한 김 이사는 똑같은 질문을 했다.

"아직 생각 없습니다."

"그래? 애인은 있지?"

"아니요. 지금은 일에 집중하고 싶습니다."

도희는 이전에 그랬던 것처럼 똑같이 기계적으로 답했다.

"에이, 빼지 말고 솔직히 말해 봐. 애인이 몇 명이야? 응?"

“…….”

“백 과장 미모면 한 열 명쯤은 있을 것 같은데. 그렇지?”

끔찍한 일은 최대한 빨리 끝내 버리는 게 상책이었다. 도희는 이전과 똑같이 대답하며 이 상황을 인내하려고 노력했다.

“반면에 우리 백 과장은 쿨한 게 그릇이 남달라.”

전에도 그랬듯이 김 이사는 또다시 손으로 도희의 가슴 굴곡을 그리는 듯한 제스처를 취하며 웃었다.

“역시 이 사이즈가 남달라서 그런가?”

한 번 들어도 소름 끼치는 소리를 두 번째 들으니 죽고 싶은 심정이었다. 도희의 표정이 불편하게 경직된 찰나였다.

쾅! 돌연 부서지는 듯한 소리가 쩌렁쩌렁하게 들려왔다. 김 이사를 포함한 모두가 화들짝 놀라 그 근원지를 바라보았다.

“……죄송합니다.”

모두의 시선이 모여 붙자 준원이 무표정하게 말했다.

“손이 미끄러졌습니다.”

준원의 손 아래에서는 산산조각이 난 유리 글라스 파편이 어지럽게 흐트러져 있었다. 순식간에 싸해진 분위기와 함께 도희의 동공은 거칠게 흔들렸다.

깨진 유리 조각들 사이 사이로 붉은 피가 언뜻 비쳤다. 싸하게 얼어붙은 룸 안을 무거운 침묵이 휘감았다. 한창 신이 난 와중에 끼얹어진 찬물에 김 이사의 심기가 불편해졌다. 그의 언짢은 기색을 눈치챈 도희는 퍼뜩 정신을 차리고 서둘러 웃으며 상황을 수습했다.

“하하, 팀장님 취하셨나 보다. 손 괜찮으세요?”

분위기를 부드럽게 풀기 위해 온 힘을 다해 웃으며 떠들었다.

"자, 자. 이사님. 제가 분위기 띄울 겸 한 잔 드릴게요."

"어? 어. 그래. 역시 센스가 있어?"

도희는 상황을 수습하기 위해 목소리를 과장되게 높이며 술병을 들어 올렸다. 고개를 뒤로 꺾어 올린 김 이사가 꿀꺽꿀꺽 술을 마시는 동안, 도희는 싸늘한 시선으로 준원을 보았다. 괜한 짓 하지 말라는 무언의 압박이었다.

"캬, 백 과장이 주는 술은 꿀물이야. 꿀물!"

단번에 잔을 비운 김 이사가 빈 잔을 흔들었다.

"서 팀장, 내가 우리 예쁜 백 과장 봐서 그냥 넘어가는 거야?"

자연스럽게 도희의 어깨에 손을 올린 김 이사가 껄껄 웃었다. 애써 웃는 도희를 준원은 무표정하게 바라보며 티슈로 제 손에 흐른 피를 닦았다. 그 손끝은 미세하게 떨리고 있었다.

"오늘 다들 수고했어. 잘들 들어가!"

이전과 똑같이 삼일마트 사람들이 먼저 돌아가고, 영업팀장과 유현록 본부장도 자리를 떴다. 전처럼 마지막으로 남은 사람은 준원과 도희였다. 깊게 한숨을 내쉰 도희는 왼쪽 손목을 들어 현재 시간을 확인했다. 10월 30일 오후 11시 20분. 타임 루프가 일어났던 시간은 약 10분 뒤였다.

"제발 또 반복되지 말아라……."

타임 루프를 최대한 빨리 끝내고 내일이 오게 하는 방법은 처음과 똑같이 행동하는 것뿐이었다. 중간에 준원이 잔을 깨는 바람에 미래가 틀어질 뻔했으나, 도희가 바로 수습한 덕분에 큰 틀에서는 전날과 변화한 게 없었다.

"제발……."

부디 바로 내일이 왔으면. 도희는 오늘을 또다시 반복하게 되면 정말 죽고 싶어질 것 같다고 생각했다. 형편없이 일그러진 얼굴로 손목시계를 노려보며 길을 따라 천천히 걸었다.

"백 과장."

그 뒤로 그녀를 불러 세우는 것은 준원의 음성이었다. 멈칫한 도희는 고개를 비스듬히 틀어 준원을 응시했다.

"왜 그런 겁니까?"

서늘한 음성이 귓가를 찔러 왔다. 옅게 미간을 찌푸린 도희가 무슨 말이냐는 듯한 표정을 지었다.

"언제는 타임 루프가 오답 노트라면서요. 과거로 돌아가서 잘못된 걸 고칠 기회를 얻는 거라고 하지 않았습니까?"

그는 어딘가 화가 난 듯한 어조로 말을 이었다.

"그런데 왜 저딴 짓거리를 받아 주고 있어요?"

도희는 어이가 없어 헛숨을 터뜨렸다.

"저야말로 묻고 싶은데요. 언제는 팀장님한테 피해가 가니까 처음하고 똑같이 행동해 달라면서요?"

"누가 이런 상황에도 똑같이 행동하라고 했습니까?"

"……."

"양 대리나 남 인턴을 위해서는 몇 번이고 하루를 반복했던 사람 아니에요? 남을 위해서는 잘만 나서더니 본인 일에는 왜 그렇게 바보같이 굴어요?"

"그럼 내가 저 상황에 어떻게 해야 했었는데요?"

발끈한 도희가 날이 선 시선으로 준원을 올려다보았다.

"소리라도 질러요? 주먹이라도 날릴까요?"

"……."

"아니면 고소하고 승진 불이익에 퇴사 압박이라도 당할까요?"

일개 회사원이 기업에서 할 수 있는 일은 거의 없었다.

"괜히 이슈 만들어 봐야 남들한텐 떠들기 좋은 가십 그 이상도 이하도 아니에요. 결국 나만 미친년 되고 끝나겠죠."

팽팽하게 마주한 두 사람의 시선에서 불길이 튀는 듯했다.

"그러니까 나 하나 참으면 되는 문제예요."

"……그게 어떻게 백 과장 혼자 참으면 되는 문제입니까?"

낮게 시선을 내리깐 준원은 묵직한 음성으로 반박했다.

"백 과장 한 명이 그냥 넘어가면 해결될 문제예요? 다른 피해자가 계속해서 발생할 거라는 건 모릅니까?"

그 말이 신호탄이 되어 울컥한 도희가 감정적으로 소리쳤다.

"그럼 대체 나보고 뭘 어쩌라고요!"

참아 왔던 감정이 왈칵 터지며 찢어질 듯한 고성이 터졌다.

"내가 그 상황에 뭘 어떻게 해야 했었는데? 아무리 노력해도 윗대가리들 눈깔에는 내가 시도 때도 없이 예쁜 고깃덩어리로 보여. 똑같이 개고생해서 올라가도 난 미인계고 다른 놈들은 실력이래!"

격양된 목소리로 소리치는 도희의 안면 근육이 파르르 위태롭게 떨렸다. 그런 그녀를 준원은 화난 시선으로 보았다.

"그쪽은…… 평생 내 맘 몰라."

도희의 떨리는 목소리에 준원의 눈썹이 구겨졌다.

"나처럼 고깃덩어리로 보일 일도 없고, 집안도 잘났으니까 쫓겨나도 돌아갈 곳이 있잖아."

금방이라도 울음을 터뜨릴 듯한 표정이었으나 그녀는 결코 눈물을 흘리지 않았다. 그저 빨갛게 충혈된 눈으로 준원을 똑바로 올려다볼 뿐이었다.

"근데 난 돌아갈 곳이 없어. 가족도 빽도 뭣도 없는 나는…… 여기 아니면 갈 곳이 없다고."

도희가 잘게 떨리는 숨을 뱉고서 입술을 잘근 깨물었다.

"그리고……."

고개를 빳빳하게 들어 올린 도희가 한마디를 뱉었다.

"거울이나 봐요."

준원의 한쪽 눈썹이 구겨졌다.

"그쪽 눈엔 여전히 아무것도 안 담겨 있어. 지금 무슨 감정인지, 왜 화를 내는 건지 스스로도 몰라."

그 말에 까만 동공이 미세하게 흔들렸다. 한 대 얻어맞은 사람처럼 경직된 얼굴로 도희를 내려다보았다.

"그러니까 남의 일에 신경 끄세요."

차갑게 한마디를 쏘아붙인 도희는 그대로 뒤를 돌았다. 칠흑처럼 어두운 밤거리를 또각또각 걸어 목적 없이 다리를 움직였다. 그리고 그 뒤로 준원의 무거운 시선이 따라붙었다. 그는 그 자리에서 석상처럼 굳은 채 가만히 서서 도희의 뒷모습을 바라볼 뿐이었다.

앞만 보고 걸음을 옮기던 도희는 꽉 입술을 깨물고 다시 뒤를 돌아 준원에게로 다가왔다. 도희는 여전히 가만히 있는 준원의 오른손을 잡아 끌어당겼다.

"……."

대충 피만 닦고 방치한 탓에 준원의 주먹의 상처는 아프게 덧나고 있었다. 핸드백에서 손수건을 꺼낸 도희는 하늘거리는 천을 힘줘 편 후, 피가 고인 준원의 주먹에 감아 주었다.

"……그럴 여유 있으면, 병원이나 가요."

하얀 손수건의 끝을 잡고 매듭을 지은 도희는 미련 없이 뒤를 돌았다. 그녀가 탄 택시가 시야에 사라진 후로도 준원은 한참을 묶인 듯 가만히 서 있었다.

집으로 돌아온 준원은 곧장 시원한 물을 꺼내 들고 단번에 들이켰다. 병 하나를 완전히 비우고 나서야 깊은숨을 내쉬며 소파에 누웠다. 눈을 지그시 감았다가 뜬 준원은 벽에 걸린 디지털 시계를 곁눈질했다. 10월 30일, 오후 11시 59분. 뚫어져라 시계를 바라보던 준원의 눈동자가 짙어졌다.

"……."

12시 00분. 10월 31일. 토요일. 다행인지 불행인지, 준원이 잔을 깨뜨린 것은 원래의 미래에 큰 영향을 주지 않았고, 그 때문에 시간은 다시 아침으로 거슬러 올라가지 않고 정상적으로 흘러 내일이 왔다.

"……하."

준원은 알 수 없는 미묘한 감정에 휩싸여 기분이 계속 좋지 않았다. 점점 분노가 식고 나니, 남은 것은 태어나서 처음 느끼는 생소한 감정이었다. 이렇게까지 마음에 걸리는 여자는 처음이었다.

지금껏 웬만한 일로는 화를 내는 법이 없었고, 보통의 사람들보다 감정이 둔화되어 있었기 때문에 노여움 또한 쉽게 느끼지 못했다. 그런데 오늘, 백도희의 울 것 같은 표정을 보자마자 준원의 머릿속은 새하얗게 물들었다. 20년 전 그 사건 이후, 아주 오랜만에 분노라는 감정을 다시금 느꼈다. 그 때문인지 치밀어오르는 화를 어떻게 표출해야 할지 준원은 도무지 알 수 없었다.

"하……."

물론 그가 잔을 깨뜨린 건 충동적인 행위였다. 그리고 그 행동은 오히려 그녀를 곤란하게 만들 뻔했다. 깊게 한숨을 내쉰 준원은 옆에 치워 두었던 핸드폰을 들었다. 액정에 떠 있는 도희의 연락처를 무의미하게 한참 동안 바라보며 고민했다.

하지만 곧 힘없이 꺾이는 손과 함께 액정은 까맣게 죽어 버렸다. 준원은 욱신거리는 주먹을 느끼며 제 손에 묶인 하얀 손수건을 빤히 바라보았다. 다른 손으로 그 하얀 천 위를 문지르다가 천천히 눈을 감았다.

'한번 마음에 난 상처는, 평생 지워지지 않아요.'

귓가에 어른거리는 것은 예전에 그녀가 준원에게 했던 말이었다.

'모든 걸 기억하고 상처받는 건…… 나 하나면 충분해요.'

주먹에 난 상처는 약 바르고 치료하면 나을 터였다. 하지만 오늘 그녀의 가슴에 남은 상처는 아마도 평생 문신처럼 남아 지워지지 않을 게 분명했다.

"……."

가장 많이 화가 나고 상처받았을 사람은, 자신이 아닌 백도희 그 여자라는 걸 준원도 알았다. 분노에 눈이 멀어 그녀를 다그쳐서는 안 됐었다.

금요일 미팅에서의 불미스러운 일을 뒤로 하고 도희는 토요일에도 출근했다. 몸이 아파 나흘을 결근한 양지예 대리의 업무를 전부 도희가 떠맡았고, 그 때문에 주말 출근이 불가피했기 때문이었다.

"짜증 나……."

빠르게 끝내고 집에 가서 쉴 생각이었으나, 진도는 영 나가지 않았다. 평소 같으면 두세 시간 안에 끝냈을 분량의 일을 몇 시간째 질질 끌고 있는 중이었다.

"재수 없어, 서준원……."

그 이유는 단 하나였다. 안 그래도 복잡한 그녀의 머릿속을 서준원이 온통 무단점거하고 있었기 때문이었다.

"자기가 뭘 안다고 나한테 난리야? 재수 없어, 진짜!"

어차피 사무실에는 도희 혼자였기에 감정을 숨길 이유도 없었다. 공문을 쓰던 도희는 어느덧 정신을 차려보니 모니터에 '재수 없어'를 미친 듯이 치고 있었다.

"아, 이런 재수 없는……!"

갑자기 또 재수 없게 컴퓨터가 다운되고 재부팅되더니 비밀번호가 만료되었다며 바꾸라고 알림창이 계속 뜨는 게 아닌가. 열 뻗친 도희는 '서준원 재수 없어'로 비밀번호를 대충 바꾸고 쓰던 공문 창을 도로 띄웠다.

미칠 듯이 속이 답답했던 그녀는 벌컥 서랍을 열고 그 안에서 초콜릿이 한 무더기 들어 있는 파우치를 꺼냈다. 내기고 나발이고 지금 초콜릿을 먹지 않으면 숨통이 끊길 것만 같았다.

뭐, 애초에 혼자 주말에 일하며 먹는데 그 재수 없는 놈이 무슨 수로 알겠는가? 초코바를 하나 꺼내 껍질을 뜯고 와아앙 입을 크게 벌린 찰나였다. 뒤에서 느껴지는 인기척에 움찔한 도희는 그대로 딱딱하게 굳어 버렸다. 상상도 못 한 준원의 등장이었다. 살짝 당황한 도희는 입에 들어가기 직전이었던 초코바를 내리며 뻴쭘하게 입을 옹송그려 물었다.

"……왜 여기에."

그가 말없이 서 있자 괜히 찔려서 변명했다.

"아직 안 먹었어요……."

"……."

"그냥…… 밥상에 굴비 매달아 놓고 보듯이…… 자린고비 정신……."

뾰로통하게 중얼거리던 도희가 입술을 삐죽 내밀며 말꼬리를 늘였다. 픽 웃음을 터뜨린 준원은 그대로 도희의 손을 잡아 그녀의 입에 초코바를 넣어 주었다.

"먹어요. 내기는 내가 진 거로 할 테니까."

"……."

입에 물린 초코바를 오물거리던 도희가 머쓱한 표정으로 눈동자를 하릴없이 굴렸다. 꿀꺽 삼키고 입가를 쓱쓱 닦는데, 이내 몰려온 것은 참을 수 없는 어색함이었다. 어제 그렇게 목청을 드높이고 한바탕 난리 치며 싸웠는데 어색하지 않으면 그게 더 이상한 일이었다.

"그런데, 공문에 이런 용어 쓰면 안 되는데?"

준원은 도희의 컴퓨터의 모니터를 한가득 채운 '재수 없어'를 보며 웃음을 터뜨렸다. 흠칫 당황한 도희는 서둘러 창을 아래로 내리고 흘끔 준원의 눈치를 살폈다.

"남은 일, 같이 해서 빨리 끝냅시다."

"네? 제가 다 해도 되는데……."

"주말인데 백 과장도 쉬어야죠. 둘이 하면 금방 끝날 거예요."

준원은 도희의 책상에 무언가를 놓으며 나지막하게 말했다.

"그리고…… 혼자 다 짊어질 필요 없다고 했잖아요."

"……아."

제 책상에 소리 없이 부드럽게 올라온 커피를 본 도희의 가슴이 일순 두근거렸다.

"감사합니다."

작은 소리로 속닥거리자 준원은 흐릿한 웃음으로 답했다. 그녀의 책상에 있는 서류를 챙긴 그는 제 자리로 향했다. 팔을 걷어붙인 그는 더 이상의 말 없이 묵묵히 일을 시작했다. 그런 준원의 모습을 곁눈질하던 도희는 묘한 상승감에 휩싸였다.

두 사람이 함께 해치우니 확실히 쌓여 있던 일은 빠르게 끝이 났다.

"수고했어요. 주말인데 쉬지도 못하고."

"아니에요. 팀장님도 고생하셨습니다."

모든 업무를 마무리 지은 도희는 움츠러든 어깨를 쭉 펴며 스트레

칭을 했다. 그런 그녀에게 슬그머니 다가온 준원은 조심스레 말문을 열었다.

"그, 나 백 과장한테 하고 싶은 말이 있는데……."

"네?"

준원의 시선이 천천히 흘러 도희에게 닿았다.

"어제는 미안했어요."

놀란 도희의 눈이 동그랗게 뜨여졌다. 갑작스러운 사과에 일순 멍해진 도희가 눈을 한 번 깜빡였다.

"백 과장 입장에서 생각했어야 했는데, 내가 내 생각만 했습니다."

"……."

"가장 힘들었을 사람은 백 과장인데, 내가 괜히 상처에 소금 뿌린 것 같아서 마음이 많이 안 좋았어요."

준원은 덤덤하게 솔직한 심정을 털어놓았다.

"미안합니다."

그렇게 말하는 그의 눈빛이 도희에게 꽤 진심으로 느껴졌다. 이제 보니 이 남자는 감정을 아예 느끼지 못한다기보다는 그걸 표현하는 법이 아주 서툰 것 같았다. 이렇게 진솔한 사과를 해 온다는 것이 그에게 얼마나 어려운 일인지 도희는 잘 알고 있었다. 애초에 그녀가 화를 품은 상대도 준원이라기보다는 변태 같은 노인네들이었다.

"사과는…… 일단 보류."

"보류요?"

"앞으로 하는 거 봐서 받아 줄지 말지, 결정할래요."

왠지 우위를 점한 듯한 기분에 우쭐해진 도희는 괜히 한번 튕겨 보았다. 생각지 못한 도도한 태도에 준원이 책상에 등을 기대며 픽 웃음을 터뜨렸다.

"아무리 그래도 팀장인데, 이렇게 막 대해도 되는 겁니까?"

장난스러운 말에 도희가 살풋 미소 지었다. 살짝 주위를 둘러본 도희는 그의 목을 확 끌어안고 쪽, 뺨에 입을 맞추고 떨어졌다. 갑작스럽게 볼에 와닿은 촉촉한 감촉에 놀란 준원의 동공이 커졌다. 그 얼빠진 눈을 보며 도희는 그의 귓가에 입술을 가져다 댔다.

"우리가 그냥 팀장과 팀원 관계는 아니지 않나?"

숨결을 섞어 은밀하게 소곤거렸다.

"평범한 회사 동료끼리는 뽀뽀 안 하죠."

그렇게 말하며 씩 웃는 얼굴이 요망하기 그지없었다.

준원은 눈 깜짝할 새 뽀뽀당한 뺨을 한 손으로 덮었다. 미세하게 흔들리는 동공을 포착한 도희의 가슴이 뿌듯해졌다. 그 무던한 서준원마저도 동요하게 만든 붉은 입술이 히죽 웃었다.

"그럼 전 퇴근합니다?"

대놓고 한 방 먹인 도희가 만족스럽게 웃었다. 곧장 뒤를 돌아 가방을 챙겨 나가는 뒷모습에 뒤늦게 정신을 차린 준원이 헛웃음 쳤다. 도희를 따라 나온 그가 그녀와 걸음을 맞추며 낮은 음색으로 물었다.

"아직 점심 전이죠?"

"네, 계속 일했으니까요."

"그럼 같이 늦은 점심 먹으러 갈래요?"

때아닌 제안에 도희가 고개를 저었다.

"아니에요. 저 누구랑 만나기로 약속을 해서."

"그럼 다음에 먹죠, 뭐."

일순 준원은 그녀가 주말에 만난다는 사람이 누구인지 궁금했으나 예의상 묻지 않았다. 엘리베이터에 올라타서 도희는 1층 버튼을 꾹 눌렀다. 지하 주차장이 아닌 로비로 향하려는 도희를 보고 준원이 물었다.

"오늘 차 안 가져왔어요?"

"네. 이따 친구 만나면 아무래도 한잔할 것 같아서요."

"약속 장소가 어디인데요?"

"이태원이요. 거기 줄 서는 맛집이 있다고 해서."

"그쪽이면 우리 집 가는 방향이네요. 약속 장소까지 데려다줄 테니까 내 차 타고 가요."

준원이 1층 버튼을 또 한 번 눌러 취소하며 낮게 말했다. 도희는 대답 대신 웃음 지었다. 이왕 베풀어 줄 호의라면 흔쾌히 받기로 했다. 준원의 차를 타고 약속 장소로 이동한 도희는 기다리고 있다는 이언의 문자를 받았다.

"아, 저 앞에서 내려 주시면 돼요."

신호에 걸리자 도희는 건너편에 서 있는 이언을 발견하고 말했다. 준원의 눈썹이 구겨졌다.

"만난다는 사람이 그때 그 친구분이었어요?"

멀리서도 눈에 띌 만큼 장대한 키와 떡 벌어진 어깨를 가진 남자를 준원 또한 한눈에 알아보았다. 동시에 떠오르는 것은 지난번의 유쾌하지 않았던 첫 만남이었다.

"둘이 만나기로 했어요?"

"네?"

뜬금없는 질문에 도희의 한쪽 눈썹이 구겨졌다.

"네, 뭐. 원래 누리하고 셋이 자주 만나는데, 오늘 누리는 촬영이 있어서요."

"그렇군요. 보통 이성 친구 사이에서 주말에 따로 만나는 경우는 드문데."

도희는 황당한 웃음을 터뜨렸다.

"이성은 무슨. 걔는 저한테 이성이 아니고 무성이에요, 무성."

한 번도 이언을 남자로 생각해 본 적이 없었기에, 그를 이성으로 구분 짓는 말은 우스울 뿐이었다.

"그렇게 생각할 수도 있겠네요."

웃으며 가볍게 말한 도희와 다르게 준원의 얼굴에는 웃음기가 없었다. 그는 언제나 그랬듯 속을 알 수 없는 무표정으로 정면을 바라보고 있을 뿐이었다. 흘끔 곁눈질로 그런 그의 기색을 살핀 도희의 표정이 오묘해졌다.

설마……. 질투하는 건가?

'아니, 나 지금 무슨 생각을…….'

제 생각에 화들짝 놀란 도희가 고개를 저었다. 그럴 리가 없었다. 질투란 건 사랑하는 상대에게나 느끼는 감정이었다. 불과 2주 전 우연히 삼자대면했을 때, 준원은 이언에게 조금의 동요 없이 저를 좋아하지 않는다고 말했다. 물론 그 이후에 동료로서는 좋아한다고 정정하기는 했어도, 어쨌든 그 감정이 사랑이나 애정은 아니라는 것이다.

'하긴…….'

애초에 잠자리까지 가졌던 사이니, 최근 나눈 키스 몇 번으로 관계가 달라질 리도 없었다.

'특히 이 남자와 나는 더더욱…….'

약간 들떴던 도희는 스스로가 바보같이 느껴졌다.

"그럼 전 가 볼게요. 데려다주셔서 감사합니다."

준원이 갓길에 차를 정차하자 도희가 정중하게 고개를 숙였다. 한편, 이언은 흉흉한 기세로 준원의 차를 타고 온 도희를 불만스럽게 쏘아보고 있었다. 자동차 앞 유리로 훤히 보이는 이언의 모습이 준원의 까만 눈에 담겼다.

"백 과장."

도희가 나가기 위해 차 문고리에 손을 댄 찰나였다.

"가기 전에 할 말이 있는데."

"네?"

"가까이 와 봐요."

귀를 대라는 듯 손짓하자 도희가 대수롭지 않게 몸을 기울였다.

"아……!"

그 순간 어깨를 감싸 확 끌어당기는 힘에 도희의 몸이 준원에게로 쏠렸다. 후, 귓가로 촉촉이 쏟아지는 뜨거운 숨결에 도희의 얼굴이 화끈 달아올랐다.

"이, 이게 무슨……."

갑자기 귀에 대고 숨을 뱉는 준원에 당황한 도희가 제 귀를 감쌌다. 빨개진 얼굴을 감출 생각도 하지 못하고 황당한 얼굴로 따졌다.

"뭐예요! 왜 남의 귀에 숨을 뱉고 난리예요……!"

"담배 냄새 안 나죠?"

"……."

"끊었다는 거 증명하려고요."

준원이 곱게 미소 지었다. 웃는 얼굴에 침 못 뱉는다고 했던가, 도희는 어처구니가 없어 뭐라도 따지고 싶었으나 목 아래까지 차오른 말은 쉽사리 뱉어지지 않았다. 이래서야 준원이 일부러 입꼬리를 올리고 있는 게 분명했다.

"잘 가요."

나지막한 음성이 도희의 귓가를 적셨다.

"월요일에 봐요."

다시 귀에 대고 속삭이자 도희가 딱딱하게 굳었다. 핑크빛으로 달아오른 뺨을 준원의 길쭉한 검지가 톡톡, 가볍게 두드렸다. 멍하니 있던 도희는 그 손길에 퍼뜩 정신을 차리고 기겁하듯이 차에서 내렸다.

그 반응이 귀여워 준원은 소리 없이 웃으며 액셀을 밟았다. 얼빠진 얼굴로 저를 바라보는 이언을 한번 비웃어 주고는 말이다.

"야, 백도희! 저 자식, 뭐야?"

앞 유리 너머로 그 기분 나쁜 표정을 똑똑히 목격한 이언이 차에서 내린 도희에게 노발대발하며 물었다.

"왜 날 보고 비웃는…… 야!"

안 그래도 열 받아 있던 이언은 도희의 얼굴을 보고 뒷목을 잡았다.

"너 표정은 또 왜 그래?"

"어?"

"얼굴이 왜 빨간색이냐고!"

"뭔 개소리야……."

"저 자식이 너한테 뭐라고 했길래 네 표정이 그따위냐고! 어?"

15년간 한 번도 본 적 없는 도희의 표정에 꼭지가 돈 이언이 그녀의 볼을 양손으로 붙잡았다.

“아, 아냐! 이것 좀 놔!”

“아니긴 무슨! 너 설마 저 희멀건 자식한테 반한 거 아니지? 사귀는 거 아니지?”

“웬 헛소리야! 연누리도 계속 그 소리더니, 이제 너까지 난리냐?”

도희는 제 얼굴을 감싸고 있는 이언의 손을 뿌리쳤다.

“야, 이 형님 말 잘 들어라. 저런 놈은 딱 봐도 나쁜 남자가 아니라 나쁜 새끼야! 관상이 그렇잖아!”

“주절주절 뭐라는 거야, 진짜?”

“남자는 말이야. 자고로 이렇게 근육이 사방팔방으로 빵빵해야 한다고! 나 봐봐!”

한쪽 팔을 걷어붙인 이언이 팔에 힘을 꽉 주자 팽팽한 근육이 드러났다.

“미친……! 길거리에서 쪽팔리게 뭐 하는 거야! 사진 찍히면 어쩌려고!”

“찍으라 해! 난 전혀 상관없으니까.”

“작작 하고 근육 자랑은 네 여친한테나 해!”

“여친이 없잖아!”

“아, 왜 나한테 성질이냐고! 너 연애 못 하는 게 내 탓이야?”

“…….”

그래, 네 탓이다. 차마 입 밖으로 뱉진 못하고 속으로만 중얼거리는 이언이였다.

“그만 열 내고 밥 먹으러 가자. 나 배고파.”

“……에휴.”

이언은 깊게 한숨을 내쉬었다. 어차피 오늘도 혼자 속앓이하다가 끝날 짝사랑이었다.

주말이 지나고 찾아온 월요일 아침. 한 주의 시작을 여는 아침 회의부터 도희에게는 청천벽력 같은 소식이 날아 들어왔다.

"위에서 논의한 결과, 차유나 셰프와의 콜라보 아이디어를 낸 하동현 대리의 기획이 채택되었습니다."

머리부터 발끝까지 서늘하게 식는 기분이었다. 듣기만 해도 몸서리쳐지는 '차유나'라는 이름 때문이었다. 지나가다가 우연히라도 마주치기 싫은 인간과의 콜라보가 채택되었다니, 세상 이보다 끔찍한 일은 없었다.

"일단 하 대리는 금주 안에 PT 자료 정리해 주고, 백 과장은 이른 시일 내에 차유나 셰프 접촉해서 섭외하는 데 집중해 주세요."

"아……."

10년 만에 만나는 차유나 얼굴에 침을 뱉어도 모자랄망정, 협업을 제안하며 굽신거릴 수는 없었다.

"하 대리 아이디어니까 차유나 셰프 섭외는 하 대리가 진행하는 게 좋겠습니다. 대신 PT 자료는 제가 맡아서 정리하도록 할게요."

"하 대리, 괜찮겠습니까?"

"네. 상관없습니다."

"그럼 그렇게 진행하는 거로 하죠."

도희는 작게 안도의 한숨을 내쉬었다. 어차피 프로젝트를 진행하다 보면 대면하는 것은 불가피한 일이었지만 섭외 과정부터 부대끼고 싶진 않았다. 무려 10년이나 지났는데도 가슴에 남은 앙금은 절대 사라지지 않았다. 찝찝한 기분 속에 회의가 끝나고, 사무실로 돌아온 도희는 내내 멍한 상태였다. 그러나 얼마 가지 않아 거래처와의 미팅을 위해 정신을 차리고 자리에서 일어났다.

"나 HK 미팅 다녀올게. 혹시 팀장님이 나 찾으시면 말해 줘."

"네, 다녀오세요!"

준원은 본부장실로 불려 가고 없었기에 새봄에게 부탁한 뒤 사무실을 나섰다. 차에 시동을 걸고 교통 체증으로 꽉 막힌 도로 위에 오르자 도희의 기분은 더욱 답답해졌다.

"차유나……."

운전하는 내내 머릿속은 차유나의 생각으로 뒤죽박죽이었다. 이제는 10년도 더 된 고등학교 시절의 기억이 도희의 의지와는 관계없이 다시금 머릿속에 재생되었다.

그 지옥 같은 사건의 시작은 11년 전, 고등학교 3학년 때였다. 도희는 공부도 잘하고 집안까지 완벽한 수재들이 모여 있는 유명한 사립고등학교에 장학금을 받고 입학해 2년을 별 탈 없이 지내왔었다. 그렇게 맞은 고등학교 3학년. 처음으로 중간고사에서 1등을 했었다. 보육원에서 나와 창문도 없는 반지하 방에서 밤낮없이 공부하여 받은 값진 1등이었다.

"도희 언니, 1등 축하해."

차유나는 분명히 그렇게 웃으면서 말했었다. 그녀는 명석한 머리로 한 살 일찍 학교에 입학해 늘 1등을 거머쥐었던 수재 중의 수재였다. 도희는 중학생 때부터 한 재단에서 지속해서 후원을 받아 생활했는데, 차유나는 그 재단 이사장의 딸이기도 했다. 그녀 집안의 도움을 받는 처지였지만, 그래도 도희와 차유나는 자매처럼 친하게 지냈었다.

……이상한 소문이 돌기 전까지는 말이다.

"야. 백도희 걔, 부잣집인 척 연기하더니 사실 엄마 아빠도 없다며?"

어느 날, 화장실 칸 안에서 듣는 자신에 대한 말들은 도희에게 비수가 되어 꽂혔다.

"나도 들었어. 걔 창문 없는 집에서 발도 못 뻗고 지낸다던데. 그것도 유나네 집에 빌어먹고 사는 거래."

"진짜 소름 끼친다니까? 어떻게 2년을 감쪽같이 속였나 몰라. 평소에 도도한 척하는 거 보면 재벌 3세인 줄 알겠어."

"유나나 누리 같은 애들이랑 다니니까 자기가 뭐라도 된 줄 알았던 거지."

순탄하게 지내 온 학교생활이 무너지는 소리가 들렸다. 화장실 칸 안에서 저런 소리를 들으면 보통은 가만히 처박혀 울겠지만, 도희는 그런 성격이 아니었다.

"야, 이 미친년들아.'

"아, 깜짝이야! 도, 도희야……!'

"그래, 어디 부모도 없는 년한테 뒤질 때까지 맞아 보자."

제 욕을 하는 사람이 있으면 곧장 머리채 잡고 죽을 때까지 싸웠고, 그렇게 한 달이 지나니 도희는 학교에서 건들면 안 되는 미친년이 되어 버렸다. 아무도 가까이 다가오지 않으니 사실상 왕따나 마찬가지였다. 그리고 도희는 그 소문을 유나가 냈다고 확신했다.

"야, 너지?"

자신의 가정 형편을 아는 사람은 유나와 누리가 유이했기 때문이었다.

"헛소문 퍼뜨린 년이."

"무슨 말인지 모르겠는데……. 왜 그렇게 생각하지?"

한때는 가족 같은 사이라고 생각했던 유나가 안면을 바꾸는 것은 순식간이었다.

"근데…… 그게 왜 헛소문이야?"

"뭐?"

"언니, 부모 없는 것도 맞고, 반지하 방에서 사는 것도 맞잖아?"

"……."

'게다가 우리 집 후원받아서 사는 거 아니었어?"

순수한 척 생글 웃는 얼굴이 너무도 증오스러웠다. 분노가 치밀어 올라 저도 모르게 멱살을 움켜쥐었으나 유나는 표정 변화 하나 없었다. 때릴 수 있으면 때려보라는 듯한 얼굴에 도희는 차마 주먹을 날릴 수 없었다. 그녀에게 손을 대는 순간, 후원이 끊길 거란 걸 잘 알고 있었기 때문이었다. 고등학교라도 제대로 졸업하려면 후원받는 재단의 딸인 그녀와 더 이상의 문제를 일으켜서는 안 됐다.

"그때 주먹이라도 날렸어야 자존심이 사는 건데……."

그날의 치욕을 회상하며 도희가 이를 바득 갈았다. 자존심보다 다가올 미래가 무서워서 주먹을 거두었다. 차유나는 그런 제 상황을 전부 알고 일부러 도발한 게 틀림없었다.

"근데 하필이면 그년하고……."

제 고등학교 시절을 망쳐 놓았던 주범을 다시 만나야 한다니.

"하여간 세상 한번 더럽게 좁지."

사회생활을 하다 보면 싫어하는 인간과 비즈니스적으로 만날 수 있다는 것쯤은 알고 있다. 머리로는 이해하지만, 도희는 앞으로 일어날 일들에 벌써 스트레스를 받기 시작했다.

"하……."

빨간불에 멈춰선 도희는 핸들에 느슨하게 이마를 기댔다. 그러나 지친 머리를 회복할 여유도 없이 핸드폰이 시끄럽게 울렸다.

"네, 팀장님."

준원에게 걸려 온 전화였다.

-백 과장, 컴퓨터 비밀번호가 뭡니까?

"네? 비밀번호요? 그건 갑자기 왜요?"

-백 과장이 내 책상 위에 올려놓고 간 보고서 말이에요. 파일로 필요해서요.

"아…… 급한 건인가요?"

-네, 바로 필요합니다.

"알겠습니다. 비밀번호는 rktsu예요."

잠깐 수화기 너머로 침묵이 흘렀다.

-rktsu, 안 되는데요?

"네?"

–비밀번호가 틀렸다고 나옵니다.

“그럴 리가 없을 텐데요. 다시 한번 쳐보시면…… 아.”

도희의 심장이 쿵 내려앉았다. 문득 엊그제 컴퓨터 비밀번호를 ‘서준원 재수 없어’로 바꾸었던 걸 떠올린 탓이었다. 도희의 동공에 지진이 일어나며, 당황한 이마에 땀이 송골송골 맺히기 시작했다.

–잘 생각해 봐요. 비밀번호 뭐예요?

“아…… 그…… 제가 이따 들어가서 보내드리면 안 될까요?”

–그때까지 힘듭니다. 급한 건이니 빨리 말해 주세요.

“지…… 진짜 안 될까요?”

–비밀번호 말해 주세요, 빨리.

……신은 제 편이 아닌 게 틀림없었다. 속으로 육두문자를 내뱉은 도희가 더듬더듬 입술을 움직였다.

“서…….”

–서?

“서…… 서준원 재수 없어.”

–네?

반문하는 준원의 말에 도희의 얼굴이 시뻘겋게 달아올랐다.

“비, 비밀번호라구요……. 서준원 재수 없어……가.”

–…….

“…….”

–…….

수화기 사이로 잠시 어색한 정적이 내려앉았다. 토마토처럼 붉어진 얼굴로 도희는 소리 없는 아우성을 내질렀다.

상상도 못 한 비밀번호에 준원은 한 대 맞은 듯 멍한 얼굴이 되었다.

—……죄송합니다…….

이내 수화기 너머로 들려오는 기어들어 가는 목소리에 준원이 픽 웃음을 터뜨렸다. 길쭉한 검지로 책상 위를 톡, 톡, 두드리다가 도희의 컴퓨터에 비밀번호를 한 글자, 한 글자 입력했다.

“서, 준, 원, 재, 수, 없, 어.”

—…….

“틀렸다는데요?”

—그…… 재수랑 없어 사이에, 공백 없이 다시 치시면…….

“재수 없어, 말고 붙여서 ‘재수없어’?”

—……네에.

“그렇군요. 서준원 재수없어…….”

—…….

“됐네요. 열렸어요.”

일부러 강조하는 듯이 몇 번이고 반복하는 준원 탓에 도희는 창피함에 숨넘어가는 중이었다.

‘……그걸 꼭 반복해서 몇 번씩이나 말해야겠냐!’

핸들을 꽉 움켜쥐고 속으로 육두문자를 마구마구 내뱉었다. 하여간 한결같이 재수 없는 인간 같으니!

—알겠어요. 그럼 미팅 잘 다녀와요.

“……네. 이따 뵙겠습니다.”

—그래요. 전화 끊을게요.

또다시 자그마한 목소리로 대답한 도희는 푹 한숨을 내쉬었다.

"하아……."

땅이 꺼지라 숨을 뱉은 후에 눈을 흉흉하게 뜨고 온갖 불평불만을 쏟아내었다.

"아오! 이 짜증 나는 인간! 그걸 꼭 소리 내서 몇 번이고 말을 해야 해?! 그냥 조용히 치면 덧나? 진짜 못돼 처먹은……!"

–저 전화 아직 안 끊었는데요?

"……."

흠칫 놀란 도희의 동공이 뒤흔들렸다. 당연히 전화를 끊었다고 생각하고 마구 욕을 퍼부었다가 또 한 번 참사가 벌어지고 말았다. 거기다가 놀란 나머지 목에서는 끅, 괴이한 소리와 함께 딸꾹질이 시작됐다. 말없이 딸꾹질하는 도희의 소리를 가만히 듣던 준원이 결국 소리 내어 웃음을 터뜨렸다. 답지 않게 당황하는 모습이 귀여워서 더 놀리고 싶어진 탓이었다.

"딸꾹질할 때, 혀를 잡아당기면 딸꾹질이 멈춘다고 합니다. 한번 해 보세요."

–……운전 중인데 혓바닥을 어떻게 잡아당겨요.

"아니면 숨이라도 참아보든가. 미팅 장소에 딸꾹질하면서 들어가면 안 되는 거 알죠?"

–그 정도는 저도 알고 있습니다……!

준원이 낮게 웃었다. 보지 않아도 잔뜩 약이 올라서 부들거리고 있을 도희의 얼굴이 그려지는 듯했다.

"어쨌든 이따 미팅 끝나고 연락해요. 수고하고."

전화를 끊고 나서도 준원은 문득 제 입가에 터지는 웃음을 막을 수 없었다. 서류로 시선을 내리고 마저 검토하는 중에도 살풋 비어져 나온 웃음은 입가에서 오래도록 머물러 있었다.

"팀장님, 아까 말씀하신 자료 메일로 보냈……어요."

"네, 확인할게요."

자료 정리에 집중하느라 무슨 일이 있었는지 몰랐던 새봄은 준원의 처음 보는 표정에 놀라 순간 멈칫했다. 예의상 짓는 미소 외에는 한 번도 제대로 웃는 걸 본 적이 없었는데, 지금 그는 보통 사람들처럼 평범하게 웃고 있었다. 처음 보는 준원의 웃는 얼굴에 잠시 넋이 나갔던 새봄은 이내 퍼뜩 정신을 차리고 하던 일을 계속했다.

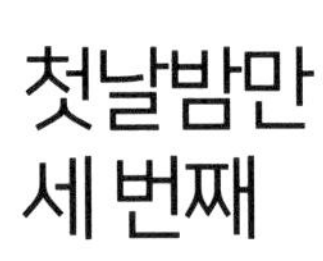

VOL. 1

Three First Nights

CHAPTER 5

호텔에서 생긴 일

5

호텔에서 생긴 일

목요일 아침, 여느 때와 같이 회의실에 모인 준원과 팀원들은 한창 회의에 열을 올리고 있었다.

"하 대리, 차유나 셰프 섭외 어떻게 되고 있습니까?"

"네? 아…… 지금 컨택해서 섭외 진행 중입니다."

살짝 긴장한 하 대리가 식은땀을 흘리며 어리숙하게 답했다.

"지시한 지가 꽤 됐는데 아직도 확답을 못 받았다는 건…… 문제가 있어 보이는데."

"……."

"열의가 없는 겁니까, 아니면 능력이 없는 겁니까."

높낮이가 없는 건조한 목소리에 하 대리가 꿀꺽 마른침을 삼켰다.

"죄송합니다……. 그게 사실…… 차유나 셰프가 고민을 해 봐야겠다고 하더니, 결정을 계속 미루고만 있어서……."

"변명은 됐으니까 서둘러 주세요."

"네……."

풀 죽은 하 대리가 할미꽃처럼 고개를 수그렸다.

뭔가 잘 안 풀리는 건가? 도희는 한쪽 눈썹을 찡그리며 생각했다. 차유나 섭외부터 막힌다면 프로젝트는 백지로 무산될 수밖에 없었다.

"그리고 마지막으로 저희 부산에서 열리는 신규 브랜드 행사에 참석해야 하는데, 저와 1박 2일로 같이 출장을 갈 사람이 필요합니다."

반쯤 너덜너덜해진 하 대리의 상태는 안중에도 없다는 듯, 준원은 무덤덤한 음성으로 회의를 이어 나갔다.

"백 과장, 같이 갈 수 있어요?"

화들짝 놀란 도희의 동공이 미세하게 커졌다.

……왜 나야, 갑자기! 내가 미쳤다고 너랑 1박 2일로 출장을 가냐!

"죄송합니다. 제가 다음 주 업무량이 조금 많아서 무리일 것 같습니다."

"그래요? 그럼……."

생각보다 깔끔하게 포기하는 준원에 도희는 안도의 한숨을 내쉬었다. 팀원들을 한 번 훑는 준원의 시선에 지예가 수줍게 손을 들었다.

"저, 저요! 제가 같이 갈게요, 팀장님!"

소녀처럼 발갛게 물든 뺨을 한 지예가 헤헤 웃으며 나서자 도희가 저도 모르게 움찔했다. 설마 진짜 양지예 대리와 둘이서 출장을…….

"양 대리는 밀린 일부터 처리해야 할 것 같은데요."

"아…… 네에."

준원의 칼 같은 말에 용기 내어 자진 납세했던 지예는 풀 죽은 강아지처럼 쪼그라들었다.

"하동현 대리. 같이 갈 수 있어요?"

"아…… 음……."

"그래요. 그럼 하 대리가 같이 가는 거로 하죠."

"……네……."

온몸으로 가기 싫다고 표현하는 하동현 대리의 의사를 1초 만에 묵살한 준원은 제 출장 파트너를 멋대로 확정했다.

'아…… 다행…….'

저도 모르게 살짝 안심했던 도희가 흠칫 놀랐다.

'난 또 왜 안심하고 난리…….'

하동현이 가든 양지예가 가든, 그건 도희와 전혀 관계없는 일이었다.

다음 날 아침, 여러모로 상심한 하동현 대리는 아침부터 한숨을 푹푹 내쉬며 사무실 분위기를 흐리고 있었다. 막 출근한 도희는 웃으며 팀원들에게 인사했다가 우중충한 그를 보고는 눈살을 찌푸렸다.

"아침부터 기운 빠지게 왜 저러고 있대?"

도희의 물음에 지예가 의자를 드르륵 끌어다가 붙이고 도희의 귀에 속닥였다.

"차유나 셰프 섭외, 실패했다나 봐요."

"뭐?"

"그쪽에서 계속 질질 끌더니 결국에 거절했대요."

"아니, 섭외도 못 하고 뭐 하는 거야. 대체."

섭외 가능하다고 큰소리 뻥뻥 치던 하동현의 결말은 이런 것이었다. 아예 책상에 코를 박고 반쯤 죽어 있는 하 대리를 못마땅하게 바라보던 도희가 가까이 다가가 책상을 똑똑, 두드렸다.

"왜……."

"차유나 섭외 못 했다면서요."

좀비처럼 책상에 엎드린 채 목만 돌려 도희를 보던 동현의 얼굴이 절망으로 일그러졌다.

"그거 최소한 오늘까지는 정리됐어야 하는 거 알죠? 본부장님이 기대하고 있는 프로젝트인데 무산되면……."

"알지……. 나도 내년엔 진짜 승진하고 싶어서, 여기 사활을 걸었는……."

"말이 좀 짧네요."

"……데요. 거절당했습니다."

주먹으로 입을 틀어막고 반쯤 억지 울음을 앵앵대던 하 대리가 돌연 도희의 손을 콱 잡았다. 흠칫한 도희가 뿌리치려고 흔들었으나 그는 거머리처럼 달라붙어 놔주지 않고 징징거렸다.

"저기, 과장님. 제발 저 좀 도와주시면 안 될까요? 저 진짜 이대로 섭외 못 하면 팀장님한테 죽는데…… 아, 배 아파."

"팀장님이 죽이긴 누굴 죽여요. 언성 한 번 안 높이는 사람인데."

냉정하고 직설적인 성격이긴 해도, 어떠한 상황에도 큰소리치는 법이 없는 건조한 성격이었다.

"잠깐, 저기. 나 아까부터 왜 이렇게 배가 아프……."

"섭외를 못 했다고요?"

그 순간 사무실 분위기가 싸하게 경직되었다. 준원의 등장 때문이었다. 그가 사무실에 들어서자 식은땀을 흘리던 하 대리가 자리에서 벌떡 일어났다.

"아. 아니. 팀장님. 아니, 그게…… 아!"

하 대리는 하얗게 질린 얼굴로 말을 더듬다가 다시 제 배를 움켜쥐었다.

"아…… 윽…… 배, 배가!"

에일리언으로 변신 중인 것처럼 붉으락푸르락하는 하 대리에 도희가 황당한 얼굴로 뒷걸음질 쳤다. 그 순간 휘청거리던 하 대리는 그대로 도희를 잡고 그녀에게로 풀썩 쓰러졌다. 얼떨결에 그의 몸을 받은 도희가 경악했다.

"아니, 뭐예요!"

제 품에 안긴 듯한 자세의 하동현이 소름 끼쳐서 그를 밀쳐 내려고 했으나, 그전에 축 늘어진 그의 몸은 엄청난 힘에 의해 확 뒤로 끌려 나갔다.

"지금 뭐 하는 겁니까?"

준원이 하동현의 뒷덜미를 잡아끌어 떼어 낸 것이었다. 평소의 미지근한 서준원답지 않은 거친 행동에 사무실 모두가 놀라 입을 떡 벌렸다. 그는 여전히 무표정했지만, 목소리는 어딘가 화난 것처럼 들렸다.

"……으아아악! 배, 배가!"

도희가 놀란 가슴을 진정시킬 틈도 없이, 동현의 자지러지는 비명이 뒤를 이었다. 사지를 파르르 떨던 그가 털썩 바닥에 쓰러지자, 그제야 사무실 모두는 심각한 상황이란 것을 인지했다.

결국 동현은 그토록 무서워하는 준원에게 손수 업혀 응급실에 실려 갔다. 두 사람이 병원으로 떠난 뒤, 갑작스러운 비상 상황에 어수

선해진 사무실 분위기를 바로잡는 것은 도희의 몫이었다.

“자, 자. 어서 일들 합시다.”

두 번 손뼉 치며 중재하자 한군데에 모였던 인원들이 전부 제자리로 돌아갔다. 다시 평소와 같은 일과가 시작되고 조금 시간이 흐른 뒤. 준원이 사무실로 복귀하자 모두의 시선이 빠르게 모여 붙었다.

“급성 충수염이라고 합니다.”

충격적이게도 동현은 흔히 맹장염으로 부르는 병 때문에 수술을 받게 되었다.

“갑작스럽지만 하 대리가 앞으로 일주일 정도 자리를 비우게 될 것 같아요.”

……이런 망할. 일주일이나 자리를 비운다니! 안 그래도 바빠 죽겠는데 똥을 투척한 동현 때문에 도희는 이를 바득 갈았다.

“하 대리 담당 업무는 분담해서 백업하는 거로 합시다. 가장 큰 문제는 다음 주 월요일부터 있을 출장인데……”

아픈 걸 두고 뭐라 하고 싶진 않지만, 솔직한 심정으로는 가지가지 한다는 말밖에 안 나왔다.

“갑작스럽겠지만 백 과장이 출장에 동행해 줘야겠습니다.”

도희의 눈이 휘둥그레졌다. 저건 또 무슨 개소리인가 싶었지만, 사실 지금 이 상황에 도희 외에 갈 사람이 없는 건 사실이었다.

“백 과장, 일정 괜찮죠?”

그의 눈빛은 마치 ‘너에겐 선택이 없다’라고 말하는 듯했다.

“……알겠습니다.”

울며 겨자 먹는 심정이 딱 이 느낌일까 싶었다.

주말이 지나고 찾아온 월요일, 도희는 때아닌 출장에 어두컴컴한 얼굴로 핸들을 잡았다. 아직 고속도로에 진입하기도 전이었으나 벌써부터 삶의 괴로움이 온몸으로 느껴졌다.

"그렇게 똥 씹은 표정 하지 말죠. 나랑 출장 가는 게 그렇게 싫어요?"

조수석에 앉아 신문을 보던 준원이 흘끔 고개를 왼쪽으로 돌렸다. 시야에 들어오는 불평불만으로 가득한 도희의 미간을 보며 헛웃음 쳤다.

"싫을 리가요."

입꼬리를 한껏 밀어 올린 도희의 음성은 세상 상냥했다.

"그저 업무가 산더미 같은 와중에 출장까지 제가 동행하게 돼서 아주 가문의 영광일 뿐이죠."

어김없이 거짓 하나 없이 솔직한 발언에 준원은 픽 웃었다.

"반어법 사용이 아주 적절하네요."

"칭찬 감사합니다."

업무 중일 때와 그렇지 않을 때의 도희의 모습은 하늘과 땅 차이였다. 그 확실했던 구분이 단둘이 있는 상황에서는 점차 허물어지기 시작했다. 그리고 그런 도희의 모습은 꽤 준원의 흥미를 끌었다.

"아, 또 왜 이렇게 막히고 난리……."

꽉 막힌 도로 사정에 속 터지기 직전인 도희가 혼잣말로 중얼거렸다.

"이 길로 드니까 그렇죠."

"이 길이 왜요? 내비게이션이 이렇게 알려 줬는데."

"아까 오른쪽으로 빠졌으면 안 막혔을 텐데, 괜히 내비 따랐다가 막히는 길 들어왔잖아요."

"아니, 그러니까 내비가 여기로……."

"백 과장 서울 사람 맞아요? 이 시간에 여기 막히는 거 몰라요?"

"아, 그러니까……!"

-50m 전방에 사고 다발 구역입니다.

"이 여자가 나보고 직진하라고 했다고요!"

때마침 내비게이션의 안내 음성이 도희의 말을 끊고 침입하자 발끈한 도희가 삿대질하며 소리쳤다.

"불만 있으면 나 말고 이 여자 만든 회사에 따져요!"

"이 여자는 또 뭐예요?"

"내비 목소리가 이 여자지, 그럼 저 여자예요?"

씩씩거리는 도희의 옆모습을 여유롭게 보던 준원이 웃음을 터뜨렸다. 본인은 아는지 모르는지, 붉은 입술은 불만을 가득 품은 채 삐죽 튀어나와 있었다. 늘 날이 서 있고 고슴도치처럼 주변을 경계하느라 바쁜 여자의 색다른 일면은 준원의 입술 끝을 올라가게 했다.

"왜 귀엽게 굴어요, 요즘?"

준원의 말에 도희는 가슴 한구석이 저릿했다.

"원래 이런 타입 아니지 않았나."

웃음기 젖은 나지막한 목소리에 당황한 도희의 동공이 흔들렸다. 너무 놀라 움찔 움직인 핸들 탓에 차체마저도 미세하게 꿀렁였다.

"무슨 말을 하는 거예요……!"

"칭찬한 건데요."

"칭찬은 무슨. 지금 팀장님 때문에 사고 날 뻔한 거 알아요, 몰라요?"

"좋아해요."

도희의 숨이 또 한 번 뚝 끊어졌다.

"그쪽은 싫어할지 몰라도, 나는 백 과장하고 출장 가는 거 좋아해요."

심약한 심장이 벌렁거렸다. 당혹감에 잠긴 눈꺼풀이 파르르 떨려 왔다.

"처음부터 같이 가고 싶었는데 몰랐죠?"

두근, 두근, 빠르게 뛰는 맥박 때문에 도희의 귓가가 먹먹해졌다. 달아오르는 얼굴을 외면하며 입술을 꽉 깨물었다. 대답하지 않고 냉정하게 정면만 노려보았으나 핸들에 꽉 들어간 힘은 감출 수가 없었다.

……대체 그는 왜 내게 이런 말을 하는 걸까. 단순히 장난치는 건지, 다른 의도가 있는 건지. 복잡한 심경을 감추고 운전에만 집중하는데, 도희의 핸드폰으로 전화가 걸려 왔다.

핸드폰과 자동차를 블루투스로 연결해 두었기에 화면에 뜬 '라이언'이라는 이름 세 글자는 준원의 눈에도 와닿았다. 블루투스로 연결해 놓은 탓에 자동으로 스피커폰이 될 수밖에 없기에, 도희는 전화를 받지 않고 머뭇거렸다.

"받아요. 그 친구분 전화 같은데."

흔쾌히 말하자 도희가 양해를 구하고 전화를 받았다.

–야, 백또.

"어, 왜."

–너 오늘 저녁에 우리 집 올래?

자연스럽게 들려오는 말에 준원의 숨이 정지했다.

–우리 엄마가 너 갖다 주라고 김치 두 포기랑 반찬 잔뜩 가져왔다.

"또? 어머님께 죄송해서 어째."

……어머님?

-죄송은 무슨. 우리 사이에.

……우리 사이? 준원의 눈썹이 살짝 구겨졌다. 특정 단어들이 거슬리게 들려온 탓이었다. 남녀 사이에 친구가 어디 있다고, 웬 놈의 '어머님'에 '우리 사이'란 말인가.

-어쨌든 이따 차 끌고 우리 집 좀 와라.

"아, 나 근데 오늘은 좀 곤란한데. 지금 출……."

"안 됩니다."

갑자기 도희의 말을 끊은 건 준원이었다.

"오늘 밤은 백도희 씨와 저, 부산에서 자고 갈 예정이라서요."

덤덤하게 폭탄 같은 말을 뱉었다. 황당무계한 발언에 도희가 휘둥그레 뜬 눈으로 준원을 바라보았으나 이미 오해는 시작된 후였다.

-이 목소리는…… 그때, 그…….

"아니야! 부산을 내려가는 중인 건 맞긴 한데……!"

당황한 도희가 준원을 찌릿 흘겨보며 변명했으나, 이미 이언은 상상의 나라로 빠져 아무것도 들리지 않는 듯했다.

-둘이 부, 부산을 왜…….

"같이 호텔에서 하룻밤 자고 갑니다."

그 와중에 쐐기를 박는 한 마디.

"1박 2일로."

놀랍게도 거짓말은 단 한 개도 없었다.

비타민 보조제 광고 촬영을 위해 대기실에 얌전히 앉아 있던 이언

의 머릿속은 새하얗게 물들었다. 수화기 너머로 들려오는 준원의 덤덤한 목소리는 그야말로 청천벽력이었다.

1박 2일로 부산을……? 호텔에서 같이 잔다고……?

메이크업 아티스트의 손끝에서 완벽하게 피어난 잘생긴 얼굴이 험악하게 일그러지는 것은 순식간이었다.

"야, 백도희!!! 네가 어떻게 나한테 그럴 수 있어! 어?"

한 대 얻어맞은 듯 잠시 멍하니 있던 이언은 자리에서 벌떡 일어나 목에 핏대를 세웠다.

"내가 널 그렇게 키웠어?! 어디 내가 두 눈을 시퍼렇게 뜨고 있는데 외간 남자랑 눈이 맞아서 동침을 해, 동침을! 어?!"

대체 왜 둘이 부산을 가서 같이 잔단 말인가! 이성을 잃은 이언은 수화기 너머로 도희가 말하는 소리가 전혀 들리지 않았다. 그저 목이 쉬도록 고래고래 소리 지를 뿐이었다.

"너 이상한 생각 하기만 해! 내가 지금 당장 비행기 타고 날아가서 부산시를 아주 뒤집어 놓으려니까!!!"

뚝. 그 순간 전화가 끊어졌다. 동시에 호흡이 끊긴 이언의 눈이 엄청난 크기로 휘둥그레졌다.

"끄…… 끊어?"

지금 전화를 끊었어?!

"아!!! 대체 이게 어떻게 돌아가는 상황이야?!"

분장실이 떠나가라 괴성을 내지른 이언은 견딜 수 없이 초조한 기분에 휩싸였다. 손톱을 잘근잘근 씹으며 다시 도희에게 전화를 걸었으나 연결음만 무자비하게 늘어질 뿐 응답이 없었다.

'어떡하지. 어떡하지……!'

이러다 진짜 둘이 무슨 일이라도 생기면……!

"역시 나도 가야겠어!!!"

이언은 이곳이 억 단위가 걸린 광고의 촬영장이라는 사실도 잊고 무작정 자리를 박차고 일어났다. 그러나 당장에라도 부산으로 날아갈 것처럼 뛰어가던 기세는 분장실 문을 막고 등장한 매니저에게 가로막혔다.

"어디 가려고? 이제 스튜디오로 이동해야 하는데."

"형! 나 지금 당장 부산 가야 해!"

"뭐?"

"지금 당장 부산 가야 한다고! 비행기 좀 알아봐 줘! 빨리! 급해!"

"뭔 소리야. 아직 촬영 시작도 안 했는데."

이언의 말에 매니저는 황당한 표정을 지었다.

"강이언 선수님, 이제 스튜디오로 모시겠습니다."

복도에서 들려오는 스태프의 목소리에 매니저가 대답하며 이언의 팔을 잡아끌었다.

"야, 이언아. 빨리 스튜디오로 가자."

"안 돼! 싫어! 안 된다고!"

"왜 이래? 너 오늘 촬영 펑크 나면 손해액이 얼마인지 알아?"

"몰라!!! 나 지금 당장 부산 갈 거야!!!"

"저기, 얘 이쪽 팔 좀 잡아 주세요."

"네? 네, 네!"

스태프와 매니저에 의해 양쪽 팔을 결박당한 이언이 세트장으로 반쯤 질질 끌려갔다.

"안 돼!!! 백도희!!!"

그는 끌려가는 와중에도 도희의 이름을 부르며 절규했다.

한편, 도희는 도희대로 황당한 상황이었다. 아무리 출장이라고, 그냥 일일 뿐이라고 말해도 강이언 그놈은 듣지도 않고 고래고래 소리만 지르는 게 아니던가. 제 말은 들을 기미도 없고 하도 지랄발광하는 바람에 그냥 끊어 버린 것이었다.

"하아……."

깊게 한숨을 내쉰 도희는 찌릿하고 준원을 노려보았다.

"왜 그래요, 진짜?"

"뭐가요?"

"같이 호텔에서 하룻밤 잔다느니, 1박 2일이라느니……. 왜 그렇게 말하냐고요."

"같이 호텔에서 자는 것도 맞고 1박 2일도 맞잖아요? 난 거짓말한 거 없습니다."

"일부러 오해하도록 이상하게 말했잖아요!"

도희가 이를 꽉 깨물었다.

"저번에도 그렇고, 장난도 정도껏 해요. 나한테 관심도 없으면서 자꾸 이런 식으로……."

"관심 없다고 누가 그래요?"

준원이 도희를 응시했다.

"난 백 과장한테 관심 많은데."

도희의 눈동자가 희미하게 흔들렸다. 진심이 담기지 않은 말이라는 것을 알면서도 울렁거리는 가슴은 어쩔 도리가 없다.

"표정 하나 안 바뀌고 거짓말 잘도 하시네요."

퉁명스럽게 뱉자 준원은 웃음기 없는 음성으로 답했다.

"난 지금까지 백 과장한테 거짓말한 적 한 번도 없어요."

입술을 일자로 다문 도희는 핸들을 쥔 손에 힘을 주었다. 그의 말대로라면 지금까지 그가 제게 했던 모든 말이 사실이라는 뜻이 된다. 차라리 전부 거짓이라고 말했으면 좋았을 것을, 도희는 또다시 제 가슴에 일어난 동요를 느꼈다.

"그런데 많이 친하신가 봐요, 친구분하고."

자연스레 화제를 바꾸는 준원의 화법에 도희의 경계도 함께 뭉근해졌다.

"네. 15년 지기거든요. 불알친…… 아니, 죽마고우 같은 거 있잖아요."

"죽마고우라……."

준원은 삐딱한 고개를 들어 올리며 말꼬리를 길게 늘였다.

"그래서 그렇군요. 주말에도 만나고 집도 오고 가고."

"……."

"아주 친하셔서. 15년 지기라."

그는 좀처럼 갈피를 잡을 수 없는 남자였다. 무표정한 얼굴을 보면 의미를 두지 않는 것 같은데, 막상 그 내용은 꼭 질투라도 하는 것처럼 뾰족하고 가시가 있었다. 그러고 보니 그는 전날도 하동현이 쓰러지기 전 도희에게 안겼을 때, 굳은 표정으로 하동현의 뒷덜미를 잡아 끌어 냈었다. 그렇다. 진짜 질투하는 것처럼…….

'아, 기분 나쁜 생각 하지 말자…….'

서준원과 질투라니. 그렇게까지 매치 안되는 단어가 세상에 또 있을까. 도희는 운전에만 집중하기로 하며 고개를 좌우로 털었다.

휴게소에 들른 도희가 한숨지으며 제 어깨를 콩콩 두드렸다.

"고속열차를 탈걸 그랬어요. 이게 뭔 고생이야."

"그러게요. 생각보다 더 오래 걸리네요."

"저 잠깐 화장실 갔다 올 건데, 팀장님은요?"

"전 됐습니다. 다녀오세요."

고개를 까딱한 도희가 차 문을 열었다. 그녀가 사라지자 준원은 곧바로 내려 운전석으로 자리를 옮겼다. 그 순간 거치대에 얌전히 걸려 있던 도희의 핸드폰이 진동했다. 자연스레 시선은 불을 밝힌 화면으로 향했다.

[이 망할 년이 감히 나를 차단해?]

문자였다. 미리 보기로 상단에 뜨는 험악한 내용에 준원의 눈썹이 구겨졌다.

[네 회사 찾아가서 다 죽여버리기 전에 돈 입금해. 빨리.]

명백히 협박하는 내용이었다. 그러나 번호는 저장조차 되어 있지 않았다. 꺼림칙한 기분에 저도 모르게 도희의 핸드폰에 손이 향한 순간.

"팀장님, 왜 운전석에 앉아 있으세요?"

도희가 차로 돌아왔다.

"왔어요? 지금부터는 내가 운전할게요. 피곤할 텐데 교대로 갑시다.”

“안 그러셔도 되는데. 감사합니다.”

조수석에 올라탄 도희는 웃으며 안전벨트를 착용했다.

“아까 핸드폰 진동 울리던데. 문자 온 것 같아요.”

“아, 그래요?”

준원이 은근히 떠보자 도희는 대수롭지 않게 자신의 핸드폰을 확인했다. 곧이어 얼굴색이 파리하게 된 도희의 손끝이 잘게 떨렸다.

“왜 그래요? 무슨 연락이길래?”

모른 척 묻자 도희는 표정을 가다듬고 핸드폰을 제 가방 안으로 넣었다.

“별거 아니에요. 그냥 스팸이에요.”

그렇게 말하는 목소리는 떨리고 있었다.

……무슨 일이 있었던 거지?

준원은 본능적으로 그녀가 무언가를 숨기고 있다는 것을 깨달았다.

오랜 시간이 지난 후 부산에 도착한 준원과 도희는 행사장으로 향했다. 준비 현장을 점검하고 담당자들과 미팅을 마치고 나니 저녁 6시를 조금 넘긴 시간이 되었다. 업무를 모두 마친 도희와 준원은 홀가분한 마음으로 식사를 하기 위해 근처의 고깃집에 들어섰다. 부산까지 와서 메뉴 선정이 삼겹살인 이유는 도희가 해산물을 별로 좋아하지 않는 탓이었다.

“가만 보면 은근히 초딩 입맛이라니까.”

"보태 준 거 있어요? 그래도 웬만하면 다 잘 먹거든요."

준원이 고기를 굽는 걸 감시하듯 지켜보던 도희가 건성으로 말했다. 고기 굽는 폼이 영 맘에 안 드는지 도희는 쯧쯧 혀를 찼다.

"아, 그거 좀 제대로 구웁시다. 제대로! 육즙 다 빠지는 거 안 보여요?"

"초딩 입맛인데 구박까지 심하네."

준원이 픽 웃음을 터뜨렸다. 고기에 진심인 도희는 세상 그 누구보다도 진지하고 엄격했다.

"속 터져서 안 되겠어요. 내가 구울 테니까 줘 봐요."

"백 과장이요?"

제 앞으로 뻗어진 하얀 손에 집게와 가위를 올려 주니 도희의 표정이 비장해졌다. 마치 장인이라도 되는 듯한 자세에 준원이 느슨하게 팔짱을 꼈다.

"그래요. 나보다 얼마나 더 잘 굽는지 한번 보죠, 뭐."

준원의 말에 도희가 코웃음 쳤다.

"내가 뉴욕 타임스 선정 고기 제일 잘 굽는 사람 1위에 뽑힌 사람이거든요?"

"뉴욕 타임스가 할 일이 없나 봐요. 고기 잘 굽는 사람도 뽑고."

"……먹고 맛있다고 오열하지나 말아요."

뾰로통하게 일갈한 도희가 고기를 굽는 데 열중했다. 윤기 흐르게 잘 구워진 고기를 먹기 좋은 크기로 잘랐다. 타지 않게 집게와 가위를 양손에 들고 열심히 뒤집고 있는데, 순간 제 앞으로 당황스러운 손이 등장했다.

"뭐 하는 거예요?"

제 입 앞으로 대령된 삼겹살에 도희는 당혹스러움을 감출 수 없었다. 애도 아니고 먹여 주긴 뭘 먹여 준단 말인가. 더욱이 연인도 아닌데.

“굽느라 먹지도 못하고 바쁜 것 같아서.”

“……더럽게 남의 침이 묻은 젓가락으로 집은 고기를 먹으라고요?”

눈에 바짝 힘을 준 도희가 철벽을 쳤다.

“됐습니다. 팀장님 많이 드세요.”

“안 어울리게 별걸 다 따지네요. 더한 것도 한 사이에.”

뻗은 팔이 뻐근해지는 걸 느끼며 준원은 무던하게 말을 이었다.

“백 과장이 여태 키스하다가 먹은 내 타액만…….”

“아아아! 알았어요. 먹을게요!”

도희의 뺨이 붉어지는 것은 순식간이었다. 더 떠들지 못하게 냉큼 받아먹고 준원을 흘겨보았다. 꿀꺽, 입 안에 들어온 고깃덩이를 완벽히 삼키고 고개를 들었다.

“만족해요?”

“아니요. 이것도 먹어야 만족할 것 같아요.”

준원은 도희가 고기를 씹는 동안 대왕 쌈을 제조 중이었다. 상추에 고기를 세 점이나 넣고 고추에 부추, 쌈장, 김치까지 온갖 것을 다 넣은 쌈의 크기는 어마어마했다.

“쌈 크기 무슨 일이에요?”

“자, 아 하세요.”

“…….”

“팔 아파요, 빨리.”

불만을 토로하던 붉은 입술은 홀린 듯 크게 벌어졌다. 한계치를 넘은 쌈의 크기 때문에 도희의 양 볼은 빵빵하게 부풀어 올랐다. 그 모습이 귀여워 준원은 웃음을 터트렸다.

"먹을 때 입이 되게 귀여워요."

도희는 씹기도 어려울 정도로 큰 쌈을 입 안에 넣은 채로 얼굴을 붉혔다. 뭐라고 한마디 따지고 싶었지만 입 안이 꽉 차 말을 할 수 없었다.

'하여간 그놈의 귀엽다는 소리…….'

평생에 들어 본 역사가 없는 말을 이 남자한테서만 대체 몇 번째 듣는 걸까. 못 견디게 창피해진 도희는 저도 모르게 손을 뻗어 준원의 눈을 탁 가렸다.

"……뭐 해요?"

"민망해서요……. 나 쳐다보지 말아요."

보통은 자신의 얼굴을 가리는데, 도희는 상대방의 눈을 가렸다. 엉뚱한 행동에 준원이 헛웃음 치며 한 손으로 도희의 손을 잡은 찰나였다.

"아, 두 분! 여기서 식사하세요?"

저 멀리서 행사 담당자들이 알은체하며 다가왔다.

"이야, 덕분에 오늘 행사 준비가 완벽히 끝났습니다! 하하."

어쩌다 보니 행사 담당자 둘과 합석을 하게 되어 버렸다. 눈치 없이 낀 행사 담당자들은 너스레를 떨며 큰 소리로 웃었다.

"그런데 두 분, 혹시 사귀는 사이세요?"

"네?!"

도희가 기겁하며 고개를 좌우로 저었다.

"아니요. 전혀요!"

"네, 아닙니다."

두 사람이 동시에 강력히 부인했다.

"두 분은 아직 결혼 안 하셨죠?"

"예, 뭐."

"아니, 이렇게 멋있고 유능한 분들이 왜 아직도!"

결혼은 빠를수록 좋다는 가치관을 가진 행사 담당자가 오지랖을 부렸다.

"가만 보자…… 서 팀장님! 제가 서울에 아는 분 따님 중에 올해 수의대 졸업한 아가씨가 있는데, 아주 참하고 단아합니다! 나이도 딱 스물일곱인데, 소개해 드릴까요?"

되지도 않는 오지랖에 목이 탄 도희는 물컵을 그러쥐었다.

'……직업이 수의대 졸업생인가 보지?'

스물일곱이면 6살 차이인데 너무 많이 나는 거 아니야? 참하고 단아한 건 또 뭐야? 지금이 조선 시대냐고!

도희는 저도 모르게 속으로 불평불만을 늘어놓으며 귀를 쫑긋 세웠다.

"아니요. 괜찮습니다."

"그래요? 딱 선남선녀일 것 같은데. 한번 만나만 보시지."

싫다는데 왜 강요야?

도희는 짜증스레 제 앞접시 위에 올라와 있는 고기를 젓가락 끝으로 꾹꾹 눌렀다.

"지금 좋아하는 사람이 있어서요."

준원의 입술이 느릿하게 움직이자 도희의 손이 잦아들었다.

"그분에게만 집중하고 싶습니다."

듣기 좋은 저음이 나직하게 귓가를 울렸다. 입술을 꾹 다물자 가슴 어딘가가 먹먹하게 조여 오는 듯했다.

"아까 뭐예요?"

행사 담당자들과 헤어진 뒤, 차에 올라탄 도희가 준원에게 가볍게 물었다.

"좋아하는 사람이 있다는 거."

도희는 준원 쪽을 쳐다보지 않고 입술만 움직였다. 차에 시동을 켠 그는 어깨를 으쓱했다.

"원래 소개팅 제안은 그렇게 거절하는 게 제일 편리하잖아요? 뒤탈 없고."

"하긴…… 그건 그렇죠."

도희는 동의한다는 듯 고개를 끄덕였다. 준원이 액셀을 밟자 차체는 시원스레 나아갔다. 차 시트에 등을 기댄 도희는 창밖을 물끄러미 바라보았다. 저 멀리 바닷가 근처에 흐릿한 불빛이 보이자 도희가 눈에 힘을 주었다.

"근처에서 불꽃놀이 하나 봐요."

"네. 해변에서 오늘 불꽃 축제를 한다는 것 같더라고요."

빨간 신호 앞에 부드럽게 멈춰 선 준원이 도희를 향해 고개를 돌렸다.

"어차피 숙소 가는 길에 있으니까 보고 갈래요?"

"그래도 돼요? 그럼 잠깐만 보고 가요."

사람 많은 곳은 별로 좋아하지 않았으나, 여기까지 왔는데 뭐라도 발 도장을 찍고 싶은 기분이었다.

준원과 도희는 불꽃 축제가 일어나는 바닷가 근처에 도착해 차를 주차한 후 함께 내렸다. 하늘을 보니 이미 화려한 불꽃들은 어둑한 밤을 아름답게 수놓고 있었다.

"와, 사람 진짜 많다."

도희는 엄청난 인파에 입을 떡 벌렸다. 아니나 다를까, 해변에는 축제를 즐기기 위해 모인 사람들로 발 디딜 틈 없었다.

"이러다 떨어지겠네. 이리 좀 붙어요."

돌연 제 손을 잡아 끌어당기는 준원 때문에 도희가 흠칫했다. 손바닥으로 와닿는 온기에 도희의 입술 사이로 희미한 숨이 흘렀다. 붙잡힌 손을 멍하니 내려다보다가 위에서 들려오는 목소리에 고개를 들었다.

"9시까지 한다니까 피날레만 남았네요."

물 흐르듯 하늘로 시선이 꽂히자 절로 탄성이 흘렀다. 손꼽히는 커다란 규모의 불꽃 축제답게 화려한 빛깔은 어둑한 밤하늘을 배경으로 쉴 새 없이 터졌다.

"와, 예쁘다……."

오색찬란한 불꽃에 하늘은 온통 번쩍대고 주변에서는 행복한 환호성이 만발했다. 도희는 서른 넘어서부턴 그 어떤 것을 봐도, 그 어떤 일을 경험해도 그저 감흥 없이 무던하기만 하다고 생각했다. 그런데 그것은 착각에 불과했다. 그녀가 이제껏 겪었던 것은 그저 사무실의 지루한 풍경과 친구들과 간간이 가지는 술자리가 전부였다는 것을. 신기한 듯 눈알을 굴리며 구경하던 도희는 일순 멍한 얼굴이 되었다.

"무슨 생각 해요?"

준원의 입술 사이로 나직한 음성이 흘렀다.

"그냥…… 갑자기 좀 슬퍼져서요."

커다란 동공에 비친 불꽃이 촉촉하게 와닿았다.

"생각해 보니까 불꽃을 이렇게 가까이서 제대로 본 게 어렸을 때 이후로 처음이에요."

삶은 늘 전쟁이었고, 성공만이 인생의 목표였다. 혼자만 저만치 떨어진 시작점에서 경주를 시작한 도희는 동화에 나오는 토끼처럼 느긋하게 그늘에서 쉴 여유 따윈 없었다.

"학생 땐 공부하느라 바빴고, 성인 돼서는 알바 하느라 바빴고, 회사 들어와서는 노동하느라 바빴고…… 정신없이 일만 하느라 놀아 보질 못했네요."

성공만 보고 달리다가 저물어 버린, 나이만으로도 충분히 찬란했던 시절이 새삼 그녀의 가슴에 돌덩이처럼 와닿았다.

"시간 참 빨라요. 난 내가 영원히 20대일 줄 알았는데……."

"……."

"문득 치열하게 살다가 지나가 버린 젊음이, 억울하게 느껴질 때가 있어요."

온종일 일하다가 집에 가서 쉴 때면 종종 견딜 수 없이 마음이 공허해질 때가 있었다. 왜 이렇게 살고 있는 거지? 대체 무엇을 위해 이렇게 달려온 걸까? 그 질문에 대한 대답을 회피하고자 도희는 더 욱더 일에만 열중했었다.

"왜 모든 걸 다 짊어지려고 해요?"

도희의 눈동자가 흔들렸다. 준원이 자연스레 도희의 손가락 사이사이에 제 손가락을 밀어 넣은 탓이었다. 두 손이 넝쿨처럼 뒤엉키자 도희의 가슴이 두근거렸다.

"사람은 자유로운 존재예요. 놀고 싶으면 놀고, 쉬고 싶으면 쉬면 됩니다. 하고 싶은 일을 하면서 자연스럽게 흘러가면 그걸로 충분히 완벽한 인생이에요."

"……."

"그 누구에게도 사명이란 없습니다."

귓가를 적시는 숨결 같은 속삭임이 도희의 심장을 뛰게 했다.

"레이스가 된 삶은 괴로울 뿐이에요. 목적지 따윈 애초에 없었다는 걸 깨닫고 나면, 지나간 시간에 미련이 남지 않고 홀가분해져요."

준원이 옅게 미소 지었다.

"나랑 놀지 않을래요?"

물끄러미 준원을 올려다보던 도희의 눈꺼풀이 가늘게 떨렸다.

"네……?"

"인생은 서른부터라니까, 나이에 연연하지 말고."

"……."

"지금부터 같이 재미있게 살아 봐요."

해변은 환호성과 대화로 시끌시끌했으나, 그 순간 도희는 고요한 곳에 준원과 단둘이 남겨진 듯한 착각이 들었다.

"우리가 함께 있는, 지금 이 순간에만 집중해요."

느슨하게 허리 숙이며 다가온 얼굴이 웃었다. 그 미소에 맞춰 도희의 입꼬리도 부드럽게 호선을 그렸다. 숨결이 얽힐 만큼 가까운 거리에서 서로를 응시하는 두 사람 사이에 묘한 침묵이 내려앉았다. 준원의 따스한 숨이 제 코끝을 간지럽히자 도희가 입술을 살짝 벌렸다.

“이제 숙소로 돌아갈까요?”

담백하게 던져진 준원의 물음에 도희의 입술이 일자로 곱게 다물어졌다. 어느덧 축제 피날레의 가장 화려한 불꽃도 전부 터진 후였다. 그조차 모르고 홀린 듯 그의 얼굴만 보고 있었다는 것을 깨달은 도희는 쑥스러운 기분이 되었다.

“네. 가요.”

짧게 답하자 강렬한 시선이 몽롱하게 멀어졌다. 조금 전 키스하려는 줄 알았던 도희는 괜히 제 입술이 간지럽게 느껴졌다. 허전해진 손이 아련했다. 준원이 잡았던 손을 놓고 앞장서 걸어가자 도희의 가슴은 일렁였다.

‘……다시 손잡고 싶다. 내가 먼저 잡으면 그는 어떻게 반응할까.’

무심결에 든 생각에 도희가 흠칫했다.

‘……어떡해. 아무래도 나, 제정신이 아닌가 봐…….’

해변을 밟고 주차장에 도착한 두 사람은 숙소에 체크인하기 위해 도로에 올랐다.

“숙소는 어디예요?”

“그냥 평범한 비즈니스호텔입니다. 하 대리가 예약했거든요.”

한쪽 팔을 창문턱에 기댄 준원은 한 손으로 운전하며 건조하게 말했다.

“근데 트윈룸으로 하나를 예약했어요.”

충격적인 말을 세상 덤덤하게 말하는 준원의 화법에 경악한 쪽은 도희였다.

“방이 한 개라고요?”

“예산 아끼라는 본부장님의 지시가 있어서요. 하 대리나 저나 남자니까 그냥 트윈룸으로 방 하나 잡으라고 하 대리에게 시켰습니다.”

“…….”

“갑자기 이렇게 될 줄은 몰랐지만…….”

영혼이 가출한 도희는 얼빠진 표정으로 준원을 보았다.

“뭐, 호텔에 룸이 몇 갠데 당일에 체크인 가능한 방 하나쯤은 있을 테니 걱정하지 마세요.”

……그렇지. 있고말고. 설마 그런 쌍팔년도 감성 드라마에서나 나오는 유치한 상황이 발생할 리가…….

“죄송합니다.”

있었다!

“오늘은 저희 호텔 전 객실 모두 만실이라서요.”

상냥한 호텔 직원의 목소리는 마치 악마의 사형선고처럼 들려왔다.

“……왜요?”

그대로 어이가 상실되어 버린 도희는 저도 모르게 로비의 테이블을 손바닥으로 쾅 내려쳤다.

“왜 이 많은 객실 중에 빈방이 한 개도 없는 거냐고요!”

"저희 호텔은 원래 사전에 예약하지 않으시면 어렵습니다, 손님."

하얗게 질린 도희에 비해 준원은 '저런.' 하고 영혼 없는 한마디를 뱉을 뿐이었다. 그 말에 욱한 도희는 찌릿 날카로운 눈빛으로 준원을 쏘아보았다.

"솔직히 말해 봐요. 노린 거죠?"

"뭘 노려요. 따질 거면 하 대리한테 따지세요. 왜 맹장염으로 쓰러졌냐고."

"……허."

아무리 생각해도 황당하기 그지없는 상황이었다. 도희는 콧방귀를 뀌며 그의 어깨를 툭 치고 지나갔다.

"됐어요. 어차피 이 근처 모텔이 세고 셌을 텐데, 거기 가서 잘래요. 그냥."

"이 호텔에서 안 자고요?"

"네. 팀장님이 여기서 주무세요."

"혼자 모텔에서 자면 위험하지 않겠습니까?"

또각또각 걸어 호텔 회전문 앞에 도착한 도희가 우뚝 멈춰서서 뒤를 돌아봤다. 멀뚱히 서 있는 거구를 위아래로 훑은 도희가 미간을 찌푸렸다.

"내가 보기엔 그쪽이 100배는 더 위험해 보이네요."

준원이 픽 하고 웃었다.

"너무한다. 내가 뭐 잡아먹어요?"

그가 손을 뻗어 도희의 팔을 부드럽게 잡았다.

"난 위험한 거와는 거리가 멀어요. 굳이 꼽자면 부드러운 쪽이죠."

놀랍도록 부드러운 감촉으로 준원이 도희의 팔뚝을 쓰다듬었다.

"아, 이미 겪어 봐서 알고 있으려나?"

도희의 양 볼이 화끈하게 달아올랐다. 자꾸 그날 밤 기억을 끌어오는 탓에 머리털이 삐죽 곤두섰다.

"시끄러워요! 그리고 왜 따라와요?"

"모텔이든 뭐든, 다른 숙소 들어가는 거까지 보고 갈게요. 시간도 늦었고."

"그러시든가요, 그럼."

설마 이 수많은 모텔 중에 빈방 하나 없을까 봐? 도희가 불만스럽게 중얼거리며 호텔 밖으로 나섰다.

"방 없는데?"

"네에?!"

설마가 현실이 되어 버렸다. 도희가 근처 모텔에 가서 방을 달라고 했으나 중년의 남성은 얼굴색 한 번 변하지 않고 대답했다.

"왜 없어요? 왜요?!"

도희는 기겁하며 따지듯이 창문에 얼굴을 바싹 붙였다.

"불꽃 축제 기간이라 그렇지, 뭐. 1년에 한 번 있는 날인데. 이 기간엔 어딜 가나 똑같아. 없어."

"아, 진짜……!"

제 머리를 쥐어뜯던 도희가 창문에 손을 턱 올렸다.

"아저씨, 장난치지 마세요! 있잖아요. 방 많잖아요! 주세요!"

"없어! 이미 옆에 호텔 예약해 뒀다며? 거기 가서 자면 되지, 왜 여기서 난리야?"

"저 인간……!"

욱한 도희가 뒤에서 여유롭게 관망하고 있는 준원을 향해 삿대질하며 소리쳤다.

"아니, 저분이랑 같이 자면 심정지로 죽어요!"

"왜, 홍콩 가다가 뒤져?"

"네에?! 뭔 소리예요! 싫어서 죽는다고요! 싫어서!"

"그래, 그래. 원래 그땐 다 그런 거야."

다 안다는 듯 음흉하게 웃는 얼굴에 도희의 혈압은 최고치로 상승중이었다.

"그게 뭔…… 아니, 홍콩은커녕 이 앞 슈퍼도 안 가거든요!!!"

"이 아가씨가 왜 애먼 데 화풀이야? 몰라! 방 있어도 안 줘!"

성질이 난 모텔 주인이 창문을 탁, 소리 나게 닫았다. 그 소리는 도희에게 마치 재판장이 두들기는 판결봉 소리 같았다. 머리를 붙잡고 절규하는 도희에게 준원은 웃으며 다가왔다.

"안타까운 일이네요."

"……하나도 안 안타까워 보이는데요."

"그렇게 보인다니 유감입니다."

……하여간 재수 없는 남자.

뾰로통해진 도희는 하는 수 없이 준원과 함께 호텔로 돌아갔다.

맙소사.

"……왜."

맥 풀린 도희의 동공이 거칠게 흔들렸다.

"왜 침대가 한 개예요?"

침실 한가운데에 떡 하니 놓인 커다란 침대 하나에 도희는 그대로 넋을 놓아 버렸다.

"그러게요. 내가 지금 확인해 볼게요."

분명히 트윈베드룸으로 예약하라고 하 대리에게 지시했던 준원은 그에게 전화를 걸었다.

"하 대리. 숙소 트윈으로 예약 안 했습니까?"

도희는 영혼이 빠져나간 표정으로 통화하는 준원을 멍하니 바라볼 뿐이었다. 잠시 무표정으로 통화하던 준원은 고개를 끄덕이며 휴대전화를 아래로 내렸다.

"본인은 트윈으로 예약했다는데, 뭔가 착오가 있었나 봅니다."

……대체 그 멍청이는 왜 숙소 예약마저도 실수투성이인가! 도희는 그런 고문관 같은 놈이 제 입사 동기라는 현실을 받아들이고 싶지 않았다.

"하 대리하고 왔으면 큰일 날 뻔했네요. 남자랑 한 침대에서 자다니 상상만 해도……."

"나랑 왔으니까 더 큰일인 거죠!"

황당함에 도희가 꽥 소리 질렀다.

"어떻게 팀장님이랑 한 침대에서 같이 자요? 싫어요! 이건 말도 안 된다고요!"

"그럼 어떡해요? 방도 없는데."

"몰라요. 피곤해 죽겠는데, 정말……."

내일도 일을 해야 하는 상황에 이게 무슨 날벼락이란 말인가. 도희는 제 가슴을 콩콩 치며 탄식했다. 준원은 그런 그녀의 손을 붙잡아 저지했다.

"알겠어요, 소파에서 자면 되잖아요."

"네?"

살짝 움찔했던 도희의 입꼬리가 씰룩였다. 바로 좋다고 헤벌쭉하면 너무 양심 없어 보이니 일단 예의상 한 번은 튕기기로 했다.

"아무리 그래도 어떻게…… 팀장님이 소파에서 주무시겠어요. 그냥 제가……."

"무슨 말입니까?"

"예?"

"백 과장이 소파에서 자야죠."

"……네?!"

"전 한평생 침대에서만 자서, 소파든 바닥이든 침대 아니면 절대 잠 못 잡니다."

도희가 한 대 얻어맞은 듯 멍한 얼굴을 했다.

"그러니까 불만 있으면 백 과장이 소파에서 자세요. 난 침대에서 잘 거니까."

허얼……. 진짜 재수 없어! 이 배려심이라곤 눈곱만큼도 없는 남자 같으니!

"뭐라고 했어요, 지금?"

"또 말해 줘요? 난 침대에서 잘 거니까 백 과장은 소파에서 자든 욕실에서 자든 좋을 대로 하라고요."

욕실은 또 뭐야……?! 도희는 어처구니가 없어서 따지듯 고개를 들어 올렸다.

“날 소파에서 재워야 속이 시원하겠어요?”

“안 시원하죠, 당연히.”

준원이 나직하게 웃으며 한 발짝 도희에게 다가갔다.

뭐, 뭐야. 갑자기 분위기가 완전히 뒤바뀌며 접근해 오는 거구에 놀란 도희는 주춤 뒤로 물러섰다.

“그러니까 침대에서 같이 자자니까.”

한 발짝, 한 발짝, 점점 더 도희를 몰아붙이며 걸어오는 준원 탓에 도희도 계속해서 뒤로 물러났다.

“앗……!”

뒤에 무엇이 있는 줄도 모르고 계속 뒤로 물러서던 도희는 침대에 가로막혀 그대로 풀썩 뒤로 흐드러지게 누워 버렸다. 당황해서 몸을 일으키려고 한 순간, 제 앞으로 어둑하니 그림자가 졌다. 여유롭게 도희의 위를 장악한 준원이 그녀의 보들보들한 뺨을 쓰다듬었다. 놀랍도록 부드러운 손길이 턱을 타고 목덜미로 매끈하게 내려왔다.

“원하면 팔베개도 해 줄 테니까.”

심장이 터질 것처럼 요동쳤다. 준원이 한 손으로 넥타이를 끌러 내리자 도희는 숨이 턱 막혔다. 미치도록 야한 얼굴과 숨을 가득 섞어 속삭이는 간질간질한 음성이 작년 그날 밤보다 더욱 섹시하게 느껴졌다. 누가 봐도 이건 명백히 유혹이었다.

“괜히 고집부리지 말고.”

촉촉하게 고막을 적시는 숨결이 절묘했다.

“같이 꼭 끌어안고 자자고……. 응?”

비스듬히 고개를 틀어 내려온 뜨거운 입술이 귓가를 아찔하게 스쳤다. 딱딱하게 굳어 버린 도희의 머릿속에는 경고음이 울리는 듯했다. 그, 그래. 호랑이굴에 들어가도 정신만 차리면…….

"싫어?"

……산다고 한 사람 엎드려뻗쳐.

쪽, 붉은 머리카락을 들어 부드럽게 입을 맞추는 모습이 숨 막히게 야릇했다. 그는 밀어내기에 너무 섹시한 남자였다.

준원의 노골적인 유혹에 도희의 머리는 술에 취한 듯 어지러웠다. 태초부터 타고난 이 남자의 섹시함은 겨우 눈빛 하나만으로도 숨 막히게 야한 분위기를 조성했다.

"어, 음……."

저를 비스듬히 내려다보는 어둑한 눈동자 앞에서 도희는 뭐라고 말을 해야 할지 몰라 입술만 달싹거렸다.

"그게, 그러니까……."

당황한 도희가 말을 더듬다가 꿀꺽 마른침을 삼켰다. 머릿속이 완전히 백지가 되어 버린 순간, 제 위를 장악한 준원의 얼굴이 가깝게 다가왔다. 쪽. 이마에서 터지는 마찰음에 도희가 반사적으로 눈을 감았다가 떴다. 촉촉하고 말랑말랑한 입술이 제 이마를 누르고 간 감각이 선연했다.

"장난이었습니다."

반들반들한 이마에 뽀뽀한 준원이 웃으며 속삭이자 도희는 멍한 얼굴이 되었다.

"아까부터 혼자 뻣뻣하게 굳어 있는 것 같길래."

"뭐라고요?"

"긴장 풀라고 농담 한번 해 봤어요."

"하……."

어처구니가 없어서 기가 막힐 지경이었다. 두 눈을 부릅뜬 도희는 준원을 흘겨보며 타박을 놓았다.

"내가 진짜 어이가 없어서……."

'할많하않'이라는 말은 이럴 때 쓰는 걸까. 도희가 한숨을 내쉬었다.

"에휴, 말해 봐야 내 입만 아프지. 그냥 말을 아끼겠습니다."

"소도 아껴 주세요."

뜬금없는 준원의 개그에 충격받은 도희의 입이 떡 벌어졌다.

"……."

"……."

이어서 흐르는 정적이 약 3초.

"재미없었어요?"

"네. 끔찍하니까 다신 하지 마세요. 무슨 그런 족보도 감동도 없는 말장난을……."

도희가 투덜거리자 준원이 소리 내어 웃었다. 평소처럼 입만 웃는 인위적인 미소가 아니라, 진심으로 피어오른 듯한 웃음이었다.

……웃는 모습 한번 더럽게 잘생겼네. 웃는 얼굴에 침 못 뱉는다던데, 심지어 멋있기까지 하다니. 심장에 해로운 미모에 도희의 심장에 찌릿 전기가 통하는 듯했다. 두근거리는 가슴을 들키기 싫어서 고개를 옆으로 돌리고 퉁명스럽게 입을 열었다.

"그보다 언제까지 내 위에 있을 거예요? 빨리 내려가시죠?"

그렇게 말하는 뺨은 핑크빛으로 물들어 있었다. 그 모습이 귀여워서 준원은 더욱 상체를 낮춰 도희에게 다가갔다.

"……뭐예요. 왜 내려가라니까 더 가까이 와요?"

"작년 그날 생각나지 않아요?"

비스듬히 사선으로 내려오던 준원의 얼굴이 멈춰선 곳은 도희의 입술 앞이었다.

"우연찮게 이 룸도 2005호…… 난 그날 밤 좋았는데. 백도희 씨는 어때요?"

뜨거운 숨결이 도희의 입술을 촉촉이 적셨다. 지금 이 순간은 비즈니스가 아니라는 듯, 다정하게 이름으로 부르는 탓에 심장이 고장 난 듯 뛰었다.

"생각해 보니까 그걸 물어본 적이 없네요."

더 다가오지 않는 입술과 달리 퇴폐한 눈빛과 잘록한 허리를 문지르는 손길은 욕망이 가득했다. 도희는 어떻게 반응해야 할지 몰라 그저 준원만 가만히 올려다볼 뿐이었다.

"난 그날 밤 기억을 잊을 수가 없는데……."

살짝 핑크빛이었던 그녀의 얼굴은 어느덧 곧 폭발할 토마토처럼 새빨갛게 달아올라 있었다.

"하여간 은근히 놀리기 좋은 타입이라니까."

준원이 픽 웃음을 터뜨리며 뜨거워진 뺨을 꼬집었다. 야한 눈빛이 또 비웃는 눈으로 변하는 장면을 똑똑히 목격한 도희의 얼굴이 붉으락푸르락했다.

"뭐라고요?"

또 놀림당했다는 걸 깨닫자 발끈한 도희의 손끝이 부들부들 떨렸다. 놀리기 좋은 타입이라니, 태어나서 처음 들어 보는 말에 자존심이 상했다.

"비켜요! 주접떨지 말고!"

울컥한 도희는 소리 지르며 그대로 오른쪽 다리를 올려 준원의 중심부를 퍽 걷어찼다.

"아……."

늘 무던하던 준원의 평정심이 깨지는 것은 한순간이었다. 여유롭게 도희 위를 장악하던 몸은 엄청난 고통 아래 신음을 내며 주저앉았다.

"잠깐…… 아무리 그래도 이건……."

미간을 잔뜩 찌푸리고 괴로워하는 준원을 도희는 본 척도 하지 않고 성큼성큼 욕실로 직행했다.

"나 먼저 씻고 나올게요!"

곧 죽을 듯한 준원의 앓는 소리를 뒤로하고 쾅, 욕실 문을 닫았다.

"하……."

안으로 들어오자마자 다리에 힘이 풀린 도희는 그대로 주르륵 주저앉았다. 양손으로 머리를 부여잡고는 소리 없는 아우성을 내질렀다. 그가 이상한 장난만 안 쳤다면 또 얼렁뚱땅 넘어가 진도를 나갔을지도 몰랐다. 그도 그럴 게, 저 재수 없는 남자는 너무 쓸데없이 섹시하고 유혹적이니까.

"미쳤어, 백도희……."

아무것도 하지 않고 내려다보는 눈빛만으로도 온몸이 달아오를 만큼. 하얀 손바닥으로 양 뺨을 두 번 두드린 도희는 자리에서 일어나 옷을 벗었다.

조금의 시간이 흐른 뒤, 빠르게 샤워를 마치고 챙겨 온 편한 옷으로 갈아입은 도희는 욕실 문 앞에서 잠시 망설였다. 아까는 그에게 조금 심했나 싶었기 때문이었다. 하지만 뭐 어쩌겠는가. 자업자득인 것을. 끼이익, 욕실 문을 조심스레 연 도희는 빼쭘하게 빼꼼 고개만 내밀고 밖을 살펴보았다.

"나왔어요?"

침대에 앉아 있는 준원과 정면으로 시선을 딱 마주쳤다.

"백도희 씨 덕분에 남자로서의 생을 마감할 뻔했습니다."

뼈가 있는 말에 도희가 큼큼, 머쓱하게 헛기침했다.

"그러게 누가 자꾸 놀리래요. 인과응보거든요?"

퉁명스럽게 응수한 도희의 시선이 은근히 준원의 다리 사이로 향했다.

"그리고 뭐…… 멀쩡하구만."

은근슬쩍 제 중요 부위를 염탐하는 엉큼한 시선에 준원이 헛숨을 터뜨리며 자리에서 일어났다.

"겉으로만 보고 멀쩡한지 어떤지, 어떻게 알아요?"

준원은 제 바지 벨트를 풀며 욕실 앞에 서 있는 도희에게로 성큼성큼 다가왔다.

"열어 봐야 알지."

……열어? 뭘 열어 봐?!

하릴없이 풀어진 벨트가 바닥으로 떨어지는 걸 본 도희의 심장도 쿵 떨어졌다. 당황한 도희의 눈이 휘둥그레졌다. 탁, 점점 더 다가온 준원이 도희의 앞에 가깝게 서서 뒤의 욕실 문에 손을 짚었다. 움찔한 도희는 저도 모르게 어깨를 움츠렸다.

"한 가지 묻고 싶은 게 있는데……."

준원의 입술이 느리게 벌어지자 살짝 긴장한 도희가 아무 말을 지껄였다.

"왜요, 뭐요! 어차피 또 장난인 거 다 알고 있거든요?"

"욕실 문을 막고 서 있는 건 어떻게 해석하면 됩니까?"

"……아."

뻘쭘해진 도희는 얼른 옆으로 몸을 치우고 손짓했다.

"들어가세요."

픽 웃음을 흘린 준원이 커다란 손을 올려 도희의 머리를 쓰다듬었다.

"그래요. 나도 씻고 나옵니다."

찰나였지만 제 머리를 스쳐 지나간 따뜻한 손의 감촉에 도희는 슬며시 미간을 좁혔다.

'……머리는 왜 쓰다듬고 난리야?'

기분이 복잡미묘해지는 것은 순식간이었다. 이상하게 몰려오는 열기와 함께 도희의 머리가 혼란과 함께 어지러워졌다.

"아, 이 호텔은 왜 이렇게 더워? 보일러가 너무 센 거 아냐?"

지구 온난화를 가속화 하려고 작정을 했구만. 도희는 괜히 투덜거리며 손부채질한 후 드라이기로 머리를 말렸다.

"……."

흘끔 욕실 쪽을 바라본 도희는 크게 숨을 들이쉬었다가 내쉬었다.

그는 꽤 오랫동안 씻는 것 같았다. 왜인지 어색한 기분을 떨칠 수가 없어 부자연스럽게 침대로 향했다.

'그래. 저 인간이 침대에서 같이 못 자게, 여기 정중앙에 누워 자야겠다.'

이렇게 자는 척하고 있으면 알아서 소파를 가든 하겠지, 뭐. 계산이 끝난 도희는 침대의 정확히 중앙에 옆을 보고 누웠다. 눈을 지그시 감고 자는 척하고 있으니 얼마 가지 않아 욕실 문이 열리는 소리가 고요히 들렸다. 뚜벅, 뚜벅, 나직한 발걸음이 귓가에 점점 더 크게 들려오고, 살짝 긴장한 도희는 꼴깍 침을 삼켰다.

"자요?"

준원의 물음이 들려왔으나 도희는 아랑곳하지 않고 자는 척했다. 그러나 이렇게 있으면 당연히 알아서 소파에 갈 거로 생각한 도희의 예상은 보기 좋게 빗나갔다. 바로 옆에 거대한 몸집이 눕는 느낌에 도희는 살짝 당혹감에 휩싸였다. 심지어 도희가 정중앙에 누워 있던 탓인지 그는 아주 가깝게 누운 듯했다. 그것도 도희의 몸이 향하고 있는 쪽에. 식은땀이 날 것 같았지만 이제 와서 자는 척을 그만두고 눈을 뜨는 게 더 이상했다.

"……."

한편 준원은 도희가 자지 않는다는 걸 다 알고 있었다. 움찔거리는 새끼손가락이나 미세하게 떨리는 속눈썹은 그녀가 자지 않는다는 것을 고스란히 드러냈다. 소리 없이 웃은 준원은 도희의 옆에 누운 채로 그녀를 지그시 바라보았다.

화장을 지운 도희의 피부는 눈처럼 하얗고 비단결처럼 고왔다. 느릿하게 손을 뻗은 준원은 도희의 볼을 손가락으로 가볍게 톡 건드렸다. 놀란 듯 살짝 움찔하는 게 느껴지자 픽 웃음이 터졌다.

'귀엽기는…….'

길쭉한 손가락이 도희의 얼굴을 드리우고 있는 붉은 머리카락을 천천히 뒤로 넘겼다. 감은 눈에 서린 기다란 속눈썹이 만든 그늘이 그림처럼 아름다웠다. 보면 볼수록 예쁘고 귀여운 여자였다. 이렇게까지 다른 누군가를 마음에 둔 적은 처음이었다. 준원은 그녀의 머리를 천천히 쓰다듬으며 숨소리처럼 미소 지었다.

"……."

한편 도희는 심장이 터질 것만 같았다. 제 머리카락을 쓸어 주는 손길 때문이었다. 더는 자는 척하고 버틸 수가 없어서 결국 비스듬히 두 눈을 떴다. 그 순간 살짝 놀랐던 도희가 숨을 삼켰다. 그의 얼굴이 생각보다 너무 가까이 있던 탓이었다.

"자는 거 아니었어요?"

준원에게서 나는 향긋한 보디로션의 향기가 코끝을 맴돌았다.

"……자, 잤어요. 1초 전까지."

"그래요? 피곤했나 봐요."

느슨하게 걸친 가운 사이로 드러난 준원의 탄탄한 가슴 근육이 시선을 사로잡았다. 아직 물기가 서린 머리카락이며, 저를 바라보고 있는 눈빛이며, 도희의 가슴은 견딜 수 없이 고동쳤다.

"그런데 옷 좀 제대로 챙겨 입을 수 없어요?"

그래서 괜히 더 차갑게 목소리를 내었다.

"내 옷이 왜요?"

"가운 말고 다른 옷 입어요."

"안 가져왔습니다. 가운 입으면 되는데 왜 굳이 짐을 늘리겠어요?"

눈을 흘긴 도희가 작게 한숨을 내쉬었다. 계속 이대로 나란히 누워 있다가는 미쳐 버릴 것만 같아서 허리를 일으켰다.

"……앗!"

그 순간 허리로 굵직한 팔이 감겼다. 훅 끌어당기는 힘에 도로 침대에 풀썩 눕혀졌다. 그에게 반쯤 안긴 자세가 되자 놀란 도희의 눈동자가 커졌다.

"어디 가요?"

"……그냥 제가 소파 가서 자려고요."

"그러지 말고 그냥 여기서 같이 자요."

준원은 커다란 손으로 도희의 머리를 쓰다듬으며 웃었다.

"왜요? 자신 없어요?"

준원이 제 미모를 자랑하듯 웃음을 흘리는 걸 보니, 또 채신머리없이 꼬시기 시작한 게 틀림없다고 도희는 생각했다. 그럼에도 그 모습은 도희가 차마 거부하기 어려울 만큼 매력적이었다.

"자신 없긴 무슨……."

그런 그에게 끌리지 않는다면 새빨간 거짓말이었다.

"그래요. 같이 자요."

오기로 밀어붙인 도희는 침대에 바르게 몸을 뉘었다. 지그시 두 눈을 감고 잠을 청하기 위해 노력했다. 하지만 눈을 감아도 느껴지는 준원의 뜨거운 시선에 도저히 잠을 이룰 수가 없었다.

"후우……."

결국 푹 한숨을 쉬며 도로 눈을 떴다. 그를 향해 고개 돌리고서 따지듯이 물었다.

"나한테 왜 그래요, 진짜?"

마음에 들지 않았다. 바라보는 그의 따뜻한 시선이, 다정하게 머리를 쓰다듬는 커다란 손이, 장난스레 내뱉는 위로 같은 말들이.

"대체 무슨 생각이에요?"

전부 마음에 들지 않았다. 그 사소한 것들에 자꾸만 바보처럼 흔들리는 자신이 싫었다. 지금까지 그녀가 다른 누군가에게 이렇게까지 휘둘려 본 건 처음이었다. 이런 건 정말 백도희답지 않았다.

"글쎄요……. 난 하고 싶은 대로 하는 것뿐이라서."

준원의 목소리는 단조롭게 흘러나왔다. 커다란 손이 도희의 보드라운 뺨을 천천히 어루만졌다.

"억지로 이래야 한다, 저래야 한다, 틀에 박아 놓고 밀어내지 않고…… 자연스럽게 흘러가고 있습니다."

그 말은 도희의 가슴을 움직이기에 충분했다.

"원래는 이렇지 않았는데, 이상하게 백도희 씨를 알게 된 이후로는 그냥 전부 내 마음대로 하고 싶어져서."

……그에게 진심이란 게 있는 걸까? 이런 다정한 행동들도 다 의미가 있는 걸까. 도희의 동공이 가늘게 흔들렸다. 어딘가 기분이 묘해지며 가슴에 무언가 뜨거운 것이 피어오르는 듯했다. 도희는 떨리는 입술을 달싹이며 나른한 음성으로 물었다.

"그러면…… 지금은 뭘 하고 싶은데요?"

고요함 속에 얽히는 시선이 꽤 뜨거웠다. 가까운 거리의 두 입술 사이에서 무더운 숨결이 느리게 오고 갔다.

"키스하고 싶어요."

부드럽고 낮은 음성이 도희의 고막을 은은하게 녹였다. 비스듬히 고개를 튼 준원은 그대로 도희의 조그마한 붉은 입술에 입을 맞췄다. 부드럽게 부딪혔다가 떨어진 입술이 도희의 애를 태웠다. 맞닿은 부위가 불에 덴 듯 뜨거웠다.

'글쎄요……. 난 하고 싶은 대로 하는 것뿐이라서.'

준원이 조금 전 했던 말이 계속해서 도희의 귓가에 맴돌았다. 하고 싶은 대로 할 뿐. 그 말을 되풀이하며 제 마음의 소리에 귀를 기울인 도희가 떨리는 눈을 감았다. 천천히 손을 뻗어 그의 얼굴을 감싸 끌어당기자 준원의 입술이 벌어지며 촉촉하게 맞물렸다.

준원은 뜨겁고 말랑한 입술을 빨아당기며 도희의 허리를 감싸 끌어안았다. 코끝에서 진동하는 농후한 꽃향기와 함께 비벼지는 점막이 아찔했다. 입술 위를 촉촉이 핥아 오는 준원 때문에 도희의 심장은 고장 난 듯 내달렸다.

자연스럽게 벌어진 입 안으로 침범한 매끈한 혀가 도희의 여린 피부를 간지럽히고 맛보았다. 혀끝이 녹아 버릴 듯 달콤하게 감겨 왔다. 작년 라비에트 호텔 2005호에서의 일처럼. 이 키스가 불러온 그리운 기억은 도희의 꽁꽁 언 마음을 녹여 버렸다.

"안아 주고 싶은데……."

한참을 탐하던 그의 입술이 못내 아쉽게 떨어졌다.

"허락해 줄래요?"

엮이는 시선 사이로 무더운 열기가 오고 갔다. 제 허리를 쓰다듬는 그의 손길이 너무도 따뜻해서, 그녀는 도저히 거부할 마음이 들지 않았다.

도희가 홀린 듯 고개를 끄덕이자 준원의 두 팔이 도희의 몸을 부드럽게 감싸 끌어당겼다. 커다란 손이 제 뒷머리를 보듬으며 안는 감촉에 도희는 지그시 눈을 감고 단단한 가슴에 얼굴을 묻었다. 두근, 두근, 듣기 좋은 고동 소리와 함께 따스한 온기가 전해져 왔다. 온몸으로 꽉 끌어안은 두 팔은 도희가 지금까지 겪은 것 중 가장 따뜻한 품이었다.

"애정에는 종류가 있는데……."

준원의 입술이 벌어지며 고요한 음성이 흘러나왔다.

"친구나 가족으로 채워지는 결의 애정이 있다면, 이성으로부터 채워지는 안정감도 있다고 생각해요."

빠르게 변하는 세상에서 무너지지 않도록 지지해 주는, 일정한 정서적 안정감. 도희는 그의 품에서 안정감을 느꼈다. 긴장감은 몰려오고 가슴도 떨렸지만, 그 안에서의 묘한 평온을 느꼈다.

"사랑할 줄도 받을 줄도, 아무것도 못 한다고 해서, 고독감을 느끼지 않는 건 아니니까요."

준원은 도희와 눈을 마주치며 느릿하게 말했다. 도희의 눈꺼풀이 잘게 흔들리며 붉은 입술이 열렸다.

"맞아요. 앞만 보고 달리다가 가끔은 길을 잃은 것처럼 공허해질 때가 있더라고요."

이 세상에서 모두가 행복한 와중에, 혼자만 이방인처럼 느껴질 때가 있었다. 그럴 때 절실하게 생각나는 것은 모든 걸 풀어 놓고 의지할 수 있는 든든한 내 편이었다. 준원은 손을 뻗어 도희의 뺨을 보듬었다.

"난 그럴 때 만난 게 백도희 씨라서……."

그가 나직하게 웃었다.

"내 편 할래요?"

도희의 입술 끝이 미세하게 떨렸다.

"이 세상에서 단 하나뿐인 내 편."

뚫어지게 바라보는 검은 동공에 도희의 가슴이 일렁였다.

"그리고 내가 백도희 씨의 편이 되어 줄게요."

촉촉해진 고막으로 쏟아지는 속삭임이 도희의 정신을 흐트러뜨렸다. 작년처럼 술을 마신 것도 아닌데, 아홉수도 아닌데, 앞으로 볼 일 없는 남자도 아닌데……. 무언가에 홀린 게 틀림없다고 그녀는 생각했다.

"말은 잘하네요."

……그렇지 않고서야 이런 기분이 들 리가 없으니까.

"입으로 하는 건 다 잘하는 편이라서요."

장난스럽게 속삭인 입술이 도희의 입술을 부드럽게 머금었다. 비벼지는 입술 사이로 아득하게 퍼지는 열감에 델 것만 같았다. 느릿하게 입술을 가르고 들어온 준원이 내부를 헤집으며 촉촉하게 적셨다. 말랑말랑하고 부드러운 혀의 감촉에 눈을 감자 그의 입술이 고요하게 도희의 뺨에 내려앉았다.

"아……."

목덜미로 그의 입술이 미끄러지자 도희의 입술이 툭 벌어졌다. 드러난 하얀 피부의 푸른 정맥을 따라 열감이 내려가자 도희의 뺨이 열을 띠고 발그레하게 물들었다. 옆으로 당겨지는 네크라인을 느끼자마자 어깨 안쪽으로 그의 입술이 포근하게 잠겼다.

"잠깐……."

커다랗고 서늘한 손이 살갗으로 생생하게 와닿았다. 맨허리를 쓰다듬는 손은 부드럽게 올라가 브래지어 위를 지분거렸다. 툭, 등 뒤 호크가 힘없이 풀렸다. 점점 수위가 진해지자 곤두서는 오감과 함께 도희의 마지막 이성의 끈이 위태롭게 흔들렸다.

"저기, 이제 그만……."

입으로 하는 건 다 잘한다는 말은 농담이 아니었나 보다. 그의 뜨거운 입술과 손은 조금도 거친 구석이 없이 부드럽게 도희를 잠식시켜 갔다. 척추를 타고 전류가 흐르는 듯한 느낌에 정신을 놓아 버릴 것만 같았다.

"그으……."

속옷 틈으로 파고드는 길쭉한 손가락에 마른침을 삼켰다.

"……만! 그만! 탭! 탭!"

최후로 남은 이성의 끈 한 가닥을 겨우 붙잡은 도희가 그의 등을 툭툭 두드렸다. 이종격투기도 아니고 뜬금없이 탭을 치는 바람에 준원은 그만 웃음을 터뜨렸다.

"지금 항복한 거예요? 갑자기 탭을 치네."

"……애석하게도 내 이성이 아직은 제대로 박혀 있어서."

거칠어진 숨을 몰아쉰 도희가 천천히 말을 이었다.

"어쨌든 우리 사귀는 사이도 아니고, 여긴 일하러 온 거고…… 작년엔 내가 좀 미쳤었는데, 올해는 제정신이라서요."

준원은 웃으며 도희의 이마에 가볍게 키스했다.

"알겠어요. 무슨 말인지."

"……."

"대신 안고만 자는 건 괜찮죠?"

대답을 듣고자 한 말이 아니었는지 그의 팔은 이미 도희를 자신의 품에 넣고 꼭 끌어안은 상태였다. 커다란 품에 온몸으로 안기자 도희의 가슴은 엄청난 속도로 고동쳤다.

"오늘 고생했어요."

저음의 목소리가 도희의 고막에 촉촉이 스며들었다.

"잘 자요."

도희는 오랜만에 깊이 잠이 들었다. 밤새 좋은 꿈을 꾸었고 뒤척이지도 않았다. 이렇게까지 마음 편히 잔 것은 너무도 오랜만이라 일어나고 싶지 않았다.

"음……."

도희는 작게 소리 내며 몸을 꿈틀거렸다. 손에 잡히는 무언가가 따뜻하고 포근해서 저도 모르게 만지작거렸다.

탄탄한 무언가가……. 음?

묘한 데자뷔를 느낀 도희는 슬쩍 눈을 떴다.

"……으악!"

놀란 도희가 자지러지며 뒤로 물러났다. 저도 모르게 잠결에 서준원의 엉덩이를 좋다고 만지작거리고 있었다. 기겁한 도희가 입을 떡 벌린 순간 저를 내려다보고 있는 준원과 시선이 딱 마주쳤다. 그는 한참 전에 일어났는지 여유로운 자세와 표정을 하고 있었다.

"엄청 좋다고 주물럭대던데. 밤새 더듬더듬."

"아니, 내가 언제!"

"앞뒤 구분 없이 신나게 드나들던데요?"

"내가 언제 그랬다고! 난 기억도 안 나요!"

"난 하룻밤 사이에 순결을 잃었는데 기억이 안 난다고요?"

“뭔 순결을 잃어요! 이미 닳고 닳은 서른세 살 남자가!”
도희는 어이가 없어 혀를 찼다. 일어나 있었으면서도 피하지도 않고 가만히 손길을 느끼고 있었던 주제에 피해자 행세를 하는 준원의 모습에 어이를 상실하고 말았다.
“닳고 닳았다니 오해가 심하네. 그리고 내 순결은 매년 리셋 됩니다, 올해 백도희 씨가 처음이었고.”
“아, 또 무슨 말도 안 되는 소리…… 헉!”
도희는 현실로 기겁하며 이상한 소리를 내었다. 고개를 내렸더니 잠옷 단추가 반쯤 풀려 있는 제 망측한 차림새가 시야에 들어온 탓이었다.
“나, 나 왜 벗겨져 있어요?!”
“그야 어제 갑자기 탭 치는 바람에 도중에 멈춰서 그렇죠. 도로 입혀 주진 않았으니까?”
“허…….”
기가 막히고 코가 막힐 지경이었다.
“대체 어느 틈에 벗긴 거예요? 어이가 없어서 진짜!”
“밤새 남의 몸 구석구석 만지작거리던 사람이 적반하장으로 나오네.”
“그건 내가 잠결에 실수로 그런 거니까 논외로 해야죠!”
“실수라니, 그런 건 내 사전에 없습니다.”
서로 피해자라고 우기는 상황에 준원의 눈이 문득 가늘어졌다.
“그냥 넘어가려고 했는데 하도 우기니까 안 되겠네요.”
“……뭐가요?”
“백도희 씨가 날 만진 만큼, 나도 좀 만져 봐야겠습니다.”

……만져? 어디를 또?!

준원이 성큼 몸을 들이대자 당황한 도희가 제 가슴을 엑스자로 가리고 물러났다.

"잠깐……. 잠깐."

어제처럼 타임을 외쳐 봤으나 그는 자비 없이 다가왔다. 커다란 손이 제 가슴께로 뻗어지자 움찔한 도희가 반사적으로 눈을 질끈 감았다.

"……아."

길쭉한 손가락은 도희의 잠옷 단추를 꼼꼼히 잠가 주었다. 살결에 닿을 듯 말 듯 스치는 손가락에 도희가 마른침을 삼켰다.

"이제 일어날까요?"

맨 위까지 단추를 전부 잠가 준 준원이 도희의 머리를 쓰다듬었다. 멍하니 넋을 놓고 있는 도희를 보며 준원은 웃으며 말을 이었다.

"나 먼저 씻을까요? 아니면 백도희 씨 먼저?"

"……."

"아니면 같이 씻는……."

퍽. 순식간에 빨개진 도희는 베개를 들어 냅다 준원의 얼굴에 던졌다.

"시끄러워요!"

짧았던 1박 2일의 출장은 오묘한 추억을 남기고 막을 내렸다. 서울로 올라가는 길에서는 준원이 온전히 운전해 준 덕에 도희는 그렇

게 피로하지 않았다. 그러나 집으로 도착한 도희는 녹초가 되어 소파에 드러누웠다.

"하……."

여러모로 심경이 복잡한 탓이었다. 전날 서준원과의 그렇고 그런 일들과 함께 달콤했던 키스가 머릿속에서 연속적으로 재생되었다.

"어우…… 제정신 아니야."

일하러 가서 일을 쳤으니 이게 무슨 해괴한 상황인가. 심지어 전날 밤의 일은 술 한 모금 마시지 않고, 너무도 맨정신에 벌인 일들이었다.

"……대체 그 남자랑 나는 무슨 관계인 거지."

한 번 잔 건 실수라고 넘길 수 있어도, 여기까지 왔으면 절대 실수가 될 수 없다. 이제 단지 회사 동료라고 관계 짓기엔 무리가 있었다.

……서준원을 좋아하느냐고 묻는다면, 솔직히 그렇다고 말할 수는 없다. 물론 그에게 끌리는 것도, 이성적으로 호감을 느끼는 것도 사실이었다.

"하지만…… 연애는 귀찮고."

진지한 관계가 되는 건 부담스럽고 싫었다. 그 관계를 이어 나가기 위해 감정과 시간을 써 가면서 소모적인 행위를 하고 싶지도 않았다. 그러니까 딱 이 정도가 좋을지도 모르겠다고 생각했다. 남보다는 가깝고 연인보다는 먼…….

"그냥 딱 이 정도……."

서로 의무적으로 연락하지 않는……. 연락하지 않는…….

"……왜 연락을 안 해?"

문득 이상한 점을 깨달은 도희는 벌떡 일어나서 눈을 똥그랗게 뜨고 핸드폰을 내려다보았다. 이제쯤이면 그도 자신의 집에 도착했을 텐데, 어떻게 된 게 연락 하나가 없다.

"……잘 들어갔다고 나한테 연락해야 하는 거 아냐?"

오바야? 아니잖아. 선 넘는 거 아니잖아! 사귀는 사이 아니어도 그 정도는 그냥 예의상 할 수 있잖아?

혼자 중얼중얼하고 있는데, 문득 도희의 집 벨이 무섭게 울려댔다. 띵동띵동띵동.

"야, 백도희!!!"

고래고래 목이 터져라 소리를 지르는 것은 강이언이었다. 그제야 이언을 잠시 까먹고 있던 도희가 재차 그의 존재를 인식하고 문을 열었다.

"야! 너 왜 계속 내 전화 안 받는데?"

"전화했었어? 못 봤네."

"에이, 진짜 내가 너 때문에!"

이언은 진심으로 억울해 미치겠는지 제 가슴을 쿵쿵 쳤다.

"너 혹시 그 자식이랑 부산 가서 무슨 일 있었던 거 아니지?!"

"어?"

……무슨 일?

무슨…… 일……. 문득 또 서준원과의 19금으로 이어질 뻔했던 밤을 상기해 버린 도희의 표정이 오묘해졌다. 그 미세한 변화를 감지한 백도희 전문가 강이언 박사는 노발대발했다.

"야! 너 그 표정 뭐야! 있었지! 무슨 일이야! 무슨 일이냐고!"

"아, 아무 일도 없었어! 왜 이래, 진짜?"

이언은 정말 미치고 팔짝 뛸 지경이었다. 전날 밤 한숨도 못 자고 밤새 걱정과 질투에 부들부들 떨었는데. 눈만 감으면 서준원 그 음흉한 짐승 새끼가 작고 예쁜 도희를 잡아먹는 광경이 눈앞에 그려지는데!

"하……."

제 맘을 몰라주는 도희가 야속하면서도, 여전히 용기를 내지 못하는 자신이 너무도 미웠다.

"야. 나 이번에 광고 촬영한 거랑 저번 대회 상금 한 푼도 안 건들고 통장에 모셔 두고 있어."

이언은 세상 억울한 음성으로 너저분하게 말을 이었다.

"내가 그 돈 모으면서 무슨 생각을 한 줄 알아? 이 돈으로 우리 도희 시집도 보내고 도희 명의로 회사 근처에 30평짜리 신혼집도 해줘야겠다!"

물론 그 남편으로 자신을 상상했다는 건 비밀이었다.

"뭐라는 거야? 미쳤냐?"

"근데 그놈은 아니야! 이 결혼 반대야!"

"누가 결혼한대? 헛소리하지 마! 왜 이러는 건데, 대체?"

"뭐?"

"네가 왜 난리냐고. 네가 내 아빠야, 남자 친구야, 뭐야? 왜 그렇게 오버인데?"

도희의 따끔한 물음에 이언이 입술을 달싹였다.

"난……."

난 널 좋아해서 그러는데. 그 한마디가 왜 이렇게 힘든 걸까.

"나는……."

널 좋아해. 널 좋아해서 그래!

말해. 그냥 말해 버리는 거야!

"네 보호자잖아!"

"……."

"……."

서른 살 성인에게 던져진 보호자 소리에 정적이 흘렀다. 도희의 싸늘하게 정색한 표정을 본 이언은 세상을 잃은 기분으로 뒤를 돌았다.

……나가 죽자, 강이언.

물론 10년 넘게 말 못 한 걸 하루아침에 말할 수 있을 리가 없었다.

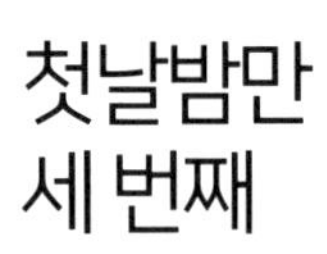

VOL. 1

Three First Nights

CHAPTER 6

우리 오늘 잘래요?

6

우리 오늘 잘래요?

다음 날, 도희는 출근하는 내내 한숨을 폭폭 내쉬었다. 전날 서준원과 그렇고 그런 일이 있었는데, 준원의 얼굴을 회사에서 제대로 마주하기가 조금 껄끄러운 탓이었다.

"아……."

엘리베이터를 타고 올라와 사무실 입구 앞에 선 도희는 들어가지 않고 망설였다.

'서준원 얼굴을 어떻게 봐야 하지?'

왜 이렇게 어색한 느낌일까……. 뭐라고 인사해야 쿨하고 멋있는 느낌이지?

"아니야. 자연스럽게 하자, 자연스럽게."

자그마한 소리로 중얼거린 도희는 한쪽 주먹을 불끈 쥐었다.

"쿨하게, 멋있게, 자연스럽게."

"되게 부자연스러워 보이는데."

"아, 깜짝이야!"

갑자기 뒤에서 소리 없이 나타난 준원 때문에 도희가 흠칫 놀랐다.

"아, 안녕하세요, 팀장님."

"네. 안녕합니다. 그런데 왜 안 들어가고 서 있어요?"

한쪽 입꼬리를 올린 준원이 여유롭게 손짓했다.

"들어가요. 쿨하게, 멋있게, 자연스럽게."

도희가 했던 말을 똑같이 반복해서 놀리며 들어가는 준원 때문에 어처구니를 상실한 그녀가 헛숨을 터뜨렸다. 무슨 일 있었느냐는 듯이 평소처럼, 아니, 평소보다 더 여유롭게 자신을 대하는 준원 때문에 도희는 혼자 바보가 된 기분이었다.

'뭐야, 진짜…….'

속으로 육두문자를 퍼부으며 준원의 뒤를 따라 사무실에 들어가는데…….

일순 그가 멈춰서서 뒤를 돌았다.

오후가 되어 준원은 외부 미팅 일정을 위해 회사를 나섰다. 도희는 오늘 일하는 내내 약간 들뜨는 기분을 떨칠 수 없었다.

'참, 이따 저녁에 시간 괜찮아요?'

준원이 오늘 아침에 했던 말 때문이었다.

'할 말이 있는데, 같이 저녁식사나 하죠.'

예전부터 도희가 가 보고 싶었던 식당을 예약해 두었다고 하니 기분이 좋을 수밖에 없었다.

'근데 서준원은 왜 안 오지……?'

벌써 퇴근 시간이 가까워졌지만, 외근 나갔던 그는 사무실로 복귀할 기미가 없었다.

[미팅이 길어져서요. 먼저 식당에 가 있으면 나도 여기서 바로 퇴근하고 갈게요. 거기서 만나요.]

때마침 도착한 준원의 문자를 확인한 도희는 짧게 답장을 보냈다. 곧 퇴근 시간이 되고 사무실을 빠져나온 그녀는 차에 올라타 그가 예약했다는 식당으로 향했다. 대리석으로 매끈하게 깔린 입구를 밟으며 들어서자 모던한 인테리어를 자랑하는 내부가 눈에 띄었다.

"예약하셨습니까?"

"네. 서준원이요."

예약자 명단을 확인한 직원의 안내를 따라 안으로 들어섰다. 가장 안쪽 자리를 가리키는 직원에게 가볍게 고개를 숙이고 걸음을 옮기는 찰나였다.

"어? 백도희?"

귀에 익은 목소리가 발을 묶었다. 고개 돌린 곳에는 꿈에도 보기 싫었던 얼굴들이 테이블 앞에 옹기종기 모여 있었다.

"야, 오랜만에 본다? 거의 10년 만인가?"

도희에게 악몽 같았던 학창 시절을 안겨주었던 여고 동창들이었다. 김민지와 최혜지, 그리고…….

"얼굴 좋아졌네, 언니?"

차유나. 도희가 세상에서 제일 혐오하는 인간.

"내가 너희랑 인사할 만한 사이던가?"

도희는 차가운 음성으로 쏘아붙였다. 서울 땅이 좁은 건 알았지만, 이렇게 달갑지 않은 우연한 만남으로 확인하고 싶지는 않았다.

"왜 우리가 인사를 못 해? 고등학교 동창인데."

김민지의 말에 도희가 콧방귀를 뀌었다.

"야. 김민지. 그 정도면 대가리가 붕어 대가리구나, 너?"

"어머, 백도희 너 설마 아직도 어렸을 때 일 가지고 그러는 거야? 하여간 속은 좁아서는."

김민지는 자연스럽게 도희를 깎아내리며 자신의 잘못을 지웠다. 왜 늘 가해자는 저런 태도일까.

"이번에 동창회는 왜 안 나왔어? 이제 다들 성인이니까 옛날 일 잊어 두고 잘 지낼 수 있잖아."

최혜지의 능청스러운 말에 도희는 어이가 없어서 혀를 찼다.

"어쩌지? 난 잘 지내기 싫은데."

고등학생이었던 그들 눈에는 부모 없이 자란 주제에 기죽지 않고, 저들보다 잘나기까지 한 도희가 꼴사나워 보였을 것이다. 돈도 가정도 빽도 없는, 자기들의 발아래였어야 할 인간이 너무 당당하고 잘났다는 것. 그건 그들이 도희를 뒤에서 욕하고 따돌리는 이유의 전부였다.

"언니."

도희가 그녀들을 무시하고 걸음을 다시 옮기려는 순간, 가만히 듣고 있던 차유나가 쿡 웃음을 터뜨렸다.

"이번에 KSS에서 나한테 간편식 콜라보 제안 왔던데. 거기 언니가 다니는 회사지?"

차유나의 목소리에 도희는 두통이 몰려오는 것 같았다.

"담당자한테 물어보니까 그 사람, 언니 입사 동기라면서. 나 그거 할까 말까 고민 중인데……."

"너 내 스토커니?"

도희의 말에 유나의 얼굴에 웃음기가 가셨다.

"내가 10년 전에 말했지. 다시 만나면 죽여 버릴지도 모른다고."

험악한 경고에 유나의 입술이 파르르 떨렸다.

"피차 알은척하지 말고 남남으로 지내."

싸늘하게 한마디를 남긴 도희는 곧장 걸음을 옮겨 안쪽 자리로 가서 앉았다. 몇 분 전까지만 해도 나름 괜찮았던 기분이 우연한 조우로 인해 완전히 망가져 버렸다. 여고 동창들의 자리는 도희가 앉아 있는 좌석에서 그리 멀지 않은 곳에 있었고, 그들의 대화 소리는 도희에게 생생하게 들려왔다.

"하여간 저 싸가지, 진짜…… 유나야, 괜찮아?"

"응. 괜찮아."

"어휴, 진짜 이래서 가정교육이 중요하다니까?"

"맞아. 부모 없이 자란 애들은 티가 나. 쟤 성격 봐봐. 서른 돼서도 비비 꼬였잖아."

일부러 들으라는 듯이 큰 소리로 말하자 울컥 치미는 분노로 주먹이 떨려 왔다. 하지만 좋았던 기분을 여기서 더 망치고 싶지 않았기에 그냥 무시하기로 했다. 도희에게 고등학교 시절이란, 다시 생각하고 싶지도 않은 것들이었으니까.

지금으로부터 11년 전, 도희가 열아홉 살일 때. 우수한 집안의 자제들만 모이는 명문 고등학교에서는 부모가 없다는 것만으로도, 가

난하다는 것만으로도 따돌림과 비난의 대상이 될 수 있었다. 차유나가 퍼뜨린 보육원 출신이라는 소문 때문에 어느 순간 도희는 전교생들에게 아무것도 없는 주제에 잘난 척하는 재수 없는 애로 찍히고 말았다.

그리고 그런 도희의 불행을 더 나락으로 치닫게 한 것은 점심시간에 일어난 한 사건이었다. 모두가 점심을 먹으러 급식소로 향하고, 배가 아팠던 도희는 유일하게 교실에 남아 자고 있었던 날이었다. 종례 시간에 들어온 담임선생은 돌연 학생들에게 눈을 감으라고 시킨 후 엄한 목소리를 내었었다.

"솔직히 손들어. 오늘 점심시간에 유나 가방에서 돈 봉투 가져간 사람 누구야?"

온종일 아파서 기운이 하나도 없었던 도희는 빨리 종례가 끝나고 집에 가서 쉬고 싶은 마음뿐이었다.

"없어? 그럼 점심시간에 혼자 교실에 남아 있었던 사람 누구야?"

……점심시간에 혼자 남아 있던 사람? 담임선생의 말에 도희가 미간을 찌푸리며 눈을 떴다.

"……."

그리고 그 순간 온몸에 피가 마르는 듯했다. 반의 모든 사람이 전부 자신을 쳐다보고 있었던 탓이었다. 일제히 쏟아지는 시선에 소름 끼쳐 본 적은 그때가 처음이었다.

"백도희. 너야?"

"……저 아닌데요. 저 아파서 그냥 계속 엎드려 있었는데요."

어이가 없어 따지듯이 말했으나 항상 도희를 아니꼽게 보던 담임선생은 믿지 않는 눈치였다.

"야. 우리 반에서 돈 궁한 사람이 너 말고 더 있냐?"

"하여간 거지 근성……. 도벽까지 있냐? 어떻게 유나 돈을 탐내?"

차유나와 절친한 김민지와 최혜지는 밑도 끝도 없이 도희를 공격하기 시작했고, 욱한 도희가 욕설을 뱉으며 둘을 노려보았다.

"자, 자. 모두 조용히 해. 그럼 점심시간에 교실에 있었던 사람은 도희밖에 없는 거지?"

중재한 담임선생은 중립적인 척을 하면서 도희에게 비참한 소리를 했다.

"그럼 정황상 소지품 검사해야겠다."

"네?"

도희는 어처구니가 없어서 헛웃음 쳤다.

"선생님. 맘대로 그런 게 어디 있어요? 갑자기 왜 저를 도둑으로 몰아요?"

"부반장, 도희 가방 들고 이리 나와."

"하……."

도희의 반박을 무시하고 소지품 검사는 강행되었다. 모두의 앞에서 가방이 엎질러지고 그 안에 들어 있던 낡은 필기구와 너덜너덜해진 문제집이 차례로 나왔다.

"문제집, 필통, 노트……."

담임선생은 일일이 소지품을 입으로 말하며 하나하나 들추었다.

"이건…… 설마 지갑이니?"

반 아이들 앞에서 몇 년 동안 오래도록 써서 다 낡아빠진 도희의 지갑을 들고 살펴보더니 그 안에 든 쪼글쪼글해진 천 원짜리 두 장까지 꺼내서 확인했다. 교탁 위에 널브러진 이천 원에 주변에서는 쿡쿡, 비웃음이 들려오고 도희의 얼굴은 벌겋게 달아올랐다. 모두의 앞에서 알몸이 되는 기분이었다. 이보다 죽고 싶을 만큼 치욕스러운 일은 없었다. 그때 도희가 느꼈던 수치심은 이루 말할 수 없는 수준이었다.

결국 당연하게도 유나의 돈 봉투는 도희의 가방에서 나오지 않았고, 남은 것은 도희의 가슴에 새겨진 씻을 수 없는 상처였다. 끝내 돈 봉투의 행방은 밝혀지지 않았지만, 반 애들은 모두 도희가 훔쳐서 미리 숨겨 놓은 것이라고 떠들어 대며 욕을 했다. 그 이후로부터는 도둑년, 거지, 고아, 별의별 거지 같은 꼬리표를 달고 학창 시절을 보내야만 했다.

'그 돈 봉투 사건, 분명히 차유나 자작극이었는데…….'

안 봐도 그 수가 뻔했다. 차유나는 그런 인간이었다. 착한 척 피해자 시늉하고, 절대 직접 괴롭히지는 않으면서 남의 손을 빌려 뒤에서 교묘하게 큰 그림을 그리는 소름 끼치는 인간. 속이 답답해진 도희는 옆에 있던 잔을 들어 벌컥 냉수를 들이켰다. 이 와중에 차유나와 쫄병 둘은 계속 이쪽을 보고 뭐라고 구시렁구시렁 떠들고 있었다.

"근데 백도희 쟤, 누구랑 온 거야?"

"모르지. 혼자 앉아 있는 거 보니까 상대방은 아직 안 왔나 본데?"

도대체 왜 저렇게 남의 일에 관심이 많은 걸까? 뚫어져라 관찰하는 시선에 얼굴이 뚫리기 직전이었다. 이대로면 화병에 숨이 막힐 것 같아서 차라리 다른 식당으로 옮기기 위해 자리에서 일어나려는 순간이었다. 때마침 도착한 준원이 레스토랑 입구에서 도희를 발견하고 걸어왔다.

"많이 기다렸어요? 미팅이 길어져서."

"아니요. 별로……."

준원이 자리에 앉기 전에, 도희는 무표정으로 의자를 끌며 일어났다.

"저희 그냥 다른 데 가서 먹죠. 갑자기 다른 음식이 땡기네요."

곧바로 도희의 기분이 좋지 않다는 것을 눈치챈 준원은 어깨를 으쓱했다.

"그래요, 그럼."

준원이 흔쾌히 응하자 도희가 옆 의자에 내려놓았던 가방을 들었다.

"……."

한편, 그 모습을 보고 있던 유나의 동공은 충격에 떨리고 있었다. 혜지와 민지도 경악해서 입을 틀어막고 소곤거렸다.

"야, 유나야……. 저 남자 예전에 네가 약혼했던 사람 아니야?"

"어머, 맞네. 유나 전 남자 친구."

"……."

유나는 아무 대꾸도 없이 부릅뜬 눈으로 가만히 앉아서 도희와 준원을 응시하고 있을 뿐이었다.

"뭐야. 설마 둘이 사귀어?"

"헐. 미친……."

혜지와 민지의 속닥거림을 가만히 듣고 있던 유나는 북받쳐 오르는 감정을 느꼈다. 벌떡 자리에서 일어난 유나는 레스토랑 밖으로 나가기 위해 옆을 지나가는 준원과 도희의 앞을 가로막고 섰다.

“오빠.”

……뭐야?

도희는 갑자기 앞을 막아선 유나를 찡그린 얼굴로 보았다. 유나는 온몸에 피가 마른 듯이 창백한 얼굴로 무표정한 준원을 올려다보며 입술을 움직였다.

“내 연락 계속 무시하길래, 무슨 일 생긴 줄 알았는데……. 아니었구나. 다행이네.”

유나는 억지로 입꼬리를 들어 올리며 도희와 준원을 번갈아 보며 말을 이었다.

“근데…… 둘이 사귀는 사이야?”

……서준원하고 차유나, 아는 사이인가?

도희가 한 대 맞은 기분으로 상황 파악을 하는 동안, 준원이 느리게 입을 열었다.

“그걸 왜 내가, 너한테 대답해 줘야 하지?”

여전히 감정 한 조각 안 담긴 차가운 대답에 상처받은 유나가 움찔했다. 이내 커다란 눈이 일그러지며 울먹거리자 앉아 있던 혜지와 민지가 쪼르르 달려와 유나의 양옆을 둘러쌌다.

“야, 유나야. 울지 마…….”

“…….”

도희는 도대체 이게 무슨 상황인지 조금도 이해가 가지 않았다. 머릿속이 백지장이 되어 그저 멍하니 앞만 바라보고 있을 뿐이었다. 그때, 유나를 달래던 최혜지가 갑자기 공격적으로 도희를 쏘아보았다.

“야. 백도희. 너 이제 유나 남자 친구까지 뺏니?”

“……뭐?”

“소름 끼쳐서 진짜…….”

“뭔 개소리야. 알아듣게 말해.”

“모르는 척하긴. 어떻게 유나랑 결혼할 뻔했던 사람을 만나?”

그 말에 도희의 동공이 거칠게 흔들렸다. 위태롭게 사선으로 올라간 도희의 눈이 준원과 정면으로 마주쳤다. 아니나 다를까, 그는 지금 이 순간마저도 무표정이었다.

“하긴 얘 도벽 있었잖아. 맨날 유나 것만 뺏고 따라 하고.”

……서준원이 2년 전, 결혼 일주일 전에 엎었다는 약혼녀가 차유나였어?

한 대 맞은 기분이 된 도희는 혜지와 민지의 말 따위는 들리지도 않았다.

“이봐요. 얘 어떤 앤지는 알고 만나는 거예요? 유나네 집에서 후원받고 자란 고아 주제에 은혜를 원수로 갚은 애예요! 어떻게 유나를 차고 이런 수준 떨어지는 애를 만나요?”

“언니, 그만해…….”

유나의 만류에도 민지는 공격을 멈추지 않았다.

“뭘 그만해! 하여간 애가 착해빠져서. 지금 누가 봐도 백도희 얘가 네 남친 꼬셔서 뺏은 거잖아!”

“그러니까! 너 결혼 깨진 것도 얘 때문 아니야?”

멍하니 있던 도희는 뒤늦게 정신이 돌아와 헛웃음을 터뜨렸다. 듣자 듣자 하니까 정도를 모르고 좋을 대로 떠들어 대고 있었다.

“야, 너희……!”

열 뻗친 도희가 벌컥 화를 내려는 순간 준원의 커다란 손이 도희의 어깨 위로 느슨하게 올라왔다. 그 행동 하나만으로도 폭발할 것만 같았던 분노가 일순 움찔하며 미지근해졌다.

“무슨 일인지는 잘 모르겠는데…….”

준원이 차분하게 입을 열었다.

“2년 전 파혼의 귀책 사유는 차유나 씨한테 있습니다.”

“네? 그게 무슨…….”

유나에게는 준원이 바람을 피워서 파혼한 거라고 들었던 혜지와 민지는 황당한 표정을 지었다. 일제히 쏟아지는 두 사람의 시선에 당황한 유나는 사색이 되어 준원을 바라보았다. 그러든지 말든지, 그는 덤덤하게 제 말을 이어 갔다.

“그리고 백도희 씨와는 알게 된 지 몇 달 되지 않았습니다. 그러니까 2년 전 파혼과는 전혀 관계가 없고…….”

고저 없는 준원의 건조한 목소리가 나지막하게 이어졌다.

“사귀는 사이 아니고 회사 동료입니다.”

그 말에 맥 풀린 도희의 동공이 거칠게 흔들렸다.

목에 핏대를 세우며 도희를 흠집 내던 여고 동창들도 일순 쥐 죽은 듯 조용해졌다.

“아…… 그래요?”

뻘쭘해진 그녀들이 큼큼, 헛기침하더니 한결 차분해진 음성을 내었다.

"……죄송합니다. 오해했네요."

"아니요. 사과는 제가 아니라 백도희 씨한테 하세요."

준원은 그녀들을 똑바로 바라보면서 단호한 말투로 대답했다.

"아…… 네. 미안하다, 백도희."

최혜지와 김민지는 위엄찬 기세에 눌려 마지못해 사과를 건넸다. 그러나 아까부터 줄곧 멍한 얼굴이었던 도희는 그 사과가 전혀 들리지 않았다.

"……하."

이내 허탈해진 눈이 허공을 배회했다. 도희는 아무런 대꾸도 하지 않고 그대로 식당 입구를 향해 매몰차게 걸어 나갔다. 그 뒤를 쫓아 따라 나가려는 준원의 옷자락을 유나는 덥석 붙잡았다.

"오빠……."

그녀의 손가락이 가늘게 떨렸다. 그러거나 말거나, 쳐다도 보지 않고 뿌리친 준원은 도희를 따라 레스토랑 입구를 빠져나갔다. 저 멀리 뒤도 돌아보지 않고 멀어지는 도희를 준원은 빠르게 뒤쫓아 갔다.

"백 과장."

듣는 척도 하지 않고 제 차로 향하는 도희 때문에 준원은 그녀의 손을 붙잡았다.

"왜 그래요?"

"됐으니까 놔요."

낮게 깔린 도희의 목소리는 미세하게 떨렸다.

"내가 끼어들어서 그래요? 미안합니다. 문제가 심각해지는 것 같길래……."

"자중하시죠. 아무 사이도 아닌데 왜 나한테 신경 써요?"

쌀쌀맞은 대답에 준원의 미간이 작게 구겨졌다. 도희가 한 번 더 손을 세게 털어 내자 준원의 손이 하릴없이 떨어졌다.

"하……."

허탈하게 뱉어진 도희의 숨이 차가웠다.

"얽혀도 어떻게 이렇게 얽히냐."

매서워진 눈빛이 준원을 향해 사선으로 올라가 박혔다.

"차유나랑 약혼했던 사이라고, 어떻게 티 한번 안 낼 수 있어요?"

"……."

"회사에서 콜라보 프로젝트 얘기 나왔을 때 표정 하나 안 바뀌길래 난 상상도 못 했지."

"이미 약혼 깬 지 2년도 넘었고 완전히 남입니다. 차유나와 백 과장이 아는 사이인지도 몰랐고요."

"그냥 아는 사이가 아니라 서로 끔찍하게 싫어하는 사이예요. 방금 보면 알 텐데?"

차게 식은 음성으로 쏘아붙인 도희는 이내 맥 풀린 얼굴이 되었다.

"그리고…… 회사 동료?"

어처구니없다는 듯이 비소가 터졌다. 차갑게 번진 실소로 소리 내어 웃던 도희가 이내 입가를 갈무리하며 싸늘하게 준원을 올려다보았다.

"좋아요. 이제 앞으로 몸가짐 똑바로 해요."

"……."

"선 넘지 말고. 사람 바보 만들지 말고. 회사 동료답게 굴라고."

냉랭하게 경고를 남긴 도희는 뒤를 돌아 자신의 차 문고리에 손을 올렸다.

"백 과장…… 잠깐만."

준원이 그런 그녀를 불러세웠으나 도희는 멈추지 않고 차에 올라탔다.

"잠깐만요."

철저하게 그를 무시한 도희는 차에 시동을 걸고 무작정 액셀을 밟았다. 뒤도 돌아보지 않고 떠나는 도희의 차를 멀거니 바라보던 준원이 이내 깊게 한숨을 내쉬었다.

어두운 도로를 따라 운전하는 도희는 터질 것 같은 분노를 누르고 크게 심호흡했다. 핸들을 꽉 움켜쥔 손이 미세하게 진동했다. 정면을 노려보던 도희의 얼굴이 차갑게 굳었다.

"……."

지금 왜 이렇게까지 화가 난 건지, 스스로도 잘 알고 있었다.

'내 편 할래요?'

불과 이틀 전, 자신을 꽉 끌어안고 준원이 했던 말이 귓가에 쟁쟁했다.

'이 세상에서 단 하나뿐인 내 편.'

태어나서 처음 들어 보는 말이었다. 사랑한다, 좋아한다, 같은 말은 살면서 수없이 많이 들어 봤지만 그런 말은 난생처음이었다. 그리고 그 어떤 말보다도 가장 따뜻하게 느껴졌었다.

'그리고 내가 백도희 씨의 편이 되어 줄게요.'

이어지는 녹아 버릴 듯한 키스와 정성껏 부드럽게 몸을 어루만져 주던 커다란 손, 넓고 다정한 서준원의 품이 머릿속에 떠올랐다.

"……."

그 품에 안겼던 순간, 도희는 1년 전 그랬던 것처럼 또 착각하고 만 것이다. 자신도 남들과 같은 평범한 사람이라고, 저에게도 남들처럼 모든 걸 내려놓고 의지할 수 있는 안식처가 생겼다고,

그렇게 착각해 버렸다.

'사귀는 사이 아니고 회사 동료입니다.'

……그의 말은 전혀 틀리지 않았다. 사귀는 사이가 아닌 그저 회사 동료에 불과했다. 그러니까 실망할 이유도, 상처받을 이유도 없었다.

"하……."

그는 애초에 그녀를 자기 영역에 넣어 줄 생각도, 그녀의 영역에 들어올 생각도 없었던 것이라고…… 도희는 확신했다.

"……그나저나 그 망할 년들."

여고 동창들의 폭격보다도 서준원의 한마디가 훨씬 충격적이었던 탓에 잠시 뒷순위로 밀려났던 그녀들의 인신공격이 다시금 도희의 머릿속에 떠올랐다.

"그것들은 왜 하필 그 자식 앞에서 그딴 개소리를 해서……."

도벽이 있다느니, 차유나네 집에서 후원받고 자랐다느니, 허튼소리를 지껄이는 주둥이에 주먹이라도 꽂아 줬어야 했는데.

"……다 죽여 버려, 그냥?"

이대로 물러나면 화병으로 돌아가실 것만 같았다. 열 뻗친 도희는 양손으로 핸들을 꽉 움켜쥐었다. 이내 크게 돌려 거칠게 유턴한 도희는 엄청난 속력으로 액셀을 밟아 아까 그곳으로 향했다. 무자비한

속도로 내달리던 도희는 아직 식당 앞 길목에 모여 서 있는 차유나와 최혜지, 김민지 삼인방을 발견하고 더욱 액셀을 밟았다.

팔짱 끼고 느긋하게 걷던 여자 셋은 곧 엄청난 속도로 돌진해 오는 도희의 차를 발견하고 찢어질 듯한 비명을 내질렀다.

끼이이이익! 세 명의 바로 앞에서 차 바퀴가 아찔하게 멈추었다. 바로 코앞에서 멈춰 선 차에 겁먹은 세 여자의 표정이 파리하게 질렸다. 너무 놀라 까무러친 최혜지와 김민지는 바닥에 털썩 주저앉아 널브러졌다.

"야!!! 너 돌았어? 사람 죽이려고 작정했어?"

벌렁거리는 심장을 부여잡은 최혜지가 꽥 소리를 내질렀다. 그 말에 느긋하게 내려간 창문 틈 사이로 표정 변화 하나 없이 태연한 도희의 얼굴이 보였다.

"설마 죽이려고 했을까."

도희가 실소했다.

"근데 너희, 아까 겁도 없이 주둥이 잘 놀리더라."

"그, 그래서 뭐! 뭐!"

움찔한 김민지가 말을 더듬으며 응수했다. 잔뜩 겁먹어서 뒷걸음질 치는 모습이 가소롭다는 듯 비웃어 준 도희가 창문턱에 느슨하게 팔을 걸쳤다.

"너희 너무 오랜만이라 내가 누구인지 잊었나 봐."

도희가 세 여자를 똑바로 노려보며 말을 이었다.

"나…… 백도희야."

"……."

"건들면 좆 되는 미친년. 무서울 거 하나 없는 미친년."

사람 하나 죽여도 이상하지 않을 성깔이란 뜻이었다. 꿀꺽 침을 삼킨 최혜지와 김민지는 겁먹은 걸 들키지 않기 위해 헛숨을 터뜨리며 떨리는 다리를 부여잡고 자리에서 일어났다.

"저, 저…… 하, 내가 진짜 어이가 없어서으아아악!!!"

돌연 덜컥, 앞으로 조금 바퀴가 구르자 사색이 된 최혜지와 김민지가 자지러지며 물러났다. 차유나는 굳은 얼굴로 딱딱하게 서서 창문을 통해 보이는 도희를 가만히 응시할 뿐이었다.

"야!!! 너 진짜 정신 나갔냐?"

"아니. 나 완전 멀쩡한데?"

얼굴색 하나 변하지 않고 답했다.

"그런데 알코올성 치매인가…… 오늘따라 브레이크랑 액셀이 좀 헷갈리네?"

또다시 나동그라진 김민지가 파랗게 질린 얼굴로 목이 터져라 고성을 내지르자 도희가 낄낄거렸다. 진짜 미친 사람 같은 대답에 빳빳하게 얼어 버린 세 여자는 꿀 먹은 벙어리가 되었다.

"한 번만 더 내 신경 긁어 봐."

"……."

"안 그래도 엿 같은 너희 면상 아주 좆같이 스크래치 내주려니까."

도희라면 진짜 그러고도 남을 성격이란 걸 알기에, 겁먹은 그녀들은 당황하여 혼비백산했다.

빠아아아앙!

"꺄아아악!"

정신 나간 사람처럼 꽝꽝 클랙슨을 울려 대자 최혜지와 김민지는 기겁하며 꽁무니 빠지게 달아났다. 전쟁 난 듯 좌우로 갈라진 세 여자 틈으로 도희의 차는 쌩하니 지나갔다.

"뭐 저런 미친년이 다 있어!"

"진짜 쟤는 변한 게 없다, 아주!"

"……."

도희의 차 뒤꽁무니를 황당한 얼굴로 바라보던 최혜지와 김민지는 뒤늦게 혀를 차며 삿대질했다. 얼굴까지 벌겋게 물들어 씩씩대는 두 여자 사이에서 유나는 아무 말 없이 무표정으로 서서 멀어지는 도희의 차를 바라볼 뿐이었다.

"후……."

한편 도희는 한결 개운해진 얼굴로 백미러를 보았다. 얼빠진 듯 가만히 서 있는 세 여자의 실루엣을 보며 픽 웃었다.

"이제야 좀 화가 풀리네. 멍청한 것들."

비틀리며 올라간 입꼬리와 함께 집을 향해 거칠게 차를 운전했다. 그러나 채 5분도 지나지 않아서 차의 속력이 점점 줄어들더니 덜덜 이상한 소리가 들리는 게 아닌가.

"뭐야, 이거 왜 이래?"

핸들 조작이 묵직하게 느껴지는가 싶더니 액셀과 브레이크도 말을 듣지 않았다. 서둘러 비상등을 켠 도희는 갓길에 차를 세웠다.

몇 시간 후, 너덜너덜해진 도희는 기운 하나 없는 표정으로 이언과 통화를 하며 집에 들어섰다.

"어. 그래서 차 고장 났어. 정비 맡겨야 해."

-툭하면 차로 레이싱을 하고 앉았으니까 그렇지.

촌철살인을 날린 이언은 끌끌 혀를 찼다. 그러곤 은근슬쩍 자연스럽게 사심 섞인 제안을 던졌다.

-야, 백또. 그럼 내가 내일 너 회사로 데려다줄까?

"아냐. 지하철 타고 가면 되지."

-나 내일 그 근처에서 볼일이 있어서 그래. 가는 김에 데려다줄게.

"그래? 뭐…… 그럼 알겠어."

한쪽 어깨에 전화를 끼운 채 겉옷을 벗은 도희가 짧게 답했다.

"응. 내일 봐."

전화를 끊은 도희는 깊게 한숨을 내쉬었다. 씻을 생각도 하지 못하고 그대로 바닥에 대자로 드러누운 그녀는 멍하니 천장을 바라보았다. 우울감이 몰려오자 입술을 짓씹으며 핸드폰을 다시금 들었다. 쥐 죽은 듯 조용한 액정을 노려보는 도희의 속은 바짝 타들어 가는 중이었다.

"……나쁜 놈. 연락 하나 없네."

한참을 서준원의 연락처와 눈싸움하던 도희는 이내 포기하고 지그시 눈꺼풀을 닫았다.

"……."

그 시각, 준원도 자신의 침대에 누워 도희의 연락처를 띄워 놓고 말없이 눈싸움 중이었다. 아까 도희가 마지막에 했던 말과 표정이 계속해서 머릿속에서 재생되는 탓이었다.

'그리고…… 회사 동료?'

씁쓸하게 입가에 걸렸던 비소가.

'좋아요. 이제 앞으로 몸가짐 똑바로 해요. 선 넘지 말고. 사람 바보 만들지 말고. 회사 동료답게 굴라고.'

상처받은 듯한 표정이 눈앞에 어른거려 떠나질 않았다. 작게 한숨 쉰 준원은 휴대전화를 내려놓고 한쪽 팔로 제 눈을 가렸다.

……그녀의 말이, 무슨 뜻인지는 잘 알고 있었다. 하지만 이 관계에 이름을 붙이면 감당할 수 없어질 거란 것 또한, 준원은 알고 있었다.

다음 날, 여느 때와 다름없이 차를 몰고 출근한 준원은 본사 건물 옆 갓길에 주차되어 있는 까만 세단을 보고 멈칫했다. 그 차에서 내린 사람이 도희였기 때문이었다. 활짝 웃으며 운전석의 누군가에게 손짓하는 도희를 보며 준원의 한쪽 눈썹이 일그러졌다. 묘한 불쾌감을 외면하고 곧바로 지하 주차장에 차를 주차한 준원은 엘리베이터를 호출했다. 이윽고 1층에서 승강기는 멈춰 서고 준원은 무표정으로 올라타는 도희를 마주했다.

"안녕하세요."

"네, 안녕하세요."

아무렇지 않게 인사하는 도희에게 맞춰 준원도 여느 때와 다름없이 대답했다. 단둘이 된 엘리베이터에는 찰나의 정적이 흘렀다.

"어제는 죄송했어요. 너무 화내고 그냥 가 버린 것 같아서."

침묵을 깨고 도희가 차분하게 입을 열었다.

"아니요. 괜찮습니다."

"네. 팀장님이 누구랑 약혼했든 결혼했든, 저와는 전혀 상관없는 일인데…… 제가 좀 오버했어요."

"……아닙니다."

심기가 불편해 보이는 도희의 눈치를 살피던 준원이 마른침을 삼켰다.

"혹시 오늘 저녁에 뭐 해요? 시간 괜찮으면 어제 못 갔던 그 식당……."

"시간 안 돼요. 선약 있어서."

"그럼 내일은요?"

"빨래해야 해요."

"……토요일은요?"

"그날도 빨래해야 해요."

"……빨래는 세탁기가 하잖아요?"

"감시해야죠. 잘하는지, 못하는지."

도희는 준원 쪽은 쳐다보지도 않은 채로 퉁명스럽게 답했다. 출장 갈 때와는 완전히 달라진 도희의 태도에 난처해진 쪽은 준원이었다.

"……그런데, 오늘 다른 사람 차 타고 온 것 같던데. 백 과장 차는 고장 났습니까?"

"네."

"……누구 차 타고 왔어요?"

준원은 사실 아까부터 그게 마음에 걸렸다. 도희를 데려다준 그 차의 주인이 누구인지 보이진 않았으나 십중팔구 강이언일 것 같았기 때문이었다. 그러나 도희는 대답 대신 짧은 숨을 내뱉을 뿐이었다.

"그게 왜 궁금하신데요?"

"……네?"

"제가 꼭 대답해야 하나 싶어서요."

가시 돋친 말에 준원의 입매가 일자로 다물렸다.

"……굳이 그럴 필요는 없죠."

"네. 제가 누구 차를 타고 왔든, 팀장님이 신경 쓰실 문제는 아닌 것 같습니다."

"……."

"그럼."

때마침 열린 문 사이로 도희는 냉정하게 뒤돌아보지 않고 걸어갔다. 돌변한 도희의 태도에 준원의 동공이 미세하게 뒤흔들렸다. 초조하게 한 손으로 이마를 짚은 준원이 작게 한숨을 내쉬었다.

도희는 온종일 준원에게 눈길조차 주지 않았다. 딱 회사 동료, 그 이상도 이하도 아닌 태도로 칼같이 비즈니스 관계를 지켰다. 그렇게 냉전 상태로 퇴근 시간이 되었다. 차를 몰고 주차장을 빠져나온 준원은 회사 옆에 아침에 봤던 차가 똑같이 서 있는 것을 발견했다. 그리고 그 앞에 서 있는 것은 강이언이었다. 마스크로 얼굴을 가리고 있었지만 틀림없었다.

"……."

역시 강이언이었나. 예상이 적중하자 준원의 미간이 구겨졌다. 차 앞 유리로 곧 도희가 해맑게 웃으며 이언에게 걸어가는 모습이 비쳤다. 이언이 자연스럽게 도희의 작은 어깨에 팔을 두르자 준원의 입매가 싸늘해졌다. 말소리는 들리지 않았지만, 뭐가 그렇게 재밌는지 도희와 이언은 웃으며 장난치는 데 여념이 없었다.

"……아주 신나셨네."

준원은 저도 모르게 낮게 중얼거렸다. 핸들을 꽉 움켜쥔 손등에는 핏줄이 도드라져 있었다. 어딘가 기분이 찝찝하고 좋지 않았다. 준원은 무표정으로 이언의 차에 올라타는 도희를 가만히 바라보았다. 곧바로 이언의 차가 출발하는 장면까지 전부 목격한 준원이 헛숨을 토해 냈다. 그도 집으로 돌아가기 위해 다시 액셀을 밟은 찰나였다.

"……."

강이언의 차가 빠져나가고 난 직후, 회사 건물 구석에서 한 남자가 스윽 소리 없이 등장한 탓이었다. 노숙자 같은 몰골의 남자는 만취한 듯 소주병을 들고 어슬렁거리고 있었다.

"……뭐야?"

도희가 사라지자마자 뒤에서 나타난 타이밍이 우연치고는 너무 절묘했다.

도희와 준원의 냉전은 금요일에도 어김없이 이어졌다. 모두가 퇴근하고 난 뒤였기에, 준원과 도희만 남아 있는 사무실에는 정적과

찬기가 맴돌았다.

온종일 생각이 많았던 준원은 무표정으로 아무렇지 않게 일하는 도희를 가만히 바라보았다. 이내 준원의 사고를 파고드는 것은 어제 보았던 술병을 든 남자와 얼마 전 도희의 휴대전화에서 우연히 목격했던 의문의 문자였다.

[이 망할 년이 감히 나를 차단해? 네 회사 찾아가서 다 죽여 버리기 전에 돈 입금해. 빨리.]

찰나의 순간 보았던 문자였지만, 험악한 내용의 협박 문자였다. 그리고 그 문자를 보자마자 창백하게 질려 덜덜 떨던 도희를 준원은 똑똑히 기억했다.

"……."

하지만 이 이상 참견할 수는 없었다. 그래 봐야 그녀는 또 어제처럼 선을 긋고 밀어낼 게 분명했기 때문이었다. 냉정해진 그녀의 태도는 준원을 계속 신경 쓰이게 했다. 천천히 자리에서 일어난 준원은 도희의 자리로 다가갔다.

"……왜요?"

도희는 앉은 자세 그대로 다가온 준원을 무표정으로 올려다보았다. 그런 그녀의 얼굴을 빤히 쳐다보던 준원은 느릿하게 입을 열었다.

"저기, 물어보고 싶은 게 있는데."

"네, 말씀하세요."

"……."

'혹시 내가 사귀는 사이 아니고, 회사 동료라고 해서 화났습니까?'

그 한마디가 준원의 목에 걸려 나오지 않았다. 직설적인 성격의 준원이 살면서 누군가에게 말하기 전 망설여 본 건 처음이었다.

"……."

"……."

"그 커피 샷 추가했습니까?"

결국, 말하지 못한 준원은 도희의 책상 위 커피를 가리키며 뜬금없는 질문을 했다.

"……아니요?"

"그렇군요. 맛있게 드세요."

……뭐야. 저 똥 싸다만 느낌은? 정말 그 말만 하고 뒤돌아가는 준원을 보며 도희는 헛숨을 터뜨렸다. 살다 살다 이렇게까지 어처구니없는 상황은 또 처음이라 얼빠진 얼굴로 멀어지는 준원을 노려보았다. 그러나 준원이 이내 뒤돌아 다시 성큼성큼 걸어오는 탓에 놀라 살짝 움찔했다. 코앞으로 다가온 준원은 돌연 도희의 작은 손을 붙잡아 확 끌어당겼다.

"잠깐……!"

그의 손에는 그리 힘이 실려 있지 않았지만, 갑작스러운 상황에 놀란 도희는 맥없이 딸려갔다.

"갑자기 어디를……."

말없이 도희의 손을 잡고 사무실 밖으로 향한 준원은 자판기 앞에 섰다. 능숙하게 이온 음료를 뽑아 건네자 도희가 얼떨떨하게 잡히지 않은 손으로 받아들었다.

"저녁에 커피 마시지 말아요."

"……."

"카페인 많이 섭취하면 밤에 잠 잘 못 자니까."

미세하게 일렁이는 가슴을 느낀 도희가 입술을 사리물었다. 회사 동료로서의 선을 넘는 행동은 이제 칼같이 잘라내기로 했으나, 이런 상황은 예민하게 굴 수도 없었다.

"네. 감사합니다."

떨리는 가슴을 숨기고 덤덤하게 답했으나 준원은 잡은 손을 놓아 주지 않았다. 그는 말없이 도희의 하얀 손을 계속 잡고 있을 뿐이었다. 그의 검은 눈이 끈질기게 응시해 오자 도희는 자신의 고동 소리가 점점 더 커지는 것을 느꼈다.

"뭐…… 또 할 말 있으세요?"

말없이 바라보고 있는 시선을 견딜 수 없어 물었다.

"백 과장, 오늘 차 안 갖고 왔죠?"

"네."

"그럼 혹시 오늘도 그 골프선수 친구가 데리러 와요?"

의중을 알 수 없는 질문에 도희의 미간이 조금 구겨졌다. 이언이 데리러 온 것은 어제뿐이었기에, 오늘은 당연히 대중교통을 이용해 퇴근할 예정이었다.

"……네. 데리러 와요."

하지만 데리러 온다고 말해 버렸다. 왠지 그렇게 말해야 할 것만 같은 기분이었기 때문이다.

"굳이 번거롭게 그러지 말고, 내가 집에 데려다줄게요. 내 차 타고 가요."

"아니요. 괜찮습니다."

더 이상 준원과 일정 이상 깊이 연관될 일을 만들고 싶지 않았다. 그가 했던 말대로 도희와 준원은 회사 동료, 그 이상도 이하도 아니니까.

"백 과장 집 근처에 마침 일이 있어서 그래요. 가는 길이기도 하고…… 데려다줄게요."

"아니에요. 일도 마무리해야 해서 바로 퇴근도 못 하고, 괜찮아요."

"……."

또 한 번 거절하자 준원은 대답이 없었다. 그는 뚫어져라 도희를 내려다보며 작은 손을 꽉 붙잡고 있을 뿐이었다. 묘한 침묵이 흐르고 도희는 그에게 붙잡힌 손에서 불에 덴 듯한 열감을 느꼈다. 손을 빼려고 해도 놔주질 않고 오히려 더 꽉 붙잡자 심장이 요동치기 시작했다.

"저기, 이 손 좀……."

떨리는 숨을 뱉으며 잡힌 손과 준원을 번갈아 보자 그의 입술이 느리게 벌어졌다. 준원이 무언가 말을 하려고 하는 순간, 저 멀리서 인기척이 들려왔다. 그와 동시에 준원과 도희는 빠르게 잡고 있던 손을 확 놓았다.

"음? 아직 퇴근들 안 하고 있었네요?"

웃으며 다가온 사람은 상품개발팀의 박문기 팀장이었다. 준원과 도희가 묵례하자 그는 너스레를 떨었다.

"서 팀장네는 다들 너무 열심이야. 하하하! 그럼 다들 조심히 들어가요."

"네, 들어가세요."

박문기 팀장이 도희와 준원을 지나쳐 엘리베이터로 향했다. 다시 단둘이 된 준원과 도희는 서로 말없이 가만히 서 있다가, 그 침묵을 견디지 못한 도희가 먼저 등을 돌려 제 자리로 돌아왔다.

준원이 막 퇴근하고 난 뒤, 사무실에 혼자가 된 도희는 사념에 빠졌다. 일은 전부 끝마친 상태였고 기한도 넉넉했기에 야근할 이유는 없었지만, 조금 전 준원에게 이언이 데리러 올 것이라고 거짓말을 했던 탓에 발이 묶여 버린 것이다. 10분 정도 기다렸다가 귀가하기 위해 맥없이 자리에 앉아 있는데, 머릿속을 파고드는 것은 아니나 다를까 서준원이었다.

'서준원…… 차유나하고 약혼했었다고 했지.'

예전에 지예가 했던 말로는 2년 전, 청첩장도 다 돌렸는데 식을 올리기 약 일주일 전 결혼을 엎었다고 했었다.

'서준원의 성격을 생각하면, 절대 차유나를 사랑해서 약혼한 건 아니었을 것 같고…….'

오히려 마음과 미련은 서준원이 아닌 차유나한테만 가득 있어 보였다. 물론 두 사람이 무슨 관계였을지는 어렵지 않게 추측할 수 있다. 예전에 식당에서 그가 제게 했던 말을 도희는 똑똑히 기억하기 때문이었다.

'제 결혼에 대한 가치관과 완벽히 부합하는 여성을 찾기가 힘들기도 하고요.'

서준원은 그렇게 말했었다. 그는 아무것도 원하는 게 없는 여자를 원했다.

'전 애정이나 사랑을 요구하는 게 질색이거든요. 여러모로 피곤해서.'

……보나마나였다. 사랑 없는 결혼으로 두 사람이 서로 합의했었

는데, 차유나가 뒤늦게 서준원을 사랑하게 됐고, 그 마음에 그는 응해줄 수 없으니 혼인은 파탄 난 것일 터였다.

"……."

도희는 묘한 기분에 휩싸였다. 그를 좋아하게 된다는 건, 그와 멀어지게 된다는 것과 같은 뜻이었다. 멍하니 허공을 바라보고 있는 도희의 머릿속을 파고드는 것은 예전에 준원이 제게 했던 말 한마디였다.

'사람은 자신의 말에 책임을 져야 할 필요가 있고, 나는 이 세상에서 나 외에 다른 누구도 책임질 생각이 없습니다.'

그 말을 떠올리자 도희는 한 대 얻어맞은 듯이 무언가를 깨달았다.

"……그렇네."

준원이 그들 관계에 있어서 책임질 수 있는 선은 딱 회사 동료, 거기까지였던 것이다.

"하……."

순간 스스로가 바보처럼 느껴졌다. 묘하게 느껴지는 허탈한 감정에 머리가 차게 식었다. 기분이 썩 좋지 않았다. 차유나고 서준원이고, 아무것도 생각하고 싶지 않은데 자꾸만 문득 떠오르는 바람에 속이 체한 듯 답답했다. 푹 한숨을 내쉰 도희는 집으로 돌아가서 쉬기 위해 자리에서 일어났다. 그때, 지이이잉. 도희의 휴대전화로 문자가 한 통 날아왔다.

[네 회사 앞에서 기다리고 있다.]

도착한 문자를 확인한 도희의 동공이 뒤흔들렸다. 하얗게 사색이 된 도희의 손끝이 사시나무처럼 파르르 떨렸다. 악몽 같은 기억이 스멀스멀 떠오르며 가슴이 쿵쾅쿵쾅 발작하듯 뛰었다.

도희가 살면서 가장 후회했던 일이 하나 있다.

어려서 부모에게 버림받은 이후, 평생 그들을 원망하고 증오하며 살아왔고, 다시 보고 싶지도 않았다. 그러나 2년 전 갑자기 어떤 심경의 변화로 유전자 등록을 했었다. 어차피 유전자는 부모와 자식 모두가 등록해야만 서로 찾을 수 있는 것이었고, 엄마가 자신을 찾을 일은 없을 테니 연락 올 확률은 없다고 생각했다.

그런데 놀랍게도 연락이 닿았고, 도희는 자신을 낳아 준 친엄마가 현재 어떻게 살고 있는지 알게 되었다. 7살 때 버려진 이후로 22년 만에 만난 엄마는 교통사고로 식물인간 상태가 되어 있었다.

평생을 어떻게 살아온 것인지 그녀는 연고도 없이 방치상태였고, 보호자라고는 한 번도 병원비를 내지 않은 모텔방에서 지내는 새아빠가 전부였다.

지금 생각해 보면 왜 그랬는지 전혀 모르겠지만, 도희는 친엄마의 병원비를 1년간 내주었다. 하지만 곧 그 모든 행동이 의미 없게 느껴져서 중단했고, 그게 원흉이 되었다. 그 이후 새아빠는 도희에게 계속 병원비를 달라며 몇 개월 동안 집착해 왔었다.

……애초에 엄마 따위 찾는 게 아니었는데. 매일매일 후회했지만, 이미 벌어진 일은 어쩔 수가 없었다.

한편, 귀가하기 위해 차를 몰던 준원은 무의미하게 틀어 놓은 라

디오에서 익숙한 목소리를 들었다.

-오늘은 프로골퍼 강이언 씨를 게스트로 모시게 되었습니다! 안녕하세요?

-네, 안녕하세요. 골프선수 강이언입니다.

준원의 미간이 좁아졌다. 분명히 조금 전 도희는 이언이 데리러 올 거라고 했었다. 하지만 강이언의 목소리는 이 생방송 중인 라디오에서 버젓하게 흘러나오고 있었다.

"……왜 이런 거짓말을."

준원은 곧바로 핸들을 돌려 도로 회사로 향했다.

그 시각, 도희는 퇴근하기 위해 사무실을 나섰다. 회사 앞에서 기다리고 있다는 새아빠의 문자가 있었지만, 집에 돌아가지 않을 수는 없었기에 후문을 통해 조심히 빠져나왔다. 그러나 그는 도희가 후문으로 나올 걸 예상하고 있었는지 그곳에 서서 기다리고 있었다.

"……."

새아빠의 얼굴을 보자마자 도희는 하얗게 질렸다. 그는 어김없이 술에 취한 상태로 보였다. 주변을 둘러본 도희는 새아빠와 함께 인적이 드문 근처 골목으로 자리를 옮겼다. 회사 앞에서 소란을 일으켰다가 이상한 소문에 휩싸일 수 있었기 때문이었다.

"뭐예요? 내가 찾아오지 말랬잖아요."

"네년이 내 연락만 무시 안 하면 나도 찾아올 일 없어."

"하……."

"빨리 밀린 병원비 내놔! 네 엄마인데 진짜 죽어도 된다는 뜻이냐?"
도희가 헛숨을 터뜨렸다.
"그 사람이 왜 내 엄마예요? 낳았다고 다 엄마는 아니죠! 게다가 이미 1년이나 병원비 내줬는데, 여기서 뭘 더 내라고요?"
도희는 격양되는 감정을 억누르고 차분하게 목소리를 내었다.
"그리고 작년에, 당신이 보험금 1억 넘게 타서 챙긴 거 내가 모를 줄 알아요?"
"……."
"1년 동안 병원비는 내가 다 냈는데, 보험금은 대체 얻다 썼길래 나한테 난리예요?"
"야! 이 싹수없는 년이 어디 따박따박 말대답이야?!"
화가 난 남자는 시뻘게진 얼굴로 도희를 때리려는 듯이 손을 번쩍 치켜들었다. 본능적으로 도희가 움찔 겁을 먹자 남자는 의기양양해져서 어깨를 폈다.
"한번 냈으면 평생 책임질 각오를 했어야지! 멍청한 년이 중간에 멈출 거면 병원비를 애초에 왜 냈어?"
"하아……."
도희가 한숨을 내쉬었다.
"그러게요. 왜 냈을까."
지긋지긋하다 못해 미칠 것만 같았다.
"차라리 죽어 버렸으면 좋았을 텐데……."
도희의 말에 남자의 눈이 서슬 퍼렇게 변했다.
"뭐야?! 이 미친년이……!"
눈깔이 돌아간 남자가 주먹으로 도희의 어깨를 퍽 밀쳤다. 거센 힘에 밀려난 도희는 그대로 벽에 쾅 부딪혀 바닥에 주륵 주저앉았다.

"야!!! 네 그 잘난 얼굴도 다 네 애미가 만들어 준 거 아니야! 평생 그 얼굴로 이익 보고 살았으면 애미한테 감사한 줄 알아야지!"

"겨우 일곱 살 때 버려 놓고 감사하긴 뭘 감사해요?"

"버린 게 아니라 잃어버린 거라고 했잖아! 왜 말귀를 못 알아들어?"

도희는 어이가 없어서 헛웃음이 터졌다.

"지랄하네……."

아무도 없는 후미진 골목이었고, 무슨 일이 벌어질지 모르는 무서운 상황이었지만 묘하게 현실감이 없었다. 바닥에 쓰러진 채 도희가 낄낄거리자 남자의 표정이 더욱 흉악하게 변했다.

"이 망할 년이!!! 너 죽고 싶어서 환장했어?!"

이성을 잃은 남자가 구석에 굴러다니는 소주병을 덥석 줍더니 위로 번쩍 치켜들었다. 문득 23년 전의 기억과 겹쳐지는 모습에 도희의 눈꺼풀이 위태롭게 흔들렸다. 그가 휘둘렀던 술병에 맞아 죽었던 7살 때의 기억이 불현듯 겹쳐지며 도희는 눈을 질끈 감았다.

남자는 거침없이 도희를 향해 소주병을 휘둘렀다. 쾅! 곧 엄청난 굉음이 골목을 울리고 도희는 그대로 정신을 잃었다.

"하, 이 기집애가 이제는 아주 기절한 척 쇼를 하네?"

소주병은 도희의 바로 옆 벽에 부딪혀 산산조각이 났다. 남자는 맞지도 않았는데 정신을 잃은 도희가 황당하다는 듯이 헛숨을 터뜨리며 기절한 그녀의 머리채를 잡았다.

"지금 뭐 하는 겁니까?"

그 순간, 준원이 나타나 남자의 손을 치우고 도희를 보호했다. 여러모로 도희가 신경 쓰여서 다시 회사로 돌아온 참이었는데, 골목에서 들리는 엄청난 소리에 와보니 어제저녁에 본 그 괴한과 도희가 대치하고 있었다.

“허…… 그러는 넌 뭐야? 남의 집안일에 끼어들지 말고, 갈 길 가라고.”

“그렇게는 못 하겠는데요. 소주병으로 위협하고 의식까지 잃게 했으니 특수협박죄에 폭행 미수입니다.”

남자는 헛숨을 터뜨렸다.

“난 이래서 배운 놈들이 싫다니까? 이성적인 척 논리적인 척. 재수 없게.”

준원은 그의 말을 무시하고 핸드폰을 들었다.

“네, 경찰이죠? 여기 KSS 본사 건물…….”

“야! 야!”

밑도 끝도 없이 경찰에 신고하자 당황한 남자가 허둥지둥했다. 이내 욕설을 내뱉으며 꽁지 빠지게 달아났다. 그가 완전히 사라진 걸 확인한 준원은 휴대전화를 내려놓았다. 회사 앞에 정말 경찰을 불렀다가는 사내에서 입방아에 오르기 십상이었기에 부르는 척만 한 것이었다.

“백 과장.”

어차피 괴한은 도희와 아는 사이 같았기에, 그녀가 정신을 차리면 함께 직접 경찰서로 찾아갈 생각이었다. 준원은 기절한 도희의 어깨를 안고 작게 흔들었다.

“괜찮아요? 정신 차려 봐요.”

깨진 소주병 파편이 튀어 뺨에 난 작은 생채기 외에는 별다른 외상이 없었지만, 충격을 받은 탓인지 기절한 상태였다. 난감해진 준원은 할 수 없이 의식이 없는 도희를 업어서 차에 태웠다.

도희를 집으로 데리고 온 준원은 기절한 그녀의 재킷을 벗기고 자신의 침대에 눕혔다. 병원을 데려갈까 했지만, 뺨의 상처 외에는 이상 없어 보였기에 의식을 찾을 때까지 기다릴 생각이었다.

"하……."

대체 그 남자는 누구이며, 무슨 사연이 있는 건지 알 수 없으니 답답할 뿐이었다. 어쨌든 그녀가 일어날 때까지는 얌전히 기다릴 수밖에 없었다.

"……."

가만히 잠든 도희를 바라보고 있는데, 자꾸 도희의 볼에 난 작은 상처가 눈에 밟혔다. 자리에서 일어난 준원은 서랍을 뒤적여 오랫동안 꺼내지 않았던 구급상자를 가져왔다. 티 없이 하얀 뺨에 옥에 티처럼 생긴 빨간 상처에 반창고를 붙여 주는데, 문득 시야에 촉촉하게 젖은 도희의 눈가가 아른거렸다.

"……."

안 좋은 꿈을 꾸고 있는 걸까. 불현듯 생각나는 것은 1년 전 도희가 흘렸던 눈물이었다. 사연이 깊은 것 같았지만, 그 이상 알려고 하면 돌이킬 수 없을 것만 같았다. 어쩐지 가슴에 돌덩이가 내려앉은 듯 무겁게 느껴졌다. 도희의 곱게 감긴 눈꺼풀을 적신 눈물을 닦아 준 준원은 그녀의 뺨을 천천히 보듬었다. 태어나서 처음 느끼는 이런 감정은 그저 생소하기만 했다.

'어떻게 해야 할까…….'

한 사람을 책임진다는 것은 그만한 무게가 동반하는 일이다. 그걸 잘 알기에 준원은 평생 누군가를 마음에 둘 생각이 없었다.

……백도희를 알기 전까지는 말이다.

크게 심호흡한 준원이 두 눈을 지그시 감았다가 떴다. 그때, 그의 시야에 들어온 것은 유리판이 산산조각이 난 도희의 손목시계였다. 아마도 바닥에 넘어졌을 때 벽에 부딪혀 깨진 듯 보였다. 계속 차고 있다가는 유리 파편이 상처를 일으킬 수 있었기에 준원은 조심스레 도희의 시계를 풀었다.

"왜 이렇게 딱 맞게……."

굵은 시곗줄은 이상하게도 도희의 얇은 손목을 옥죌 정도로 빡빡했다. 그 순간 준원의 동공이 거칠게 뒤흔들렸다.

"……이게 무슨."

준원의 심장이 철렁 내려앉았다. 제 눈을 도저히 믿을 수 없었다. 충격에 사고는 정지하고 그대로 딱딱하게 굳어 버렸다. 무언가에 한 대 얻어맞은 듯 가만히 있는데, 돌연 도희의 가느다란 목소리가 귓가를 울렸다.

"……가지 마."

그녀는 의식이 없는 와중 무언가 헛것을 보는 듯 끊어질 듯한 음성으로 중얼거렸다. 악몽을 꾸고 있는 도희의 감긴 눈이 촉촉하게 젖어 드는 것을 보며 준원의 동공이 흔들렸다.

"제발, 나 버리지 마……."

멍하니 넋을 놓은 준원의 몸이 일순 낮아졌다. 도희가 꿈결에 준원의 팔을 잡아 확 끌어당긴 탓이었다.

"나 혼자 있기 싫어……."

그 힘에 끌려간 준원의 얼굴은 도희의 입술 바로 앞에서 멈추었다. 숨을 삼킨 그의 얼굴에 거친 동요가 일어났다.

지금으로부터 23년 전, 도희가 처음으로 타임 루프 현상을 겪은 1997년. 7살의 어린 도희는 매일같이 엄마와 새아빠의 가정폭력에 시달렸다.

새아빠는 왜 아버지라 부르지 않느냐며 커다란 손바닥으로 뺨을 사정없이 후려쳤고, 엄마는 밥을 먹다가 흘렸다는 이유로 이틀 동안 도희를 굶기고는 했다. 그래도 도희는 가족이니까, 친모와 계부가 있어서 좋다고 생각했었다. 그렇게 찾아온 도희의 일곱 번째 생일, 12월 24일.

"잘 잤니, 우리 딸?"

어제만 해도 쌀쌀맞게 소리를 지르던 엄마는 너무도 상냥한 목소리로 도희를 깨웠다.

"일곱 번째 생일 축하해. 오늘 엄마랑 아빠랑 셋이 놀이공원 놀러 갈까?"

생일이라 그런지 그날따라 엄마와 새아빠는 도희를 때리지도 않았고, 친절한 목소리로 속삭였다. 난생처음 부모의 손을 꼭 잡고 놀러 와 보는 놀이공원에 마냥 들떴던 도희는 믿을 수 없을 만큼 행복한 하루를 보냈다.

"우리 도희, 엄마 아빠가 아이스크림 사 올 테니까 여기서 잠깐만 기다릴래?"

그렇게 놀이공원의 해가 저물 때쯤, 친모와 계부는 도희에게 잠시만 기다리라고 말한 뒤 그녀를 두고 어디론가 사라졌다. 그 말만 믿고 얌전히 기다렸으나 1시간이 지나도, 2시간이 지나도 엄마는 오지 않았다. 두려움에 울고 있던 도희는 사람들의 신고로 파출소에 가게 되었고, 경찰관들은 어린 도희의 몸에 구타 흔적을 보고는 부모가 버린 것이라고 확신하며 자기들끼리 맘대로 떠들어 댔었다.

"아니야! 엄마가 온다고 했단 말이에요!"

어린 도희는 엉엉 울면서 버려진 게 아니라고 소리쳤다. 그렇게 울다가 잠이 들었을 때, 인생 첫 타임 루프는 일어났다. 갑자기 목소리가 나오지 않는가 싶더니 일순 의식을 잃었었다.

그리고 다시 정신을 차렸을 땐 아침이었다. 날짜는 다음 날인 12월 25일이 아닌 12월 24일, 생일 아침으로 되돌아가 있었다.

"잘 잤니, 우리 딸?"

부모에게 버려지기 전으로 돌아간 것이다.

"일곱 번째 생일 축하해. 오늘 엄마랑 아빠랑 셋이 놀이공원 놀러 갈까?"

엄마는 전날과 똑같은 행동과 똑같은 말을 반복했고, 일곱 살 도희는 이게 무슨 일인지 전혀 이해하지 못했다. 그저 무서운 악몽이었다고, 그렇게 생각하며 전날처럼 놀이공원에서 똑같은 하루를 보냈다.

"우리 도희, 엄마 아빠가 아이스크림 사 올 테니까 여기서 잠깐만 기다릴래?"

그리고 엄마는 전날처럼 도희에게 잠시만 기다리라고 했었다. 전날에 꿨던 똑같은 꿈이 너무도 무서웠던 도희는 잠시만 기다리라는 엄마의 말을 듣지 않고 엄마의 다리에 매달려 혼자 두지 말라고 울부짖었다. 당황한 엄마는 결국 도희를 데리고 그냥 집으로 돌아왔고 그렇게 상황은 일단락되는 듯하였다.

그리고 그날 밤, 자다가 잠시 물을 마시러 나왔던 도희는 엄마와 새아빠가 싸우는 소리를 들었다. 그들은 저 애를 버리지 못하면 그날부로 끝장이라면서 부부싸움을 하고 있었다.

너무 어린 나이라 도희는 제대로 알아듣지 못했지만 확실한 건 하나 알 수 있었다. 전날 자신은 정말 버려진 게 맞았다는 것을. 이 상황이 못 견디게 무서웠고, 서러움이 몰려와 두 손으로 입을 꽉 틀어막고 끅끅 울다가 다시 침대에 누웠다.

그리고 그 순간, 쾅, 무언가 둔탁한 소리와 함께 유리병이 깨지는 소리가 들려왔다. 놀란 도희가 문으로 달려가 살짝 벌어진 틈새로 밖을 보니 부부싸움 끝에 계부는 깨진 소주병을 들고 씩씩거리고 있었고, 엄마는 머리에서 새빨간 피를 흘리며 그 아래 추욱 시체처럼 늘어져 있었다.

놀란 도희의 숨이 멎었다. 충격에 떨려 오는 사지와 함께 그대로 의식을 잃어버렸다. 다시 눈을 떴을 때, 펼쳐진 것은 세상 평화로운 아침이었다.

"잘 잤니, 우리 딸?"

시간은 또다시 아침으로 되돌아갔고, 날짜는 또 12월 24일을 가리키고 있었다.

"일곱 번째 생일 축하해. 오늘 엄마랑 아빠랑 셋이 놀이공원 놀러 갈까?"

온몸에 소름이 끼쳤다. 또 사람들은 똑같이 행동하고 말했다. 그들은 하루가 계속해서 반복되고 있다는 것을 전혀 모르는 것 같았다. 시간을 거슬러 올라가면서 기억이 지워지는지, 그저 매일 똑같은 행동을 반복할 뿐이었다.

"……."

피를 흘리며 시체처럼 늘어져 있던 엄마의 모습과 환히 웃고 있는 눈앞의 엄마가 겹쳐지며 도희의 심장이 빠르게 뛰었다. 오로지 도희 혼자만이 이 모든 것을 기억하고 있었다. 하지만 어린 도희는 여전히 부모에게 버림받고 싶지 않았기에, 모든 걸 알면서도 매번 버리지 말아 달라고 엄마의 다리에 매달려 빌었다. 그렇게 12월 24일만 총 8번이나 반복했고, 도희는 새아빠가 휘두른 소주병에 맞아 죽은 엄마의 모습도 7번이나 봐야만 했다.

그리고 찾아온 아홉 번째 12월 24일, 도저히 엄마의 참혹한 모습을 더 이상 볼 수 없었던 도희는 엄마가 병에 맞기 전에 방에서 뛰쳐나와 새아빠 앞을 가로막았다.

"하지 마! 엄마 때리지 마!"

"뭐야? 이 재수 없는 년이! 이게 다 누구 때문인데!!!"

그 순간 눈앞에 소주병이 휘둘러지고 도희는 엄청난 충격에 나동그라졌다. 도희는 소리조차 나오지 않는 고통과 함께 뜨끈한 액체가 머리 위로 흘러내리는 걸 느꼈다. 겨우 7살에 죽음의 공포를 느끼며 서서히 의식을 잃었다.

"잘 잤니, 우리 딸?"

다시 눈을 떴을 때는 역시나 12월 24일이었다. 도희는 이제 아무것도 하고 싶지 않았다. 그저 이 무한하게 반복되는 지옥에서 빠져나가고 싶다는 생각뿐이었다.

"우리 도희, 엄마 아빠가 아이스크림 사 올 테니까 여기서 잠깐만 기다릴래?"

그 말을 끝으로 그들이 뒤를 돌면, 이제 다시는 엄마와 새아빠를 볼 수 없다는 걸 알고 있었다. 하지만 도희는 더 이상 엄마의 다리에 매달리지 않았다. 그들이 떠난 뒤, 모든 걸 포기한 7살 도희는 길거리에 주저앉아 하염없이 울었다. 그렇게 스스로 부모에게 버려지기를 택하고 보육원으로 보내졌다.

그날의 일이 계기가 되어 도희는 무조건 성공만을 바라보고 질주하게 되었다. 보란 듯이 성공하는 것만이 자신을 버린 부모와 세상에 복수하는 방법이라고 생각했기 때문이다. 하지만 어린 시절 일이 가슴에 박혀, 도희는 절대 사람을 믿지 않는 어른으로 성장했다.

따뜻한 가정, 내가 사랑하는 사람, 나를 사랑해 주는 사람, 그 무엇도 도희에게는 당연하지 않았다. 감정 한 조각이 고장 나 버린 도희에게, 평범이란 단어는 그저 동경의 대상이었다. 그 누구에게도 제 마음을 보여 주지 않았고, 아무도 제 마음을 보려고 하지 않았다.

"……아."

어느덧 나이 서른, 뒤를 돌아보니 이미 너무 멀리 와 버렸고 도희는 여전히 혼자였다. 도희는 촉촉이 젖은 눈꺼풀을 들어 올렸다. 흐릿하게 의식을 되찾은 그녀는 눈물 젖은 눈으로 주변을 둘러보며 상황 파악을 했다.

"……팀장님? 왜 여기에……."

부스스 침대에서 상체를 일으키며 말끝을 흐렸다. 준원은 놀란 듯 커진 눈으로 가만히 도희를 내려다보고 있었다.

"……."

그의 시선이 향하는 곳을 본 도희의 동공이 뒤흔들렸다. 자신의 시계가 풀려 있고 준원은 그 손목의 부위를 붙잡고 있었다. 온몸에 피가 쑥 빠져나가는 기분이었다.

"무슨……."

도희의 왼쪽 손목에는 10년 전 생겼던 자해 흉터가 새겨져 있었다. 삶보다 죽음을 더 가까이했던, 갓 스무 살 때 아픔의 잔해였다. 오랜 세월이 지나 이제는 하얗게 변해 버린 흉터였지만, 시계를 풀면 누구든 금방 알아차릴 만큼 진하게 남아 있었다.

"뭐 하는……! 왜 남의 시계를 맘대로 풀어요!"

이건 그 누구에게도 들키고 싶지 않았던 도희의 가장 큰 약점이었다. 완전히 발가벗겨진 채 치부를 들킨 기분에 도희는 참을 수 없는 당혹감과 모멸감을 느꼈다. 말없이 도희를 가만히 바라보는 검은 시선에 울컥한 도희가 자리에서 벌떡 일어났다. 뒤도 돌아보지 않고 문으로 달아나듯 걸어 문고리를 움켜쥐었다. 준원은 그런 도희의 어깨를 붙잡아 돌렸다.

"이거 놔요!"

최후로 숨기고 싶었던 치부까지 전부 들켜 버려 이성을 잃은 도희는 발악하듯 소리 질렀다.

"놔! 놓으라고!!!"

준원의 팔에 힘이 실리자 그녀는 더욱 거세게 저항하며 팔을 뿌리쳤다.

"나 좀 제발 그냥 내버려……!"

감정이 격해진 도희는 몸부림치며 준원의 손을 잡아떼었으나, 그 순간 확 하고 뜨거운 체온이 도희를 감쌌다.

"알겠어요. 내가 같이 있어 줄게요."

준원이 도희의 몸을 꽉 부둥켜안은 것이었다. 그의 말과 동시에 커다랗게 뜨여진 도희의 동공이 휑하니 울렸다.

"내가 옆에 있어 줄 테니까……."

거칠게 발악하던 몸은 전부 힘이 빠진 듯 잦아들었다.

"울어도 괜찮아요."

울컥한 도희의 눈가가 아프게 일그러졌다. 그 말이 내면의 무언가를 건든 듯, 도희는 참고 있던 눈물이 핑 돌았다. 이내 뜨거운 물기가 촉촉이 차올라 두 볼을 타고 주르륵 흘러내렸다.

"……하……."

오래도록 억눌렀던 감정이 폭발하며 눈물이 걷잡을 수 없이 터져 흘렀다. 아프게 눈물을 흘리는 여린 몸을 준원은 온몸으로 끌어안아 토닥였다. 도희는 준원의 가슴에 얼굴을 묻고 서럽게 참았던 울음을 모두 터뜨렸다.

"흑…… 흐윽……."

그녀 나이 서른. 하지만 그녀는 아직도 7살 그날의 감정에 매여 있어서, 사랑하는 것도 사랑받는 것도 아이처럼 서툴고, 상처받지 않기 위해 타인과 깊은 관계를 거부했다.

"……서준원 씨……."

목이 메 떨리는 입술로 그의 이름을 더듬더듬 불렀다. 엉망진창인 내면을 들킬까 봐 더욱더 벽을 치고 가시를 세웠는데, 그럼에도 내

안에 들어와 가슴을 헤집어 놓은 남자가…….

"괜찮아요……."

준원은 제 품 안에서 흐느끼는 도희의 머리를 쓰다듬으며 다독여 주었다.

"지나고 나면, 전부 아무것도 아니니까."

지금껏 도희에게는 괜찮다, 아무것도 아니다, 그 한마디 해 줄 사람이 없었다. 커다랗고 따스한 준원의 품이 너무도 포근해서 도희는 이대로 녹아 버릴 것만 같았다. 7살, 그 시절로 돌아간 도희는 한참을 목을 놓아 아이처럼 울었다.

도희가 진정한 것은 준원의 품에서 한참을 울고 난 뒤였다. 얼마나 울었는지 커다란 눈은 빨갛게 부었고, 흰자도 붉게 충혈된 상태였다. 울음이 잦아들고 완전히 진정하자 도희에게 찾아온 것은 견딜 수 없는 뻘쭘함이었다. 소파에 움츠리고 앉은 도희는 준원이 건넨 휴지로 눈물을 닦는 척하며 슬쩍 콧물을 해결했다.

"눈이 탱탱 부었는데요. 앞은 잘 보여요?"

"……잘 보이거든요. 무슨 말도 안 되는 질문을."

가볍게 장난치는 준원에 머쓱하게 답한 도희가 손안의 휴지를 작게 구겼다. 준원은 퉁퉁 부은 눈이 귀여워서 저도 모르게 픽 웃음을 흘렸다. 커다란 손으로 도희의 머리를 쓰다듬다가 붉게 달아오른 눈가를 손끝으로 쓸었다.

"쳐다보지 마세요……. 쪽팔리니까."

그의 나지막한 웃음소리가 들려오자 민망해진 도희가 고개를 돌리며 중얼거렸다.

"그런데 여기는 어디예요? 어떻게 된 건지 기억이 안 나는데……."

"내가 회사 앞으로 갔다가 기절한 백 과장을 발견해서 우리 집으로 데려왔어요."

준원은 담담한 음성으로 말을 이었다.

"사실 얼마 전에 같이 출장 갔을 때, 우연히 백 과장 핸드폰에 온 협박문자를 봤거든요."

"아……."

"위험해 보여서 계속 신경 쓰고 있었는데…… 그나마 빨리 발견해서 다행입니다."

……그가 왜 다시 회사로 돌아온 걸까. 그 이유가 궁금했지만 묻지 않고 도로 삼켰다.

"어디 따로 아픈 곳은 없죠?"

"네. 괜찮아요."

차분히 답한 도희는 뒷머리를 조금 긁적이다가 조심스레 입을 열었다.

"……무슨 일인지, 안 물어봐요?"

설핏 웃음을 터뜨린 준원은 천천히 손을 뻗어 도희의 얼굴을 녹녹하게 쓰다듬었다. 제 뺨을 보듬는 커다란 손에 도희의 가슴이 두근거렸다.

"안 좋은 기억일수록 더 가슴에 오래 남는 법이라서."

하얀 뺨은 준원의 따뜻한 손이 닿자 열감이 번진 듯 선홍빛으로 물들었다.

"오래된 상처는 그만큼 더 말하기 힘든 걸 아니까."

다른 사람들처럼 캐묻지 않는 그에게 도희는 깊은 고마움을 느꼈다. 근 며칠, 그에게 꽤 화가 나 있었는데 이렇게 또 눈 녹듯 풀려 버리고 말았다.

"그런데 우리 지금, 사이 별로 안 좋지 않았어요?"

"아니죠. 내가 일방적으로 바람맞은 거지."

도희가 넌지시 건넨 질문에 준원이 픽 웃음을 터뜨리며 답했다.

"살다 살다 세탁기에 밀려 본 건 처음이에요. 저녁 먹자는데 빨래해야 한다고 차이고."

"큼……."

뻘쭘해진 도희는 괜히 헛기침하며 허공을 바라보았다. 그 당시에는 준원에게 꽤 화가 많이 나 있었기에 말 섞는 것조차 달갑지 않았었다.

"게다가 오늘 보니까 강이언 씨 라디오에서 생방송 하고 있던데."

도희의 가슴이 뜨끔했다. 이언이 퇴근길에 데리러 올 거라는 거짓말도 들켜 버린 것이었다.

"왜 거짓말했어요?"

"……."

"그렇게 내가 데려다주는 게 싫었어요?"

"……그런 건 아니고, 그냥 지하철 타고 가면 될 걸 굳이 차로 데려다줄 필요는 없잖아요."

차유나 앞에서 회사 동료라고 선을 그었던 그에게 원인 모를 실망감을 느꼈던 것은 사실이다. 그래서 그에게 일정 이상의 배려를 받지 않기로 했었던 것뿐이었다.

“이상한 일은 아니지 않나요?”

“네?”

“회사 동료로서 선 지키라면서요, 팀장이 야근한 팀원을 차로 집에 데려다주는 게, 그렇게 선 넘는 건 아니라고 생각합니다.”

……그놈의 회사 동료. 미간을 좁힌 도희가 입술을 사리물었다. 가슴 속 무언가가 무너지는 기분에 한숨을 내몰아 쉬었다.

“……그만하죠. 더 얘기하면 또 화날 것 같으니까.”

그놈의 회사 동료 소리, 이제는 지긋지긋하다 못해 신물이 날 지경이었다. 짜증이 몰아치자 절로 퉁명스러운 목소리가 튀어 나갔다.

준원은 그 반응이 귀여워 실없는 웃음을 흘렸다. 화가 난 듯 소파에 뒤돌아 앉아 있는 도희의 어깨를 끌어당기며 작은 귓불에 입술을 가져다 댔다. 뜨거운 숨결이 와닿자 놀란 도희가 움찔했다.

“그거 알아요?”

촉촉하게 속삭이는 저음에 도희의 눈이 커졌다.

“확실히 보통 사람이면 별로 이상한 일이 아니겠지만…… 난 알다시피 남들보다 훨씬 개인주의라서.”

도희의 보드라운 손등 위로 준원의 커다란 손이 따스하게 겹쳐졌다.

“지금까지 살면서 회사 동료를 집까지 데려다준 적 없어요.”

느껴지는 무더운 온기에 도희의 숨이 멈추었다.

“따로 퇴근 후에 밥 먹자고 말해 본 적도 없고요.”

“…….”

“이렇게 집에 데려온 것도 백도희 씨가 처음입니다.”

준원의 깊숙하고도 그윽한 눈매가 도희의 심장을 뛰게 했다. 요란한 고동 소리에 귀는 먹먹해지고 물기 젖은 동공은 희미하게 흔들렸다.

"지금까지 내가 백도희 씨한테 했던 행동들……."

준원이 도희의 손을 꽉 붙잡았다.

"회사 동료 아니고, 백도희 씨라서."

길쭉한 손가락이 틈새로 뜨겁게 밀려왔다.

"백도희 씨니까 그렇게 한 겁니다."

한 치의 틈도 없이 그물처럼 얽힌 손가락과 함께 도희의 가슴은 풍랑을 맞은 돛단배처럼 울렁거렸다. 저 의미 없는 말에 설레면 안 된다는 걸 알면서도 가빠지는 호흡은 도희가 제어할 수 있는 범주가 아니었다. 그의 까만 눈동자에 담겨 서서히 취해 가는 기분이었다.

마른침을 삼킨 도희는 심장이 타들어 가는 듯했다.

"서준원 씨를 알고 나서부터…… 내가 누군지 모르겠어요. 꼭 다른 사람이 된 기분이에요."

도희는 마른 입술을 적시며 나직하게 말했다.

"들쑥날쑥, 혼자 화났다가 풀렸다가. 이랬다가 저랬다가……. 감정이 내 맘대로 제어가 잘 안 되는데."

그가 무심코 뱉은 말에, 사소한 행동들에 하루의 기분이 좌지우지 되고는 했다.

"바보 같다고요."

한숨처럼 내뱉은 말은 한 치의 보탬 없는 사실이었다. 그를 알고 나서부터 도희의 일상은 마치 중력이 깨진 것처럼 점점 더 틀어지고 있었다.

"신기하네요."

준원은 도희의 손을 엄지로 부드럽게 문지르며 웃었다.

"나도 그렇습니다."

준원의 어둑한 눈동자가 도희를 쓰다듬듯이 타올랐다. 마주한 시선이, 마주 잡은 손이 뜨겁다 못해 델 것만 같아 도희의 가슴이 뭉근해졌다.

"뭔가 내 안의 단단한 게 무너져 내리는 느낌인데……. 생전 처음 느껴보는 이 기분이 썩 나쁘지 않아요."

커다란 손은 도희의 머리 위로 포근하게 내려앉았다. 부드럽게 보듬듯이 어루만지는 손길에 도희의 눈꺼풀이 파르르 떨렸다.

"그러니까 백도희 씨도……."

무더운 숨결이 도희의 피부로 잔잔하게 스며들었다.

"좀 더 무너져 봐요, 나한테."

촉촉하게 젖은 도희의 붉은 눈가에 고여 있던 투명한 눈물이 한 방울 도르륵 굴러떨어졌다. 저도 모르게 입꼬리가 올라간 도희가 맥없이 숨소리 같은 웃음을 터뜨렸다. 눈물이 나는데 웃음까지 나온다니. 꼭 사춘기라도 온 기분이었다…….

창밖에서는 빗줄기가 점점 거세지더니 한바탕 폭우가 쏟아지고 있었다. 벌써 자정에 가까워진 시간이었기에 지하철도 곧 끊길 예정이었다.

"비도 많이 오는데, 오늘은 여기서 자고 가요."

물끄러미 창밖을 내다보고 있는 도희에게 준원은 대수롭지 않게 가벼이 제안했다. 순간 흠칫한 도희는 의심의 눈초리로 준원을 바라보았다.

"이상한 흑심 아니고 순수한 배려입니다."

"……아무 말 안 했는데, 왜 변명하세요?"

"눈빛이 변태 보는 듯하길래. 정 싫으면 집까지 차로 데려다줄게요."

"아니에요. 오늘 하루만 신세 질게요."

수상한 눈을 거둔 도희가 고개를 끄덕이며 답하자 준원이 소리 없이 웃었다.

"그럼 일단 씻고 나올까요? 시간도 늦었는데."

"네. 근데 갈아입을 옷이 없어서……."

아까 밀쳐졌을 때 길바닥에 구른 탓에 더러워진 옷을 계속 입고 있기에는 너무 찝찝했다.

"그렇네요. 내 집에 백 과장이 입을 만한 옷은 딱히 없고……."

자리에서 일어난 준원은 도희의 손을 잡고 드레스룸으로 향했다. 안쪽 서랍을 뒤적이던 그는 도희가 입을 수 있을만한 옷을 찾아 건넸다.

"이 정도면 괜찮을까요?"

도희는 제 앞으로 내밀어진 커다란 티셔츠를 물끄러미 바라보았다.

"이게 뭐예요?"

"보다시피 제 티셔츠입니다."

"바지도 줘야죠."

"아래는 사이즈가 안 맞을 텐데요?"

"그렇다고 티셔츠 하나만 입어요? 아까 흑심 아니라면서요!"

"정정할게요. 사실 흑심은 있는데 그렇게 불순한 정도는 아니고."

보탬 없이 솔직한 말에 도희의 얼굴이 화끈화끈 달아올랐다.

"이상한 수작 부리지 마요! 바지가 왜 안 맞아요? 대충 입으면 되니까 빨리 줘요."

도희의 재촉에 준원은 옷장 안쪽에서 편안한 바지를 하나 꺼내 주었다. 티셔츠와 바지를 확 빼앗아 든 도희는 뒤도 돌아보지 않고 쿵쾅거리며 욕실로 직행했다. 뒤에서는 준원의 숨결 같은 웃음소리가 들려왔다.

"……어휴."

쾅, 욕실에 들어와 문을 닫자마자 다리에 힘이 풀린 도희가 살짝 주저앉았다. 하여간 서준원은 정말 보통 아닌 남자였다.

"빨리 씻기나 하자."

혼잣말로 중얼거린 도희는 입고 있던 블라우스와 바지를 벗었다. 혹시 아까 넘어졌을 때 어디 다친 곳이 있나 여기저기 둘러보다가 문득 제 뺨에 붙어 있는 반창고를 발견했다.

"……이건……."

정신을 잃기 전 마지막 기억은 계부가 소주병을 휘둘렀던 모습이었다. 그 이후는 어떻게 된 건지 알 수 없었으나 다행히 그때 소주병에 맞지는 않은 것 같았다.

"그럼 이 상처는 깨진 유리에 긁힌 건가……?"

반창고는 아마도 정신을 잃고 있을 때 준원이 붙여 준 것으로 추정되었다. 제 뺨에 닿았을 길쭉한 손가락을 떠올리자 묘해지는 기분과 함께 심장이 간질거렸다. 멍하니 있다가 흠칫한 도희는 얼른 고개를 좌우로 털며 샤워기를 틀었다.

빠르게 샤워를 마치고 수건으로 몸을 닦은 뒤 옆에 두었던 티셔츠를 주워든 도희는 심란해졌다. 그의 몸이 제 생각보다 더 컸던 건지, 티셔츠고 바지고 엄청난 크기였다. 티셔츠는 그냥 적당히 입는다고 쳐도, 바지는 그의 말대로 너무 커서 도저히 입을 수가 없었다. 분명히 반바지인 것 같은데 기장은 무릎을 덮었고, 가만히 서 있어도 바지가 줄줄 흘러내리는 수준이었다.

"일부러 제일 큰 거 준 거 아니야?"

합리적 의심이 들었지만 어쨌건 티셔츠만 입고 하의실종으로 돌아다닐 순 없었으니 억지로 꾸역꾸역 입었다. 한 손으로 바지가 흘러내리지 않게 잡고 어기적어기적 욕실 밖으로 나왔는데, 준원은 온데간데없이 사라지고 없었다.

"뭐야. 어디 간 거야?"

의아해한 것도 잠시, 곧 저쪽 끝의 문 뒤에서 들려오는 물소리에 욕실이 두 개임을 깨달았다. 다른 욕실에서 그가 씻고 있다는 걸 눈치챈 도희는 제대로 말리지 않아 물기가 촉촉한 머리를 갈무리하며 집 안을 천천히 구경했다.

"와. 그림 진짜 많다."

아까는 경황이 없어 제대로 둘러보지 못했는데, 지금 보니 거실의 벽면에 그림이 꽤 많이 걸려 있었다. 일렬로 장식되어 있는 그림은 모두 화가 전희선이 그린 작품들이었다.

'이 화가를 좋아하나?'

오래전 전희선이 스스로 생을 마감한 이후, 그녀의 그림값이 천정부지 오른 것은 꽤 유명한 일화였다. 한 점당 천만 원은 당연히 넘고, 일부 작품은 억 단위를 호가했으니 당연히 이 벽에 걸려 있는 그림들은 진품이 아닐 터였다.

"……."

그러다가 문득 장식장의 구석의 틈에 박혀 있는 작은 사진을 발견한 도희의 표정이 굳었다. 턱시도를 차려입은 준원의 웨딩 사진이었다. 무표정한 준원의 옆에서 환하게 웃으며 팔짱을 끼고 있는 여자는 화사한 웨딩드레스를 입은 차유나였다.

"……이걸 왜 아직도 갖고 있대?"

차유나와 결혼 일주일 전 엎었다는 사실은 이미 알고 있었지만, 웨딩 사진을 보니 실감이 났다. 왜 아직 버리지 않았는지는 모르겠지만 여러모로 기분이 좋지 않았다. 도희는 저도 모르게 사진을 뒤집어 더욱 구석으로 밀어 넣고서 미간을 좁혔다. 그때, 준원이 씻고 있는 욕실 쪽에서 그의 목소리가 들려왔다.

"저기, 백 과장."

"네?"

근처로 향한 도희는 닫힌 문 너머로 들리는 준원의 목소리에 귀를 기울였다.

"이쪽 욕실은 평소에 안 쓰다 보니 수건이 없는데, 혹시 그쪽 욕실에서 하나 갖다 줄 수 있을까요?"

"아, 네. 잠깐만요."

뒤를 돈 도희는 아까 씻었던 욕실로 들어가 수건을 하나 챙겼다. 아무 생각 없이 다시 준원의 목소리가 들려온 곳으로 돌아가 수건을 건넸다가 멈칫했다.

"여기……."

도희의 숨이 우뚝 멎었다. 조금 전 굳게 닫혀 있던 문은 어느덧 활짝 열려 있었고, 달콤한 보디 워시 향기와 함께 수증기가 빠져나오고 있었다.

"……."

그리고 문 앞에 당당하게 서 있는 것은 실오라기 하나 안 걸친 서준원이었다. 뜬금없이 남자의 완연한 알몸을 맞닥뜨리게 된 도희의 얼굴이 한 대 맞은 듯 멍해졌다.

"아, 고마워요."

준원이 수건을 달라는 듯 손을 뻗었지만 그대로 얼음이 되어 굳어 버린 도희는 옴짝달싹하지 않았다. 멍하니 떡 벌어진 어깨와 우람한 가슴팍을 바라보던 도희의 시선이 또르르 굴러떨어지는 물방울을 따라 아래로 내려갔다.

탄탄한 복근과 운동으로 다져진 튼튼한 허벅지, 그리고…… 넋을 놓고 그의 작품 같은 나체를 바라보던 도희가 일순 퍼뜩 정신 차리고 비명을 내질렀다.

"아!!!"

화악 붉어진 얼굴로 꽥 소리 지르며 들고 있던 수건을 팍 던졌다.

"뭐 그렇게 당당하게 문 열고 서 있어요?!"

다급하게 뒤를 돈 도희가 화끈화끈거리는 뺨을 손으로 짚으며 따졌다.

"미쳤나 봐, 진짜! 생판 남한테 무슨 꼴을 보여 주는 거예요?"

욕실의 화사한 조명을 받으며 다시금 보게 된 그의 몸은 도희에게 엄청난 충격을 선사했다.

"심장마비 걸리는 줄 알았네……."

상상도 못 한 19금의 향연에 너무 놀라 심장이 벌렁거렸다. 준원은 나직하게 웃으며 몸의 물기를 닦고 바지를 입은 뒤 욕실에서 걸어 나왔다.

"나 정도면 당당할 만하지 않나요?"

도희의 어깨를 쓰다듬으며 장난스레 속삭였다.

"나름 괜찮다고 생각합니다."

준원과 우뚝 눈이 마주친 도희는 다시금 그의 다리 사이를 떠올리고 말았다.

"시끄러워요! 윗옷이나 입어요!"

빨개진 얼굴로 소리치며 소파로 도망치듯 걸어가자 준원이 줄기차게 뒤를 따라붙었다.

"왜 새삼스럽게 굴어요? 우린 이미 작년 라비에트 호텔에서……."

"그만! 그만!"

얼굴이 새빨갛게 달아오른 도희가 무작정 손을 뻗어 준원의 입을 막았다. 나지막이 그가 웃음을 터뜨리자 간지러운 숨결이 도희의 손바닥에 왈칵 쏟아졌다. 퍼드득 멀어지는 손을 부드럽게 잡아 끌어온 준원이 입술을 오므려 그녀의 하얀 손목에 쪽, 키스했다. 놀라 굳은 도희의 눈동자가 커졌다.

그 모습을 검은 동공으로 뚫어져라 응시하며, 준원은 가느다란 손목을 입술로 베어 물듯이 할짝거렸다. 소름 끼치도록 야한 모습에 도희의 머리털이 쭈뼛 섰다.

"한 번 더 해 볼래요?"

커다란 손은 동그란 어깨를 부드럽게 감싸며 끌어당겼다. 당황한 도희가 주춤거렸다.

"네?! 그게 무슨……."

앞으로 느릿하게 다가오는 준원의 얼굴에 도희는 말끝을 흐렸다. 놀라 벌어진 도희의 입술로 준원은 나긋하게 제 입술을 포개었다. 막 씻은 자두처럼 촉촉하고 말랑말랑한 도희의 입술을 핥으며 빨아 당겼다. 움찔한 도희의 속눈썹이 가늘게 떨렸다. 놀랍도록 부드럽고 촉촉한 혀가 제 입술을 가르며 파고들었다.

"……!"

작은 얼굴을 다 감싸고도 남을 만큼 커다란 남자의 손이 도희의 얼굴을 감싸 안았다. 느껴지는 열기에 취한 도희는 저도 모르게 손을 뻗어 준원의 허리를 붙잡았다. 키스하며 다가오는 준원의 몸에 뒤로 느슨하게 몸이 밀리며 소파에 엉덩이가 꾸욱 눌렸다. 비스듬히 누운 듯한 자세가 된 도희의 위로 올라온 준원이 웃으며 속삭였다.

"내 티셔츠가 이렇게 잘 어울릴 줄이야."

제 티셔츠를 입은 도희는 꼭 커다란 옷에 폭 빠져서 허우적거리는 고양이 같았다.

"귀여워요, 생각보다 더."

숨결을 섞은 음성과 함께 준원의 입술이 얼굴 옆을 파고들었다. 귓가에서 쪽, 하는 야릇한 소리가 울려 퍼졌다. 도희의 가슴이 터질 것처럼 두근거렸다.

"제발 그런 말 좀……."

창피함에 얼굴이 홧홧하게 달아올랐다.

"……하지 마요, 창피하니까."

준원은 도희의 작은 손을 잡아끌어 하얀 손바닥에 꾹 입술을 눌렀다.

"솔직한 감상인데, 듣기 싫어요?"

"……."

손바닥 위로 비벼지는 입술이 간질거렸다. 솔직히 싫지는 않았기에 대답 없이 입술을 꾹 다물자 준원이 설핏 웃음을 터뜨렸다. 웃음기 어린 입술이 도희의 목덜미를 깊숙이 파고들었다.

피부 위를 간지럽히는 야릇한 감각에 도희의 고개가 느슨하게 뒤로 젖혀졌다. 갑작스러운 분위기에 몽롱해진 정신은 커다란 사이즈 때문에 흘러내리는 바지를 잡고 있을 여유가 없었다.

"……아."

결국 허물처럼 벗겨진 반바지가 아래로 툭 떨어졌다. 도희가 휑해진 하체를 오므리자 커다란 손이 하얀 허벅지를 부드럽게 쓰다듬었다. 이내 티셔츠 안쪽 살갗에 느껴지는 뜨거운 손에 도희가 입술을 사리물었다. 잘록한 허리를 쓰다듬던 손길은 보들보들한 배를 문질렀다.

'얼굴이 뜨거워…….'

열감이 오른 볼이 그의 눈에 어떻게 보일지 따위 생각할 겨를이 없었다. 그의 입술과 손길은 마치 애인에게 하는 것처럼 상냥하고 부드러웠다. 이런 건 분명히 부도덕한 상황이란 걸 알면서도, 그만둬야 한다는 걸 알면서도, 흐려지는 판단력과 함께 가슴이 두근거렸다.

"아까 했던 말, 기억해요?"

준원의 저음이 도희의 배꼽 근처에서 아릿하게 공명했다.

"더 무너져 봐요, 나한테."

어긋나는 이성과 함께 심장이 떨어지는 듯했다. 허리를 강하게 끌어안는 손길에 도희가 눈을 질끈 감자 준원이 단번에 입을 맞춰 왔다. 도희의 턱을 잡고 강하게 입술을 빨아들이는 준원의 행태에 가느다란 손끝이 움찔거렸다.

"잠깐만……."

잠시 떨어진 입술 사이에서 거칠어진 호흡이 오고 갔다.

"숨이……."

도희의 뒷말은 준원의 입술에 삼켜졌다. 준원은 도희의 도톰한 입술을 듬뿍 베어 물고 빨아들이며 진한 키스를 이어갔다.

티셔츠 안으로 들어온 손이 보들보들한 배를 더듬으며 위로 올라가 봉긋한 브래지어 컵 위를 부드럽게 그러쥐었다. 놀란 도희가 저도 모르게 야릇한 신음을 흘리며 몸을 움찔거렸다.

그런 그녀가 귀엽다는 듯 맞닿은 입술 사이로 준원은 숨소리 같은 웃음을 흘렸다. 길쭉한 검지와 중지가 느릿하게 브래지어 컵 위로도 느껴질 만큼 꼿꼿하게 곤두선 유두를 노골적으로 지분거렸다.

"하아……."

질척해진 분위기에 젖어 도희의 등이 푹신한 소파에 꾸욱 눌렸다. 입술이 떨어지자 저를 내려다보는 준원의 까만 눈동자와 정면으로 충돌했다. 고동치는 심장과 함께 그의 얼굴이 아래로 내려갔다. 그의 입술이 말랑말랑한 배 위로 눌리자 도희가 아찔한 숨을 터뜨렸다.

배꼽을 핥으며 올라간 입술이 브래지어 컵에 붙어 하느작거리는 레이스에 닿은 순간이었다. 준원의 커다란 손이 어른거리는 부위에서 꼬르륵 소리가 적나라하게 울렸다.

"……."

"……."

들끓던 준원과 도희가 동시에 멈칫했다. 말도 안 되는 타이밍에 도희의 얼굴에 당혹감이 일었다. 말없이 가만히 있자 멈칫했던 준원이 다시 하얀 살결로 입술을 내렸다.

"……."

그러자 또다시 허기진 배에서 꼬르륵 소리가 들려왔다. 그리 크지 않은 소리였으나 하필 배에 키스하고 있을 때 울리는 바람에 발뺌할 수도 없었다. 뻘쭘해진 도희가 헛기침하자 준원이 그만 웃음을 터뜨렸다.

"……웃지 마요. 내가 저녁을 아직 못 먹어서 그런 거니까."

하여간 타이밍 한번 더럽기 짝이 없다. 점심에 이어 저녁도 걸렀더니 배에서 눈치도 없이 밥을 달라고 아우성치었다. 뾰로통한 일갈에 상체를 일으킨 준원이 웃으며 도희의 뺨을 쓰다듬었다.

"뭐 먹고 싶어요?"

주방에 들어서자마자 혼자 사는 남자에게 갖고 있었던 도희의 편견이 깨졌다. 집에서 밥을 잘 안 해 먹을 것 같은 인상인데, 냉장고는 필요한 식자재들로 가득 차 있었고 주방 도구들도 완벽하게 세팅되어 있었다. 식탁에 앉아 김치볶음밥을 만드는 준원을 가만히 바라보던 도희가 느슨하게 턱을 괴었다.

"의외로 음식을 해 먹고 사네요. 뭔가 팀장님 성격만 보면 집에 쌀도 없을 줄 알았는데."

"내 이미지가 어떻길래요?"

"귀찮은 거 싫어하잖아요. 주변에 관심 없는 타입이고."

"그건 맞지만, 식품업계에서만 8년 가까이 몸담았는데요. 내가 백 과장보다 요리 잘할걸요?"

준원의 말에 도희는 못마땅한 얼굴이 되었다.

"뭐래. 나도 그럭저럭할 줄 알거든요?"

퉁명스럽게 뱉고는 작은 소리로 뒷말을 덧붙였다.

"……물론 차유나보다야 못하겠지만."

"여기서 차유나가 갑자기 왜 나와요?"

준원이 픽 웃음을 터뜨렸다.

"설마 질투해요?"

움찔한 도희의 눈이 커졌다. 비스듬히 고개를 튼 준원이 도희를 내려다보자 도희가 당황한 기색을 감추며 눈을 피했다.

"질투는 무슨……. 말도 안 되는 소리."

변명했으나 입꼬리를 올린 채 저를 바라보고 있는 준원 때문에 가슴이 안정되지 않았다.

'아오, 차유나 얘기는 갑자기 왜 해서……!'

몰려오는 후회와 함께 괜스레 민망해진 도희는 상기된 얼굴에 손부채질했다.

"아, 쓸데없이 무슨 보일러를 이렇게 세게 틀어 놔요?"

"지금까지 아무 말 없다가 갑자기?"

"……아까부터 더웠거든요? 이게 다 가정 경제 파탄의 원인이 되는 거라고요."

아무 말을 펼치는 도희가 귀여워서 준원이 실소했다.

"알겠어요. 낮춰 줄 테니까 밥부터 먹어요."

준원이 완성된 김치볶음밥을 그릇에 정갈하게 담아 식탁에 올려놓았다. 꽤 그럴듯한 외관을 보니 요리를 잘한다는 말은 거짓이 아닌 듯 보였다.

"잘 먹겠습니다."

"뜨거우니까 조심히 먹어요."

"네. 팀장님도 어서 드세요."

숟가락으로 김치볶음밥을 조금 퍼 올린 도희가 입에 넣고 우물거렸다. 특별할 게 없는 음식이었지만 시장이 반찬이라는 말처럼 어느 요리보다 맛있게 느껴졌다.

"맛있네요. 요리 진짜 잘하네."

"나름 못하는 게 없는 사람입니다."

"……그 말은 좀 재수 없는데."

"잘난 척하라고 비행기 띄워 준 줄 알았죠. 아니었어요?"

준원이 웃으며 묻자 도희는 어이가 없어 헛웃음 쳤다. 나름 화기애애한 분위기 속에 도희와 준원의 식사는 무던하게 이어졌다. 그러다가 문득, 준원이 회사 앞에서 있었던 일을 다시금 꺼냈다.

"아까 회사 옆 골목의 그 남자, 백 과장하고 아는 사이죠?"

도희가 짐짓 담담하게 고개를 끄덕였다.

"내일 날 밝으면 같이 경찰서 가요. 연락도 계속 오는 거 보면 거의 스토킹 수준으로 상습인 것 같던데."

"……."

"어제 병 들고 위협하는 것도 내 차 블랙박스에 찍혔을 거예요. 증거물로 제시하고 접근금지신청 하는 게 좋겠어요."

걱정하는 듯한 말에 도희가 작게 웃었다.

"네, 고마워요."

그가 무심히 뱉은 말에 힘을 얻었다. 지금 이 순간 혼자가 아니라는 사실이 이토록 큰 안정감을 불러올 줄은 몰랐다.

식사를 마친 도희는 거실 소파에 앉아 추적추적 비가 내리는 창밖을 멍하니 응시했다. 준원은 냉장고에서 맥주를 두 캔 꺼내 도희에게 하나를 건넸다.

"아, 잘 마실게요."

도희는 소리 없이 웃으며 맥주캔을 땄다. 건배한 두 사람은 고요한 분위기 속에 맥주를 마셨다. 한 모금 밀어 넣은 뒤 입가에서 캔을 떼어낸 도희는 상념에 빠진 듯 멍한 눈빛이었다. 이내 낮게 씁쓸한 실소가 터지자 준원은 그런 도희를 가만히 내다보았다.

"무슨 생각 하길래 표정이 그래요?"

"그냥…… 어릴 때 생각이요. 처음 타임 루프를 겪었을 때."

살짝 고개를 들어 올린 도희가 무거운 숨을 내몰아 쉬었다.

"나는…… 사실 한 번 죽었었어요."

준원의 눈이 커졌다.

"……누구한테 이 얘기를 하는 건 처음인데."

자조적인 웃음이 뒤를 이었다.

"아까 회사 앞에서 팀장님이 봤던 남자, 어렸을 때 제 새아버지였어요."

"……새아버지요?"

"네. 7살 제 생일날에, 저는 엄마랑 새아버지한테 버려졌거든요."

"……."

멈칫한 준원의 입술이 굳게 다물어졌다.

"매일같이 뚜드려 맞아도 가족이 있어서 좋다고 생각했는데…… 그날따라 이상하게 놀이공원을 가자고 하더라고요."

"생일이라서요?"

"뭐, 표면적으로는요. 실제로는 버리려는 목적이었던 것 같지만."

"……."

"놀이공원 구석에서 조금만 기다리라고 하고 사라지더니, 엄마랑 아저씨는 1시간이 지나도 2시간이 지나도 안 왔었거든요."

도희가 헛숨을 터뜨렸다.

"그리고 그날 밤, 타임 루프가 일어나서 아침으로 되돌아왔고……. 어떻게 보면 버려지지 않을 기회를 한 번 더 얻은 거죠."

"그게 첫 타임 루프였던 거죠?"

"네. 처음엔 뭔지도 모르고 그냥 무서워서, 엄마한테 울고불고 매달리며 필사적으로 버리지 말아 달라고 빌었는데, 결국 그것 때문에 미래가 바뀌어서…… 그날 밤에 엄마랑 아저씨가 부부싸움을 했어요."

맥주캔을 들고 있는 도희의 손이 가늘게 떨렸다.

"그리고 엄마는…… 아저씨가 휘두른 소주병에 맞아서 죽었어요."

다시는 더듬고 싶지 않은 끔찍한 일이었다.

"그때 또 타임 루프가 일어났고, 몇 번이고 버려진 날이 반복되었는데……. 그냥 너무 무서웠던 것 같아요. 계속해서 반복되는 하루가 너무 괴롭고…… 엄마가 죽는 모습만 수없이 반복해서 보고. 알아요? 그 기분."

"……당연히 알죠."

준원의 동공이 고요히 진해졌다.

"내일이 오지 않는 상황 속에서, 이 우주에 혼자 고립된 듯한 기분."

그 당시의 심정을 정확히 짚어 내는 준원에 도희가 소리 없이 웃었다.

"역시 알 줄 알았어요. 그 기분으로 열 번이나 하루를 반복하고 열한 번째 내 생일에, 엄마가 죽는 걸 더는 보고 싶지 않아서 막아섰거든요."

"……."

"그랬더니 새아빠가 휘두른 소주병에 맞아 죽는 사람은 내가 됐어요."

그 말과 동시에 준원의 숨이 멈추었다. 심장이 떨어지는 듯한 착각이 일었다.

"그 느낌이 진짜 끔찍해서, 평생 잊을 수가 없어요."

겨우 7살의 나이로 죽음을 경험하고 생긴 트라우마는 사사건건 도희의 발목을 잡았다.

"……그리고 또 타임 루프가 일어났습니까?"

"네. 마지막이었죠. 그때 난 모든 걸 포기했고, 결국 보육원으로 보내졌어요."

……그녀가 느낀 것은 어떤 감정이었을까. 아마도 미래를 바꾸지 못했다는 상실감?

"그때 깨달았어요, 나 하나만 불행해지면 모두가 행복해질 수 있다는 걸.”

그녀가 느낀 것은 준원의 예상과 전혀 달랐다.

“엄마도 병에 맞아 죽을 일 없고, 새아빠도 살인자가 될 일이 없고. 그냥 모든 걸 기억하는 사람은 나뿐이면 충분하니까…….”

도희의 내면에 깊이 내재된 아픔과 불행이 수면 위로 떠오르는 순간이었다. 그리고 그것은 준원에게 다가가 어떤 마음의 변화를 일으켰다. 태어나서 처음으로 타인의 아픔에 공감이란 것을 했다. 처음 도희를 봤을 때부터 그녀의 안에 점철된 불행에 강렬하게 끌렸었다.

“모든 걸 기억하고 있다는 건, 괴로운 일이에요.”

같은 아픔을 가지고 있는 사람을 만나는 것은 아주 희박한 확률이었다.

“신이 인간에게 준 가장 큰 선물은 망각이니까.”

제게 쏟아지는 그윽한 눈빛에 도희의 눈꺼풀이 잘게 떨렸다.

“그리고 이 타임 루프 현상은, 백 과장 말대로 사용하기에 따라 축복이 되기도, 저주가 되기도 하죠.”

“…….”

“하지만 우리는 그 대가로 모든 걸 기억해야 합니다. 남들은 전부 잊어버리는 상처와 고통까지…… 평생 가슴에 남을 수밖에 없으니까요.”

도희는 떨리는 입술을 잘근 씹으며 고개를 떨구었다.

“맞아요. 그게 너무 지긋지긋하고 억울해서, 10년 전쯤 죽을까 했던 적도 있어요.”

준원은 도희의 손목에 하얗게 남아 있던 선명한 자해의 흔적을 떠올렸다. 그걸 보자마자 숨이 멎은 듯 피의 흐름이 느려지던 것도 아직 생생했다.

"혼자 망망대해 위를 떠다니는 기분이어서, 확 죽어 버리려고 했는데. 또 그때 일어난 타임 루프 때문에 아침으로 되돌아갔거든요."

"……."

"괜히 오기 생겨서 몇 번이고 죽으려고 시도했지만 시간은 계속해서 아침으로 되돌아갔고요. 그렇게 다섯 번째쯤이었나? 12시 지난 걸 확인하고 이제 죽을 수 있겠구나, 안심하고 눈을 떴는데……."

도희가 픽 웃음을 흘렸다.

"병원이었어요. 전 죽지도 않았고."

타임 루프 때문에 다섯 번이나 자살 기도를 했지만 결국 다 쓸모없는 일이었다.

"그때 깨달았죠. 신은 정말 목숨 걸고 날 살리려고 하는구나……. 이렇게까지 날 살리려고 하는 데에는 이유가 있겠지?"

"……."

"내가 이렇게 태어난 것도, 다 의미가 있겠다고 생각해서. 그저 열심히 살다 보면 언젠간 그 이유를 알 것 같아서……. 그래서 치열하게 살기로 마음먹었던 거예요."

하지만 애석하게도 서른이 된 지금, 그녀는 여전히 그 이유를 찾지 못했다. 더불어 죽을 이유도 없었기에 그저 의미 없이 하루하루 시간만 보낼 뿐이었다. 치열하게 성공만 바라보고 사는 것은 이제는 습관이 되어 버렸고, 괜히 여유로워지면 다른 상념이 파고드니 더욱 스스로를 몰아붙였다.

"저도 그렇게 생각해요. 이유 없는 삶은 없다고."

준원의 말에 힘없이 웃은 도희의 눈앞이 뿌옇게 흐려졌다. 고개를 들어 준원과 시선을 마주한 도희가 조심스레 입을 열었다.

"팀장님은 언제 타임 루프를 처음 겪었어요?"

"……."

"얘기해 봐요. 들어 줄 테니까."

오래되어 녹슬어 버린 상처는 말하는 것만으로도 힘든 일이었다. 용기를 낸 도희에 반해 준원의 입술은 굳게 다물어져 있었다.

"말하기 싫으면 안 해도 돼요. 아까 팀장님이 말했던 것처럼……. 오래된 상처는 그만큼 말하기 힘드니까요."

준원이 숨소리처럼 웃었다. 그가 커다란 손을 뻗어 도희의 머리를 느릿하게 보듬었다.

"모든 걸 기억하고 가슴에 남겨 두는 우리는, 보통의 사람들에 섞여 평범하게 살아가긴 힘들 거예요."

"맞아요. 우린 어떻게 보면 평생 외롭게 살아갈 수밖에 없는 운명인 거죠."

제 뺨을 쓰다듬는 손길에 도희의 속눈썹이 가늘게 진동했다. 커다란 손은 도희의 턱을 느슨하게 돌려 자신을 바라보게 만들었다. 시선이 맞부딪히자 도희의 가슴이 콩콩 뛰었다.

"내가 전에 백도희 씨한테 했던 말, 가볍게 건넨 말 아니에요."

맞닿은 피부가 불덩이처럼 뜨겁게 느껴졌다. 지금 이 순간, 꼭 시간이 멈춘 듯이 느껴졌다.

"온 우주에 홀로 버려져 떠다니더라도, 하나보단 둘이 나으니까."

흔들림 없이 저를 응시하는 까만 눈동자에 잠식될 것만 같았다.

"내 편 해요, 백도희 씨."

동굴처럼 낮은 음성이 귓가를 촉촉하게 적셨다.

"나도 백도희 씨의 편이 되어 주고 싶어요."

이대로 그에게 무너져 내려도 나쁘지 않을 것만 같았다. 지금껏 오랜 세월 동안 열심히 살아오면서 실은 사무치게 외로웠다는 걸 깨닫고 말았다. 그 누구도 사랑할 수 없고 사랑받는 것도 할 수 없는, 스스로의 고독을 받아들여 사람에게는 사랑하지 않을 자유가 있다고 외쳤었다. 하지만 왜 몰랐을까……. 사랑의 책임감과 의무감에서 벗어난 대가로, 마음의 공허함을 얻어야 한다는 것을.

"서준원 씨……."

도희가 떨리는 입술을 열었다. 그가 제 어깨를 감싸며 어둑한 시선으로 바라보자 머리부터 발끝까지 아릿한 감각이 일었다. 마치 1년 전, 그날 밤 느꼈던 감정처럼 오늘도, 무더워진 공기를 타고 서로를 바라보는 시선이 뜨겁게 타올랐다. 도희는 가느다란 팔을 뻗어 준원의 우람한 목덜미를 끌어안고 속삭였다.

"우리 오늘 잘래요?"

준원의 검은 눈동자가 흐트러졌다.

"나 너무 힘들어서 다 내려놓고 쉬고 싶어요."

지친 음성이 준원의 귓가를 노곤하게 감쌌다. 잠시 그런 도희를 가만히 바라보던 준원의 눈매가 가늘어졌다. 허리를 끌어안는 힘에 도희가 눈을 지그시 감았다.

"그래요."

준원이 하얀 이마에 부드럽게 입을 맞추자 쪽, 가벼운 소리가 터졌다. 다시 도희의 여린 눈꺼풀이 올라가자 무표정한 준원의 얼굴이 시야에 들어왔다.

……그는 지금 무슨 생각을 하고 있을까. 표정을 전혀 읽을 수 없었기에 속을 알 수 없는 남자였다.

"같이 있어요, 우리."

준원의 말에 도희가 작게 고개를 끄덕였다. 함께 어둑한 침실로 들어서자 커튼 틈으로 쏟아진 달빛이 침대 위로 가느다란 줄기의 길을 만들었다. 그 길을 손으로 더듬듯 짚은 도희가 느슨하게 몸을 침대에 뉘었다. 묘하게 현실감이 없는 상황 때문인지 도희는 피의 흐름이 느려지는 듯한 착각을 느꼈다.

제 옆에 비스듬히 준원이 눕자 공기가 끈적하게 무더워졌다. 준원은 커다란 손을 뻗어 도희의 머리를 부드럽게 감싸 안고 쪽, 말랑말랑한 뺨에 입술을 부딪혔다. 반사적으로 눈을 감은 도희는 갑작스럽게 몰려오는 긴장에 입술을 사리물었다. 그러나 허리를 꼭 끌어안는 단단한 팔 때문에 감긴 눈이 도로 뜨여졌다.

"잘 자요."

놀라 커진 도희의 눈동자가 희미하게 떨렸다.

"……."

준원은 그런 도희를 더 따뜻하게 끌어안으며 그녀의 귓가에 입술을 가져다 댔다.

"다 내려놓고 쉬고 싶다면서요."

웃음기 젖은 눈으로 빤히 바라보는 까만 눈에 도희의 심장이 고장

난 듯 두근거렸다. 그는 마치 아이를 재우듯이 한 손으로 도희의 등을 나긋하게 토닥였다. 상기된 얼굴로 가만히 준원을 올려다보던 도희가 이내 픽 웃으며 눈을 감았다. 그 위로 조심스레 꾹 와닿는 준원의 입술을 느끼자 속눈썹이 파르르 떨렸다.

"나쁜 꿈은 꾸지 말고……."

준원이 나지막한 음성으로 속삭였다.

"잘 자요."

커다란 침대에서 그의 품에 안긴 채 잠드는 것은 꽤 포근한 일이었다. 오늘만큼은 이 세상의 모든 짐을 내려놓고 진정으로 쉴 수 있을 것만 같았다. 얼마 지나지 않아 도희는 아른해지는 의식과 함께 깊은 잠에 빠져들었다.

화사하게 내리쬐는 아침 햇살에 비스듬히 눈을 뜬 도희는 고요히 숨을 죽였다. 어제 준원에게 끌어안긴 채 잠을 청했고, 일어나자마자 보이는 것은 그의 자는 얼굴이었다. 아직 잠들어 있는 준원의 얼굴을 가만히 바라보던 도희는 묘한 기분에 휩싸였다.

"……."

전날 서준원에게 자자고 한 건, 꽤 충동적인 마음이었다. 불안하고 지쳐서, 그저 아무 데나 주저앉아 쉬고 싶었고, 마침 작년 서준원의 품이 상당히 아늑했다는 점이 떠올랐었다. 아마 그가 이 충동적인 심리를 꿰뚫어 보고 이렇게 안아 준 걸지도 모른다고, 도희는 생각했다.

"……."

나는 지금 이 사람한테 어떤 감정을 느끼는 걸까?

도희의 마음에는 나날이 묘한 변화가 찾아오고 있었다.

'지금 서준원을 좋아하냐고 묻는다면…….'

자는 준원의 얼굴을 물끄러미 응시하던 도희가 천천히 작은 손을 뻗었다.

'여전히 모르겠어.'

가느다란 손은 준원의 얼굴 근처로 향하려는 듯하다가, 움찔 망설이더니 뒤로 거두어졌다.

'하지만 멀어진다고 생각하면…… 그건 더 싫어.'

답이 나오지 않는 상황 속에서 도희가 할 수 있는 것은 그저 멍하니 준원을 바라보는 것이었다. 그렇게 얼마나 응시하고 있었을까. 곱게 닫혀 있던 준원의 눈꺼풀이 가늘게 위로 올라갔다. 예고 없이 까만 눈동자와 가까운 거리에서 정면으로 충돌하자 움찔한 도희가 숨을 삼켰다.

막 잠에서 깨어나 나른하게 풀린 눈은 도희의 시선을 조금도 피할 생각이 없었다. 두 사람은 가까운 거리에서 말없이 서로를 빤히 바라보았다. 서로 무언가를 갈구하는 듯한 눈빛이었지만, 그사이에 보이지 않는 벽이 있는 것처럼 쉽사리 다가가지 않았다.

"잘 잤어요?"

"……네. 덕분에."

서준원은 지금, 무슨 생각을 하고 있을까. 어떤 감정을 느끼고 있는 건지, 나라는 사람을 어떻게 생각하고 있는 걸지……. 도희는 그게 가장 궁금했다.

침실에서 나온 준원과 도희는 세안 후 식탁에 마주 보고 앉았다. 과도를 쥔 도희는 눈이 빠지도록 엄청나게 집중력을 동원해 진지하게 사과를 깎기 시작했다. 전날 준원이 손수 저녁 식사를 만들어 줬기 때문에 아침으로 먹을 사과는 직접 깎아 주겠다는 일념이었다.

"껍질 깎는 거 맞아요? 아무리 봐도 조각하는 것 같은데."

울퉁불퉁 조각이라도 하듯이 각지게 껍질을 벗기는 모습이 우스웠다. 빨간 껍질에는 사과의 아삭한 속살이 잔뜩 붙은 채로 테이블에 뚝뚝 떨어졌다. 도희는 사과를 하도 노려보느라 시큰해진 눈을 꾹 감았다가 떴다.

"내가 칼보단 펜을 잘 다루는 뇌섹녀 타입이라 그렇거든요."

준원이 픽 웃음을 터뜨리며 손을 뻗었다.

"하긴 한국대 수석 입학이면 뇌섹녀 맞네요. 그거 줘 봐요."

도희의 손에 들린 사과와 과도를 건네받은 준원이 능숙하게 껍질을 벗기기 시작했다.

"그건 어떻게 알았대요?"

"사내에 소식통이 있거든요."

"소식통? 누구요?"

"상품개발팀 강 과장이요. 학교 때 동창이에요."

"아아, 강주접…… 아니, 강주엽 과장님이요?"

도희가 저도 모르게 말실수했다가 정정하자 준원이 흐릿하게 실소했다.

"그 친구는 학생 때도 별명이 강주접이었는데, 회사에서도 똑같네요."

"뭐, 좀 오버하는 성격이잖아요."

쿡 웃음을 터뜨린 도희가 이내 완벽한 자태로 껍질을 깎아 내는 준원을 보며 입을 떡 벌렸다.

"와, 근데 껍질 진짜 잘 벗기시네요. 어떻게 이렇게 안 끊기고 얇게 잘 깎지?"

"제가 원래 껍질 벗기는 걸 잘하거든요."

준원이 노란 속살만 남은 사과를 먹기 좋은 크기로 자르며 은근하게 덧붙였다.

"그래서 옷도 잘 벗겨요."

"……안 물어봤거든요?"

눈을 흘기는 도희의 대답에 나직이 웃으며 어깨를 으쓱했다. 두 사람은 잘 자른 사과와 모닝커피를 마시며 여유로운 토요일 아침을 보냈다. 커피로 목을 축인 도희는 주변을 둘러보고는 어제부터 궁금했던 이야기를 꺼냈다.

"근데 전희선 화백을 좋아하시나 봐요."

커피잔을 입가에 가져다 댄 준원이 그대로 멈칫했다.

"벽에 온통 전희선 그림이던데, 난 그 화가 그림은 색이 우울해서 별로……."

"저희 어머니입니다."

"……아주 좋아합니다. 별로, 내 마음의 별로."

머쓱해진 도희가 엄청난 속도로 태세 전환하자 준원이 나지막이 웃었다.

"어머니 그림이셨구나. 그래서 이렇게 벽에 많이……."

미간을 좁힌 도희가 말끝을 흐렸다. 문득 생각나는 것은 전희선 화백이 스스로 목숨을 끊었다는 사실이다. 그녀가 자살한 이후, 그녀의 작품들은 재평가받기 시작했고 현재는 가장 고가의 작품이 억대로 올라섰다고 기사에서 언뜻 본 적이 있다.

'어머니가 돌아가신 이유가 자살이었나……?'

그가 전에 어머니는 돌아가신 지 오래고 아버지는 시한부라고 했던 것을 도희는 기억하고 있었다.

"제가 전에 아버지 돌아가시면 유산으로 받고 싶다고 했던 게, 저희 어머니 그림입니다."

준원의 말에 도희는 입술을 벌려 작게 탄식했다. 당시에는 그가 마치 돈에 눈이 먼 사탄처럼 느껴졌는데 알고 보니 이런 내막이 숨겨져 있었다.

"아버지가 예전에 재혼하셨는데, 상속에 관한 유언 없이 돌아가시면 그림 31점의 소유권을 재혼하신 분과 나눠 가져야 해서요."

"그러면…… 그림 관련해서 유언을 써 주시는 조건으로 아버지께서 결혼하라고 하신 거고요?"

"네. 그래서 아무것도 원하는 조건이 없는, 아무 여자와 결혼하려고 했었습니다. 비록 상속 문제 때문에 반드시 결혼해야 할 상황이었지만, 전 저 외에 다른 누군가를 책임질 자신도, 의향도 없었으니까요,"

"……차유나는 팀장님한테 원하는 게 있었던 모양이네요. 결혼이 무산된 걸 보면."

"네. 파혼하자고 한 건 제가 아니라 그쪽이지만요."

도희의 숨이 일순 끊겼다. 당연히 결혼을 깬 건 서준원이라고 생각했는데, 차유나라는 대답이 돌아왔다.

'뭐지……?'

차유나는 왜 서준원을 좋아하면서도 먼저 결혼을 깬 것일까. 이해할 수 없는 일이었지만 혼자 고민해 봐야 답이 나올 리 없었다. 생각이 많아진 도희는 복잡한 상념들을 더는 붙잡고 싶지 않아 화제를 돌리기로 했다.

"근데 이 집은 매매가가 얼마예요? 되게 좋다. 여기가 최고층이죠?"

"네. 최고층입니다. 매매가는……."

가격을 들은 도희의 입이 절로 떡 벌어졌다. 서울의 집값이 얼마나 폭력적인지 오래전부터 체감하고 있었지만, 이 아파트는 근처의 아파트들보다도 "억" 소리 났다.

"……일개 회사원 연봉으로 접근할 수 있는 클래스가 아니네요."

"백 과장도 괜찮은 곳 살잖아요."

"거긴 내 집도 아닌데요, 뭘. 땅바닥에 돈 묻고 눌러앉아 사는 거지, 뭐."

그나마 열심히 돈을 모으고 재테크도 꾸준히 한 덕에 꽤 좋은 곳에 월세 아닌 전세로 살고 있었지만, 내 집 마련의 꿈은 아직 버리지 못했다.

"안 그래도 지금 사는 집, 곧 전세 기간 끝나서 고민 중이에요. 웬만하면 전세금 올려서라도 거기 계속 살고 싶은데, 집주인이 들어와 살겠다고 비우라더라고요."

"이사하려고요?"

"네. 그런데 미치겠어요. 우리나라 서울 집값은 인간적으로 너무

비싸서.”

“그렇죠, 아무래도.”

“근데 내가 또 자존심은 더럽게 세서 짜치는 곳에서는 못 살겠더라고요. 좋은 곳 살아야, 나도 좀 좋은 사람 되는 기분이라…….”

괜히 또 떠오르는 예전 기억에 실소가 터졌다.

“어렸을 때 반지하에서 살았던 때가 있어요. 겨우 침대 하나 들어가는 좁아터진 쪽방에 앉아서 반쪽짜리 창문 밖으로 보이는 광경은 전부 사람들 발이었어요.”

“…….”

“난 그때 수능 준비 중이었는데 정말 화가 나더라고요. 하루에 학교 가는 시간 빼고는 모든 시간이…… 전부 다른 사람들 발아래에 있다는 게.”

알지도 못하는 사람들 발아래에서 먹고 자고 숨 쉬고 있다는 게 죽도록 싫었던 시절이었다.

“그래서 일종의 강박감이 생겼어요. 무조건 고층 아파트, 그중에서도 가장 높은 층……. 좀 유치한가요?”

“전혀요. 나도 최상층을 가장 좋아합니다. 지리적 위치와 회사와의 거리를 고려하면 우리 집만 한 곳이 없는데…….”

준원이 부드럽게 입꼬리를 올리며 도희와 눈을 마주했다.

“여기 들어와서 같이 살래요?”

“……네?”

도희의 숨이 일순 멈추었다.

“네에에?!”

너무 놀라 반쯤 소리쳤으나 그의 표정은 너무도 진지했다.

"어이가 없어서 진짜……. 이상한 장난치지 말아요."

도무지 그가 말하는 의도를 알 수가 없다. 사귀는 사이도 아닌데 밑도 끝도 없이 들어와 살라니……. 대체 저게 무슨 해괴한 말인가.

"장난 아니고, 진심으로 제안하는 겁니다."

일순 낮아진 음성과 함께 준원의 눈이 도희를 직선으로 올곧게 응시했다.

"우리, 결혼할래요?"

……그녀는 가끔 궁금했다. 이 인간의 뇌 구조가 어떻게 생겨먹은 건지.

"……."

뜬금없는 제안에 도희의 동공이 거칠게 뒤흔들렸다.

"혹시…… 더위 먹으셨어요?"

"멀쩡합니다."

"그럼 저 몰래 술 드셨어요?"

"어젯밤부터 계속 같이 있었잖아요."

"허, 이거 약간 1년 전이랑 같은 데자뷔가 일어나는데……."

작년에 선을 봤을 때도 그는 뜬금없이 '결혼하시겠습니까?'라고 폭탄 발언을 해서 도희를 얼빠진 사람으로 만들었었다. 하지만 그때와 다른 점이 있다면…… 그의 표정과 음성에서 물씬 묻어나오는 온기였다.

"서준원 씨."

도희는 붉은 입술을 조심스레 열었다.

"회사 동료니 사람으로서니, 그런 거 말고 여자로서……."

뚫어져라 서로를 바라보는 눈빛이 허공에서 치열하게 얽혔다.

"나 좋아해요?"

계절은 햇살이 어설프게 비추는 겨울이었지만, 두 사람 사이의 공기는 무더웠다. 잠시 침묵이 이어지고 미묘한 긴장감이 팽팽하게 감돌았다. 굳게 일자로 다물어져 있던 준원의 입술이 느릿하게 열렸다.

> 2권에서 계속

첫날밤만 세 번째 1

초판 발행 2022년 3월 24일

지은이 갓녀
펴낸이 최재호
펴낸곳 주식회사 에이템포미디어

편집 디자인 에이템포미디어 출판부 **표지 디자인** Manceb
교정 교열 에이템포미디어 출판부 **삽화** 케이

등록번호 2019년 2월 27일 제 2019-000012호
주소 경기도 부천시 조마루로385번길 92 부천테크노밸리U1센터 726호
전화 070-4100-0600

전자우편 atempo_media@naver.com
블로그 atempomedia.com
인스타그램 @atempomedia_books
트위터 @atempomedia

ISBN 979-11-6428-742-0